集英社文庫

翼

cry for the moon

村山由佳

集英社版

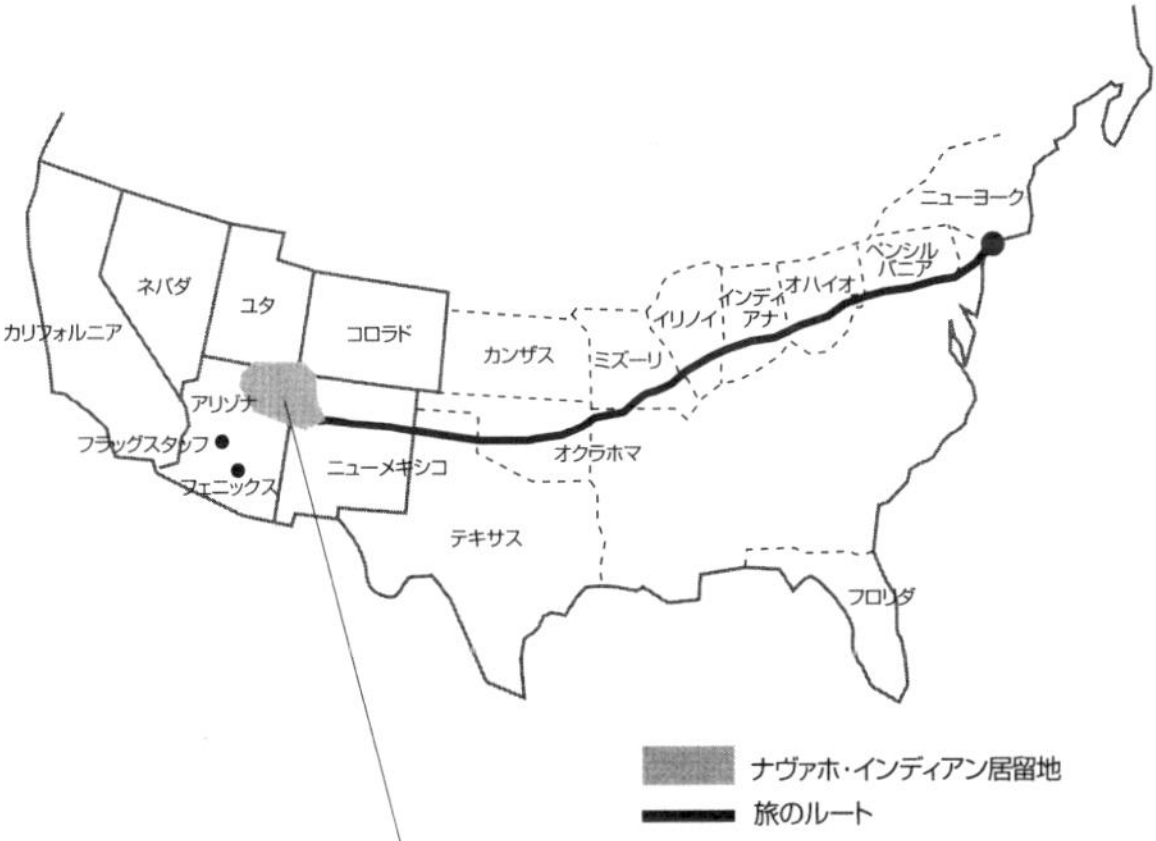

ナヴァホ・インディアン居留地（含.ホピ居留地）

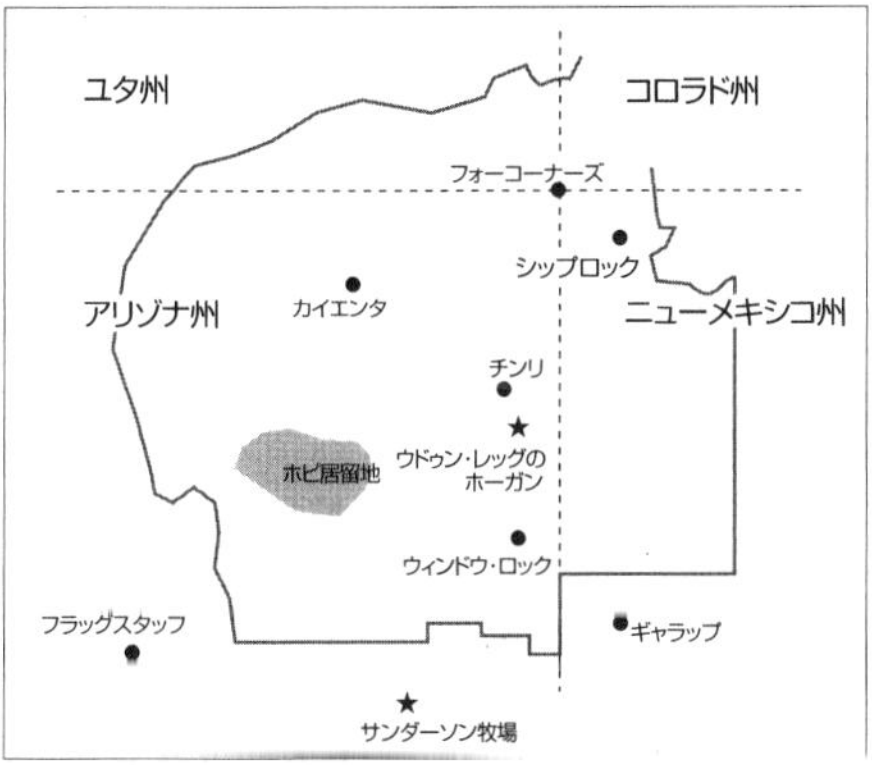

1マイル＝約1.6キロメートル　1フィート＝約30センチメートル

翼
cry for the moon

主な登場人物

篠崎《しのざき》真冬《まふゆ》(マフィ)――ニューヨーク大学の大学院生、日本人
ラリー(ロレンス)・サンダーソン――ニューヨーク大学の教授、真冬の恋人
ティム――ラリーの息子
デニス・ジャクソン――精神科医、ラリーの友人
ルーシィ――真冬の友人、WASP出身のアメリカ人
サンドラ――同、英国人留学生
ドング――同、韓国系アメリカ人
シリル・ウォン――ティムのベビーシッター
アンドリュー・ビスティ――シリルの同棲相手、カメラマン
リチャード・サンダーソン――ラリーの父親、アリゾナの牧場主
クレア――ラリーの母親

イライザ――ラリーの妹
マイケル――ラリーの弟
ウォルト・マッキベン――サンダーソン家の顧問弁護士、リチャードの従弟
ブルース――サンダーソン牧場の牧童
〝木でできた脚《ウドゥン・レッグ》〟（アンガス・ベナーリ）――ナヴァホ族の古老、メディスンマン
〝鷲の心臓《イーグル・ハート》〟――ウドゥン・レッグの孫
ドロシー――ウドゥン・レッグの娘
アーマ――ウドゥン・レッグの娘
ビル・〝疾駆する馬《ランニング・ホース》〟――ウドゥン・レッグの息子
デリラ・〝銀色の草《シルヴァー・ウイード》〟――ドロシーの娘
〝話の長い男《ロング・トーカー》〟――ウドゥン・レッグの友人
〝殴られた顔《パンチド・フェイス》〟――イーグル・ハートの愛犬

解説　池上冬樹

翼

cry for the moon

少年が、母親の埋葬を終えたその日——空には真昼の月がぴたりと貼《は》りついていた。

もう数か月もの間、まとまった雨が降っていない。荒野は乾ききってひび割れ始め、セージブラッシュの茂みは赤い砂ぼこりにまみれていたが、少年の足もとのサボテンはその朝、陽《ひ》のしずくのような金色の花を咲かせた。

地平線は遠くゆるやかな弧を描き、薄紫にけぶっている。高みへ行くほど蒼《あお》さを増す空をいただいて、神々の食卓を思わせる巨大な台地《メサ》がそびえたつ。赤茶けた岩肌は、幾重にも折り重なった層の間に時を封印していた。

「聞こえるかね?」

年老いたメディスンマンは、並んで立つ孫にささやいた。

少年は耳をすませてみた。

何も聞こえなかった。車や飛行機が近づいてくる気配もない。母が亡くなった今ではもう、彼の名を呼んでくれる人もいない。

黙ったまま首を横にふり、うつむいて、母の作ってくれたモカシンを見つめる。祖父の視線が静かに注《そそ》がれているのを感じた。

「目をつぶってごらん」

少年はまぶたを閉じた。

どこかから吹いてきた風が耳たぶを撫《な》で、再びどこかへ去っていく。セージの茂みが揺れると、かすかな葉ずれの音とともに神聖な香りがあたりにたちこめた。

近くの茂みでひな鳥の鳴く声がする。それを狙《ねら》ってか、ヘビが灌木《かんぼく》の根もとをゆっくりとすり抜けていく音も聞こえる。少年はヘビの体にさわった時のことを思い出し、なめらかでひんやりとした感触と、乾いた鱗《うろこ》が枝にこすれる様子を思い描いた。

目を開けて、祖父を見上げる。

祖父は、微笑してうなずき返した。

「耳をすませるんじゃあない。心をすませるのだ」と、祖父は言った。「そうすれば、この世のすべてのものがお前にささやきかける声を聞くことができる。母なる大地の声。父なる空の声。岩も、草も、花も、鳥も、お前の兄弟であり姉妹なんじゃ。お前が花を見る時には、花もお前を見ている。お前が風の声を聞く時には、風もお前に語りかけている。お前が石を拾いあげる時には、石のほうでもお前を選んだのさ」

少年は息をつめて、黒々と輝く祖父の目に見入った。

「よく覚えておきなさい」ゆっくりと、祖父は言った。「お前は一人じゃない。もしもお前が、弟が兄を愛するように彼らを愛するなら、彼らも同じようにしてくれるじゃろう。兄が弟を助けるように、お前を助けてくれるじゃろう」

そのとき頭上で鋭い声が響き、少年はハッと空を見上げた。

透《す》きとおった紺碧《こんぺき》の高みに、大きな鷲《わし》の姿があった。青白い上弦の月を中心にして、完璧《かんぺき》な円を描いて舞っている。

少年はみとれた。憧《あこが》れが、八月の稲妻のように体を刺しつらぬき、彼は知らず知らずのうちにつま先立ちになって両手を空へとさしのべていた。

と、鷲は突然、旋回をやめてくるりと身をひるがえし、目に見えない坂をなめらかにすべりおりて二人のすぐ近くまで急降下してきた。

驚いて後ずさりする少年の肩を、祖父の手が押さえる。

鷲は地面につかみかかり、大地と格闘するように何度か翼を打ちつけたかと思うと、再び斜め前方へ舞い上がった。はばたきが巻き起こした風が額に吹きつけてきた一瞬、杜松《ねず》の木の根のようにねじれたカギ爪《づめ》が、黄色いヘビの頭と胴体にくいこんでいるのがはっきりと見えた。

やがて、鷲の姿は遠ざかり、黒い点になり、台地の彼方《かなた》へ見えなくなった。あの向こうに巣があるのかもしれない。

少年は鷲が舞い降りたところへ――ついさっきまでヘビがいて、今はいなくなったその場所へ駆け寄った。砂の上には翼がこすれた跡がいくすじも残っていた。セージの枝が何本か折れ、枝の先に一枚の羽根が引っかかっている。

彼はそっと手をのばし、また引っ込めた。さわっていいものかどうかわからなかった。鷲は空のいちばん高いところを、『聖なるひとびと』の最も近くを飛ぶ。この羽根もまた、あの鳥とともに、風に乗り雲を分けて旅してきたのだ。きっと空の精霊《スピリット》が宿っているに違いない。

迷っていると、後ろから祖父が言った。

「取んなさい。それはお前の羽根じゃよ。お前の呼びかけに応《こた》えて、友が与えにきてくれたのさ。敬意をはらって正しく扱えば、その羽根はお前を精霊に結びつけ、力を与えてくれる」

少年は、おそるおそる羽根を手に取った。とがった軸のまわりを子羊の毛のような柔毛がとりまいている。みごとに筋目のそろった羽根の先は濃い褐色だった。太陽に近づきすぎて焼け焦げてしまったのだろうか、と彼は思った。

「……正しく扱うって、どうすればいいの？」

母親が死んで以来初めて口をきいた孫を、老メディスンマンは目尻《めじり》に深いしわを寄せて見おろした。

「それを教えるのが、わしの役目さ。おいで。お前に、新しい名前をやろう」

1

「壁が……」痛みをこらえるように眉《まゆ》をひそめて、彼女はつぶやいた。「書斎のドアを開けたとたんに、真っ赤な壁が目に入りました。父の机のうしろの壁が一面、まるでペンキをぶちまけたみたいに……」

「きみはその時、いくつだった？」

「八歳になったばかりでした」

「血なんて見たこともなかった」

「ええ……。いえ、膝小僧《ひざこぞう》をすりむいたことくらいはありましたけど、もちろん」彼女はわずかに唇の端をゆがめた。「でも私、その時はてっきり父がペンキの缶を倒したんだとばかり……」

「マフィ」

のどをひきつらせて黙りこみ、そのまま部屋のすみを見つめている。

相手が反応を示さないので、デニス・ジャクソン医師はもう少し強い口調で呼んだ。

「マフィ」

はっと彼女が顔を上げた。

ジャクソンは、目の前の若い日本人女性をじっと見つめた。

「ひどい顔色だよ。続きはこの次にする？」

「いいえ、大丈夫です」

「じゃ、少し休憩しよう。コーヒーでもどうかね？」

「すみません。あ、いえ、あの……ありがとう」

ジャクソンは、わかってるよ、とうなずき、サイドテーブルに置かれていたポットからコーヒーを注《つ》いで、彼女に差し出してやった。

日本語においては謝罪と感謝の言葉の境界があいまいだ——とは、前に日系の友人から聞かされた話だ。日本人が何かとすぐ「すみません《ソーリー》」と口にしてしまうのは、その感覚を英語にまで持ちこむためではないかと友人は言っていた。しかし、目の前の女性……マフユ・シノザキがそれを混同したのは、ジャクソンが覚えているかぎりこれが初めてだった。取り乱しているのだ。無理もない。

ミズ・シノザキの英語からは、日本人特有の奇妙なアクセントは感じられなかった。生まれてから八歳になるまで、つまり父親の事件が起きるまでということだが、母親を含む家族三人はボストンで暮らしていたのだ。日本の大手医療機器メーカーのボストン支社長となったミスター・シノザキは、本社に報告するに足る成績を挙げようとがむしゃらに働き、八年後に死んだ。

わかっているのはそこまでで、肝心の部分はまだ闇《やみ》の中だった。マフユ・シノザキが話そうとしないからだ。いや、話そうとしても話せないでいるからだ。げんに今も、黙りこくったままコーヒーをすすっている。

ジャクソンは待った。仕事柄、待つのは慣れていた。

部屋は、訪れる人々がリラックスできるようにブラインドをおろして薄暗くしてある。ベージュとブラウンを基調に落ち着いた雰囲気でまとめられ、大きなデスクや書棚などはどこにも見当たらず、かわりに安楽椅子やソファやテーブルなどがバランスよく置かれている。見ただけでは精神分析医の診療室だとわからないほどだ。防音ガラスのおかげで、ここがマンハッタンのど真ん中であることさえ忘れそうだった。

ジャクソンは、向かいのソファに座ってうつむいているマフユをそれとなく観察した。

ジーンズの上に生成《きな》りのコットンセーターを着た彼女は、耳の後ろにかけていた髪がぱらりと頬《ほお》に落ちかかっても動こうとしなかった。肩より少し短い黒髪はまっすぐで、そのひとすじが小さな金のピアスに引っかかっている。目鼻だちは、東洋人《オリエンタル》にしてははっきりしていた。美人というのではないかもしれないが、濃い眉は一直線にすっとのび、黙っていても何かを語りかけてくるような瞳《ひとみ》と、笑ったり考え込んだりするたびにえくぼの刻まれる口もとが印象的だった。膝に載《の》せたバッグの上でかたく組み合わされた両手は、セーターの色よりも一段黄色味がかったクリーム色だ。

ジャクソンは自分の膝に目を落とした。彼女の倍ほどもありそうな、コーヒーブラウンの両手がそこにあった。

「落ち着いたかね？」と、彼は言ってみた。

「……ええ」かすかな微笑。

「それじゃ、続けようか」ソファに深く座り直す。「どうしてきみは、父上の書斎へ行く気になったんだい？」

細い体が再びこわばるのがわかった。カップをテーブルに戻して、彼女は言った。

「音がしたんです」ごくりとつばを飲みこむ。「居間で一人で遊んでいたら、いきなり二階で音が……音が聞こえて……」

「ゆっくりでいいよ」

「風船の割れた音だと思いました。それからすぐドサッと、何か重たいものが落ちるような音もして……それで、二階へ上がってみたんです。父が何か落として散らかしたなら、片づけるのを手伝ってあげようと思って」

「お父さんのこと、好きだった？」

「ええ。大好きでした」

彼女はまた唇の端をゆがめた。微笑《ほほえ》もうとして失敗したのか、それとも泣くのをこらえようとして成功したのか、見ているジャクソンにはどちらともわからなかった。わかるのは、マフユ・シノザキがじつに気丈な女性だということだけだった。泣かないわけではなく、むしろ涙もろいほうなのだが、自分の涙に流されてしまわないだけの強さがある。芯《しん》がしっかりしていて独立心旺盛《おうせい》。あえて言いかえるなら、やや強情で負けずぎらい。人からはよく頼られるわりに人を頼ることは苦手で、そのために、誰の助けも必要としないかのように誤解されがちだが、実際には心の奥底に問題をかかえている。それも、かなり深刻な問題をだ。ぱっくりと開いたその傷口がジャクソンには見てとれたが、手が届くところまではまだいっていなかった。

マフユ・シノザキ（「マフィと呼んで下さってかまいません」）と話すのは、今日で七度目になる。

彼女にここを紹介したのはラリー・サンダーソンだった。ニューヨーク大学の教授をつとめている彼とジャクソンは学生時代からの親友同士で、ラリーのほうは白人《ホワイト》だったが、少なくとも互いに関する限り、どちらもまったくの色盲《カラーブラインド》だった。

マフユの主な悩みは、二つあった。ひとつは、幼い頃の悪夢にたびたびうなされること。もうひとつは、恋人を心から大切に思っているにもかかわらず、どうしても自分をさらけ出したり預けたりできないことだ。もちろん、そこには性《セックス》の問題も含まれている。

ジャクソンとしては、その程度の問題ならば何も自分のところでなくてもと思わないではなかったが、いかんせんマフユの恋人というのがラリー本人とあっては、いくら忙しかろうが断るわけにもいかなかった。

空《あ》いているのは申し訳ないが火曜の午前十時だけだとジャクソンは言い、それでかまわないとマフユは言った。彼女のほうも時間に余裕のある身ではなかったが、これまで約束の時間に遅れたことは一度もなかった。

事件の後いったん母親と日本へ戻ったものの、彼女は十八歳の時、自分の意思でアメリカ国籍のほうを選び取り、その翌年から再びこちらの大学で学んでいた。経営学《MBA》の修士号を取得するべく、今はニューヨーク大の大学院に通っているという。

最初にそれを聞かされた時、ジャクソンは内心苦笑いしたものだった。ラリーの奴め、前の女房でひどい目にあって以来すっかり意気消沈していたかと思いきや、とうとう教え子に手を出したってわけか。まあいいだろう、堅物《かたぶつ》のあいつにしちゃ上出来だ。

しかし今では、同じ男として親友の気持ちが理解できないでもない。ミズ・マフユ・シノザキには、おそらくこの国で育った女性がどうしても持ち得ない類《たぐ》いの、一種独特の雰囲気があった。たとえどれほど激しい感情につき動かされて声を震わせている時でも、彼女が身にまとう空気は、月がかもし出すそれのように凛《りん》として静かなのだ。

「オーケー」と、ジャクソンは言った。「話を戻そう。きみは書斎のドアを開けて、赤く染まった壁を見た。それから?」

「父を呼びました」

「返事は、なかった」

はい《ノー》、と答えたきり、また口をつぐむ。今までもこの事件のことは何度か話題にのぼったのだが、話がこのあたりにくるたびに彼女は口が重くなってしまう。

　ふと思いついて、ジャクソンは質問を変えてみた。

「お母さんは？」

　ぴくり、と彼女の眉が動いた。

「きみのお母さんは、その時どこにいたんだ？」

「母は……車で、買い物に出かけていました。前の晩に父と大声で言い争ってましたから、またどうせ新しい服かなにか買ってくるんだろうなと思いました。いつものことだったんです」

「お母さんのことは、あまり好きじゃなかった？」

「………」

「オーケー、きみはお父さんを呼んだが、返事がなかった。そのあとは？」

「部屋に入りました」

「それから？」

「………」

「続けて」

「机の」声がかすれて、彼女は咳《せき》ばらいをした。「机の下に椅子の脚が……あの、丸いコロのついた脚です。あれが、なぜか横向きにつき出しているのが見えて、そばへ寄ってみました。そうしたら」

彼女の顔がいきなりくしゃっとゆがんだ。

「そこに父が……父が横たわって、床から私を見上げていたんです」

終わりのほうは悲鳴のように聞こえた。

「ペンキなんかじゃなかった。父の胸から上は血まみれで、頭の下のカーペットもどす黒い血の海で……おまけに彼は、まだ生きてました。いっそひと息に死んでしまったほうが苦しまないで済んだのに」マフユはぎゅっと目をつぶった。「後でわかったことですけれど、口に……け……拳銃《けんじゅう》をくわえて引き金を引いた瞬間に、迷いがあったせいか、狙いがそれてしまったんだそうです。それで弾が……頭の後ろへじゃなく、耳のほうへ抜けてしまって……」

彼女が片手で顔の半面をおおう。

「マフィ。大丈夫?」

何度も小きざみにうなずくと、彼女はバッグの中から急いでハンカチを取り出し、鼻の下に押しあてた。涙がぼろぼろこぼれて、白いハンカチにしみ込んでいく。

たっぷり一分ほどじっとそうしていたあと、音をたてて洟《はな》をすすりあげ、彼女は小さくごめんなさい、と——今度は本当の意味で——言った。

「謝らなくていい。泣くのはいいことなんだよ。特にきみの場合」とジャクソンは安心させてやった。「無理に我慢する必要はないんだ」

彼女はかなりの努力で、口の両端を引き上げてみせた。ハンカチをしまおうかどうか数瞬迷ったが、結局手に握ったままでいることに決めたようだ。

「大丈夫？」

こくりとうなずく。

「じゃ、続けよう」

「父は……ただじっと私を見上げていました。助けてほしそうなそぶりもみせなかったし、何か言おうともしませんでした。ただ、私を見上げていただけ。私も……ただ見おろしていただけ。怖くて……血だまりの中に立ったまま足がすくんで、目の前は真っ赤で……とにかく何も考えられませんでした。泣きだすことさえできなかったんです。だから、ようやく外から帰ってきた母が二階へ上がってきて、壁を見て金切り声をあげるまでの間ずっと、私は何もしないで父を……父がゆっくりゆっくり死んでいくのを……」

今度は、ずいぶん長く待たなければならなかった。

ジャクソンはさりげなく、彼女の後ろの時計を見やった。予定の時間を四分ほど過ぎ、時計の横に取りつけてある小さなボックスには赤い豆ランプがともっている。次の患者が時間どおりに来て待っていることを秘書が知らせている印だ。

目を戻したジャクソンは、マフユがなんとか気をとり直そうと大きく深呼吸するのを見守った。

くり返しうなされる陰惨な夢に関しては、今日までに聞いた話でほぼ納得がいく。父親が血まみれの手で足首をつかむ夢は、立ちすくんだまま何もできなかった自分への罪悪感からくるものだろう。

だが、彼女がこうまで人を信じられないのはどうしてだ？　なるほど、父親の自殺の現場を目撃するという体験は悪夢の原因としては充分すぎるほどだが、しかしそれだけでは彼女の根深い人間不信の説明になっていない。なぜ彼女は、恋人《ラリー》に心をひらかない？　なぜまわりの人間と必要以上に親しくなるまいとし、自分を一人にしておこうとするのだろう？　父親の一件以外にも、まだ何か原因があるのではないだろうか？　そこのところが俺は知りたいんだ……と、強く思った時、頭の中でピピッと警報が鳴った。

ジャクソンは、慎重に好奇心のブレーキを踏んだ。時々こうして、自分のえり首をつかんで引き戻さなければならないことがある。精神分析医が患者にいちいち感情移入していたのでは身がもたない。早晩ぼろぼろになってしまうだろう。

「今日はここまでにしておこうか」

ジャクソンがソファの背から体を起こすと、彼女は憔悴《しょうすい》しきった顔を向けてきた。

「疲れたかい？」

「……このことを誰かにお話ししたの、十年ぶりくらいなんです」ひとりごとをつぶやくように、彼女は言った。「ラリーにさえもまだ話してなくて。あんなに心配してくれてるのに、あなたに先に話してしまうなんて、何だか彼に悪いような気がするわ」

「しかし、そのためにこそ彼は、私をきみに紹介したんじゃないか」

「それは、そうなんですけど」

「気にする必要はない。それが私の仕事なんだ。それに、私がきみから何を聞いて何を聞かなかったか、そんなことが誰かほかの人間の耳に入るなんて絶対にあり得ないよ。きみがこのことをラリーに打ち明けたいと思えばそうすればいいし、いやなら黙っていればいい。今すぐに話せなくてもいつか話せる時がくるかもしれないし、このままずっとこないかもしれない。ただね、マフィ。とにもかくにもこうして口に出して話してしまうことによって、きみは、さっきここへ入ってきた時よりも一歩前に踏み出したんだ。いま大事なのはそのことだ。わかるかい?」

「……ええ」

「自信を持ちなさい。きみは、本当は強い女性なんだから」

彼女はやっと微笑んで、ジャクソンに続いてソファから立ち上がった。姿勢がいいせいか、離れていると東洋人の女性にしては背が高く見えるのだが、こうして近くに立つとそれほどでもない。

ジャクソンは彼女の背中に手をあてて、

「じゃ、また来週」

入ってきたのとは別のドアから送り出した。入口と出口が別なのは、患者同士が顔を合わせないですむための配慮だ。

静かにドアを閉めると、彼は次の患者を待たせていることを承知で、煙草に火をつけた。この悪習だけは、どんなに妻からうるさく言われてもやめられなかった。こんな気分の時はなおさらだ。

窓のブラインドに人さし指をかけて隙間《すきま》からのぞくと、十フィートばかり下の歩道を歩いていくマフユの黒い頭が見えた。横断歩道の信号が点滅しても走らずに、一回待つことにしたようだ。肌の色も身なりも言葉もまちまちの人々の中に自然にとけこんだ立ち姿はすでに、一人のニューヨーカーのそれだった。

かつてジャクソンが病院勤務をやめて独立することを決めた時、大先輩である老医師がこんな助言をしてくれたものだ。

「精神療法ほど、心身ともにすりきれる勤めは他にないぞ、デニス。しょせんわしらは、公衆便所みたいなものさ。誰もかれもが心に溜《たま》ったクソを吐き出しにきよる。たとえは悪いがね、実際むくわれない仕事だよ。患者のために尽くしたいと願うまじめな医者ほど、どんどん自分をすりへらしていく羽目《はめ》になる。こちらはひたすら与えるだけ、相手はひたずら奪うだけだからな。溺《おぼ》れかけた者が、せっかく助けに飛びこんだ人間にやみくもにしがみついた結果、二人とも溺れ死んだなんてのはよくある話じゃないかね？　きみもそうならんように、せいぜい気をつけることだな」

気をつけてますよ、ドクター……と、ジャクソンは思った。そのせいで、ときどき自分がひどく冷たい人間か、けちくさい偽善者のように思える時もありますがね。

ゆっくりと煙を吐き出す。信号が青にかわって、マフユの姿が車の列と人ごみの中へまぎれていく。

窓から離れ、煙草を灰皿の中で折れるほど強くもみ消すと、ジャクソンはドアのところへ行って次の患者を迎え入れた。

2

「『真冬』って、なんだか寒そうなお名前ね」

その言葉が、今でも耳の底に残っている。

父親が死んでボストンから日本に戻った時だった。編入した小学校の担任は教壇の横に彼女を立たせ、「今日から新しいお友達になる篠崎《しのざき》真冬《まふゆ》さんです」と紹介したあとに続けて、まるで付け足しのようにそう言ったのだ。なんだか寒そうなお名前ね。

ときどき変な日本語をしゃべるといって彼女がクラスメイトからいじめられていても、「仲間はずれはいけませんよ、仲良くね」念仏のようにそう繰り返すばかりで、結局なにもしてくれなかった先生。鈍感なだけで悪気はなかったのだろうと、今でこそ客観的に思えるけれど、あの当時はもちろんそんな余裕などなかった。通い始めたその日から、真冬は、学校も日本も大嫌いになった。

名前については、会う人ごとにさまざまなことを言われた。素敵な名前だと言ってくれる人もいたが、かわっているね、とか、寂しい名前だね、といった感想のほうが多かった。中には、誰がつけたの？　と訊《き》く人もいた。

冬至《とうじ》の日に生まれたから、「真冬」。つけたのは父親だと聞かされている。なんと安易なネーミングだろうと、やがて思春期に入った彼女は思うようになった。せめて「冬美」とか「冬子」とか、もっと普通の名前にしておいてくれれば目立たなくて済んだのに。あの担任のセリフではないが、そんな寒そうな名前を平気で娘につけるなんて、父親は自分の誕生をあまり喜んでいなかったのではないだろうかとも思った。なにせ、母親とだってあんなに毎日ケンカばかりしていたくらいだし。

そう考えると、幼い頃に父が示してくれた愛情の記憶まで偽物《にせもの》になってしまう気がして、彼女は日本や日本の学校と同じくらい、自分の名前が嫌いになった。

ワシントン・スクウェアの大きな噴水が、逆光をはじいてきらめいている。木々の緑は濡れたように鮮やかで、柔らかく晴れた空に、巨大な石造りのアーチの白さがまぶしい。

四月に入ったばかりとは思えない暖かさだった。時おり吹く風になびいて、冷たい霧がさらさらと降り注ぎ、人々の笑い声が鳥のさえずりのように混じりあって交差する。

真冬は、噴水池をとりかこむ石段に腰をおろした。

このあたりはもうニューヨーク大学のキャンパスの一部だ。七番街沿いのビルにあるジャクソンの診療所を出たあと、まっすぐここまで歩いてきたものの、ラリーとの待ち合わせにはまだ少し早い。

輝く水面《みなも》が、寝不足の目をちくちくと刺す。見わたすと、石段には十数人ほどの人々が少しずつ距離をおいて腰かけていた。学生もいれば、そうでない人もいる。

知った顔に会いませんように、と真冬は思った。ラリーと逢《あ》っているところを見られたくないからではない。誰と顔を合わせても今は明るくふるまえそうにないし、どうしたの、元気ないじゃない、などと肩をたたかれるのもよけいにわずらわしいからだ。心配してもらいたい気分ではない。

ああして自分をさらけ出して話すことが、本当にジャクソン医師の言うように一歩前に踏み出すことになっているのかどうか、彼女にはよくわからなかった。ラリーを安心させるためだけに、彼の言うとおりにしているといったほうが事実に近い。

初めにラリーから、精神分析《サイコセラピー》を試してみる気はないかと言われた時、真冬は一瞬悪い冗談を言われたのかと思った。そして、そうでないとわかると深く傷ついた。穏やかで思いやりの深い、十歳も年上のラリーに対して、それほど腹が立ったのは初めてだった。

「私の頭がおかしいって言いたいの？」

「そうじゃない。きみはどこもおかしくなんかないさ。ただ……」

「ただ、何？　どこもおかしくないと思ってるなら、どうしてそんなひどいことが言えるの？」

「…………」

ラリーの濃い眉根に影がさした。どう言おうかと言葉を選んでいるのだと知って、真冬は胃袋の底がすうっと冷えるのを感じた。

そこは、チェルシー地区のはずれに借りた彼女の部屋だった。その日はラリーが研究室でいらなくなった本棚を運びこんでくれたのだ。

彼がこの家に来るのは初めてだった。部屋にはほかに、中古屋でそろえた家具がいくつかと、唯一新品で買った小さなベッドが置かれているだけだったが、ラリーは彼女が自分で縫ったカーテンや壁に掛けた小さな絵などを見まわして、居心地よさそうな部屋だね、と言ってくれた。

寒い日だった。同じ一軒家を一部屋ずつシェアしている友人たちはみんな出かけていて、家にいるのはラリーと真冬と、彼女が飼っている牡猫《おすねこ》のスノーブーツだけだった。

狭い部屋にはソファなどなく、ベッドに座って話をしているうちに、結局、いちばん温かくなることを始めてしまったわけだ。それなのに、抱き合った後になってこんな寒々とした気持ちにさせられるなんて……。

彼女はベッドの上に起き上がった。冷たい床に足をおろし、ベッドの端に腰かけたまま、脱ぎすててあったシャツを拾いあげる。

「マフィ？」

「そうね」と、彼女は首を振った。「やっぱり、おかしいのかもしれないわ」

「だから、誰もそんなことは言ってないじゃないか」

「そう？　でも私このごろ、夜中にハッと我に返ると、キッチンで血まみれのナイフを握ってたりするのよ。足の裏なんか泥だらけで、どこで何をしてきたかも思い出せないの。かと思えば、急に宅配便で誰かに生首を送りつけたくなったり、あなたの皮をはいで上着に縫ってみたくなったり。いったいどうしたのかしらと思ってたけど、なるほどそうだったのね、私ったら頭がおかしかっ……」

　背中から肩ごしに腕がまわされた。

「よしなさい」抱きすくめられ、低い声と一緒に温かな息が耳の後ろにかかった。「きみを傷つけたのなら、謝るよ」

　真冬は黙っていた。痩《や》せて筋ばったラリーの腕が鎖骨にあたって、少し痛かった。

「でもね、マフィ」とラリーは続けた。「きみは精神療法というものを誤解してる。きみが言ってるのは、異常性格殺人者の話じゃないか。映画の観《み》すぎだよ」

「ちょっと極端だったことは認めるけど、大差ないわ」

「あるよ。それとこれとではぜんぜん違う。きみの国でどうだったかは知らないが、」

「きみの国なんて言わないで。私はもうこの国の人間なんだから」

「ごめん」ラリーは素直に謝った。「きみが前に住んでいた国ではどうか知らないが、精神分析医に心の問題を相談するというのは、この国ではもうまったく普通のことなんだ。このごろでは企業自らが、社員たちのためにおかかえのセラピストをおく時代さ。疲れやストレスがたまれば、人間は心にも風邪をひく。医者はアスピリンを処方する代わりに、話をして問題を整理し、解決の糸口を見つける手助けをしてくれる。何も特別なことじゃないだろ？」

「特別なことよ、私にとっては。だいいち私はストレスなんかたまってないし、疲れてもいないわ」

「きみが疲れてるなんて言ってないよ」とラリーは言った。「また怒らせてしまうかもしれないけど、たぶんもっと重症だと思う。昨日今日ひいた風邪なんてものじゃなく、もっと昔に負った傷が完治しないまままきみを苦しめている……そんな気がするんだ」

冷えていく真冬の足に、スノーブーツが甘えて灰色の毛皮をこすりつけてくる。

「僕はただ、きみと僕をへだてているものが何なのかを知りたいだけなんだよ」とラリーは言った。「こんなに近くにいても、いや、僕とひとつになっている時でさえ、きみは百パーセント心を許してはくれてない。気持ちの芯の、核の部分はいつもどこか醒《さ》めてる」

「ひどいわ」

「誤解しないでくれよ。何もきみが感じてるふりをしてるとか、そんなことを言ってるんじゃない。本当はきみだって僕にすべてを預けたいと願っているんだ、それはわかってる、僕にも感じ取れる。ただ、きみの中の何かがそれを押しとどめて、素直な感情に流されるのを邪魔してるだけなんだ。醒めてるんじゃなくて、無理に醒めていようとしてるんだ。そうだろ？」

「…………」

「終わった後で僕が眠ってしまっても、きみはずっと起きてるね」

真冬は彼をふり向いた。

「気づいていないとでも思ってたのかい？」

ラリーの真っ青な瞳が真冬を射すくめる。彼女は目をそらした。

「なあマフィ。そんなに、僕のそばではくつろげないのか？　教えてくれ、そんなに僕は信じるに値しないのか？」

「信じてるわ」

「うそだ。僕が愛してると何べんくり返しても、ちっとも信用してくれようとしないじゃないか」

「きっと、あんまりくり返しすぎるからよ」

「マフィ」

ラリーは苛立《いらだ》ち、真冬を抱き取るように再びベッドに横たえた。

「なあ、もっとガードを下げてごらんよ。きみさえその気になれば、人生はもっと楽しくなるし、楽になる。自分でも気がついてるんだろう？　心の底では自分の抱えてる問題をどうにかしたいと思ってるのに、人を信じすぎないように、甘えないように生きてきた習慣がじゃまして、誰にも相談できないでいるんだろう？　ねえマフィ、月並みなことを言うようだけど、一人で生きていける人間はいないんだよ。自分の力だけでは足りない時に人を頼ることは、罪でも、恥でもない。こんなに年上の僕でもきみに甘えたい時はある。でも、何よりもまず僕を頼って、甘えてほしいよ」

ラリーは微笑んで、真冬の鼻をきゅっと指でつまんだ。愛しているよ、と伝えようとする時の独特の仕草だった。

「きみの自立心旺盛なところは大好きだけれど、ときどきとても寂しくなってしまう。暗に、あんたなんか必要ない、と言われてるような気がしてね」

「そんなこと！」

そんなことは絶対にない、と真冬は必死になって打ち消した。急にキリキリとこみあげてきた痛みにつき動かされて、彼女はラリーの首に腕をまわした。

自分の頑《かたく》なさがそんなふうにラリーを苦しめていたなどとは、それまで思ってみたこともなかった。このままいつまでも殻《から》にとじこもり続けていれば、いつか彼を失ってしまうかもしれない。そのことに、真冬は初めて思い至ったのだ。それだけは耐えられなかった。二度と一人にはなりたくない。この温かさを手放してしまうなんて、想像するだけでもどうにかなってしまいそうだ。

──結局、彼女がラリーの提案を受け入れてサイコセラピーとやらを試みるつもりになったのは、要するに一にも二にも、彼を失いたくないあまりのことだった。

年が離れているうえに、教師と生徒という立場で知り合ったせいもあるのかもしれないが、ラリーは真冬にとって恋人であると同時にいくぶんかは保護者でもあった。彼に父親を重ねて見ているとと思うか、とジャクソン医師から訊かれた時には、そうは思わないと答えたが、自分をごまかさずに心の隅々までを照らしてみれば、そういう感情もかけらくらいは転がっているかもしれなかった。

始まりは、真冬の大学最後の授業だった。ラリーは、彼女に返す小論文《ペーパー》にこう書いてきた。

〈授業のあと残ってくれたまえ〉

評価を示すアルファベットの記入はなかった。

真冬は、憤慨した。ひと握りの熱心な生徒たちとともに、ラリーとは何度も膝をつき合わせて議論したり、講義中に訊けなかったことまで教わったりしていたから、そのペーパーにも充分に力を注いだつもりだった。まともな評価もできないほどひどい代物《しろもの》だったはずはないのだ。

場合によっては断固抗議するつもりで、階段教室から出ていく生徒たちの流れに逆らって教壇の前へ降りていった。

ラリーは、すっかり身構えている彼女を見て慌てたような表情を浮かべ、

「あー、いや、その……」真っ赤になって何度か咳ばらいをした後で、ようやくこう言った。

「ランチは、もう済ませた？」

「は？」

「つまり、あー……イタリアンは好き？」

そして、ぽかんとしている真冬の手からペーパーをひったくり、目の前でAプラスと書き

こんで返した。

今になって考えると、シャイなラリーにしてはずいぶん思いきったことをしたものだ。ヴィレッジの裏通りの小さなイタリアン・レストランでワインを飲み、カルパッチオやニョッキをつつきながら、彼は大まじめな顔で言った。

「この一週間、大きな木を見つけては枝ぶりを値踏みしていたよ。一大決心をして誘ったはいいけど、いざ断られた時に首をつる木も見つからないんじゃ悲しすぎるだろ？」

ラリーの、年に似合わず世慣れていないところを、真冬は愛した。経営学というものの一筋縄ではいかない面白さについて、政治が経済に、あるいは経済が政治に及ぼす影響について、これからの企業がどこへ向かうべきかについて、アメリカという国の未来について……生徒たちを前に堂々と持論をぶってみせる彼が好きだったし、そんな彼を階段教室のてっぺんから見おろしている時間が好きだった。ウディ・アレンをいくらかハンサムにしたような風貌《ふうぼう》や、笑う時に目尻に寄るしわや、ひょろりと長いやせた手足が好きだった。ベッドで彼女をまさぐりにくる節高《ふしだか》な指や、規則正しく並んだ背骨のこりこりとした手ざわりや、少しかすれた低い声や、頬にこすりつけられる不精髭《ぶしょうひげ》のざらついた感触が好きだった。

ラリーは多くの意味でフェアな男だった。フェアでいながら、人の落ち度や欠点を糾弾することがない。誰とどんな激論を闘わせても、相手の最後の逃げ道をふさぐことは決してしない。それが、自信のなさからくる態度ではなくむしろ逆だということを、真冬はやがてよく理解するようになった。

一度、ジャクソン医師に尋ねてみたことがある。自分の支払っている費用が相場に比べると異常なほど安いことを知って、ラリーとの間で何か約束が取りかわされたのではないかと問いつめたのだ。しかしジャクソンは鷹揚《おうよう》に笑って首を横にふり、こういったことを金額に換算するのは本来難しいことなのだから、人によって費用に幅があるのがあたりまえだと答えた。そういうものだろうか、時間制で料金は決まっているはずではないだろうかと真冬は疑ったが、ジャクソンの話はそれで終わりだった。

ラリーが不足分を支払っているのか、それともジャクソンとの昔のよしみで特別料金にしてもらっているのかはわからない。しかし、いずれにしろラリーには大きすぎるほどの借りができたと真冬は思っていた。その借りを返そうとするなら、自分自身が過去に立ち向かい、殻を破ってみせる以外にない。しかし……せめてもう少しは効果が目に見えるものだと思っていた。初めからたいして期待していたわけではないが、二か月近く毎週カウンセリングに通ってみても、自分が前とどう変わったのかさっぱりわからない。医師としてのジャクソンの能力の問題ではないように思える。

ミスター・フロイトがいけないんだわ、と真冬は思った。映画や小説などに登場する精神科医たちのほとんどは、患者が過去の出来事を洗い直すことで自分のトラウマの原因を認識できさえすれば、問題は解決に向かうと考えたがる。難しいのは診断を下すまでであって、問題のありかさえわかればあとは治すばかりだと思っている。

しかし真冬は、とっくの昔に自分の問題がどこにあるのかを把握していた。それを克服しようと努力だってしてきた。いまさら誰かに身の上話をするだけで変われるとは、とても信じられない。人の心の問題は、結局のところ、本人が自分で解決するしかないのではないだろうか？

――それでも、まあ、とにかく始めたんだから。

一度始めたことは簡単に投げ出さないのが、真冬のやり方だった。根気よく通ううちにもし本当に今までとは違う自分に生まれ変わることができるなら……ラリーやまわりの友人たちに対してももっと素直に自分をさらけ出せるようになるというなら、できるだけの努力はしてみようと思った。

できるだけの努力。

そのためにはきっと、母親のことや、日本に帰ってからのあの暗い日々のことを、ジャクソンに洗いざらい話してしまわなければならないのだろう。

真冬は、身震いした。

冷たさにふと顔を上げると、風で吹きつけられた噴水のしずくが服の表面をしっとり濡らしていた。

腕時計をのぞいてみる。待ち合わせの時間を十分ほど過ぎていた。首をのばして見まわしても、ラリーの姿はまだ見えない。

今日は彼の授業はないはずだが、何かあったのだろうか？　いつものように不安がむくむくとふくれ上がって胃を圧迫し始める。

またダわ。真冬は深呼吸をして気持ちを落ち着かせ、根拠のない心配を頭から追いはらった。よくない癖だ。ささいなことでも何かあるとすぐ、悪いほうへ悪いほうへと気をまわしてしまう。最悪の事態を想像しておけば、後でそれが現実になった時の落胆やショックを最小限にくい止められるからだ。

いいかげんに、こんなばかばかしい癖は直さなければいけない。ここは日本ではないのだし、母親の影響力も海を越えてまで届くはずはない。だいいち自分は、もう小さい子供ではないのだから。

真冬の母親は、そう頻繁《ひんぱん》に手を上げこそしなかったが、そのかわり言葉という凶器で娘を攻撃した。

「お前って子はなんて根性が悪いんだろう」

「お前は呪《のろ》われてるんだよ」

「お前がお父さんを殺したのよ」

「お前に近づく者はみんな不幸になるんだわ」

「お前なんか産むんじゃなかった」

お前は醜《みにく》い、お前は可愛《かわい》げがない、お前はグズだ、お前なんかにできるわけがない、お前がいるせいで私は幸せになれない、お前は災いの種だとあの方もおっしゃっている、お前は、お前は、お前は……。

どんなにあそこから逃れたかったことだろう。そして、実際に逃れるのにどれほど勇気がいったことだろう。それなのに、まだあの日々の記憶にがんじがらめに縛られているなんて……。

「ナンセンスだわ」

つい声に出して言ってしまった。きまり悪くなってそっとあたりを見まわしてみたが、近くの人々は気にした様子もない。

とっくに昼をまわっているのに、食欲はまるでなかった。ジャクソンのオフィスの帰りはいつもこんなふうだ。体の芯から疲れ果てて、何もしたくなくなってしまう。

石段のまわりでは、若者たちのグループがサンドウィッチをほおばりながらはしゃいだ声をあげている。石造りの柵《さく》にもたれた男子学生が、デイパックにひじをついて本に読みふける。ヒッピー風に髪を伸ばした男はあおむけになって裸の胸を灼《や》き、新米の母親たちはベビーカーをたたんで赤ん坊を腕に抱き……。それぞれが、今日のこの太陽を楽しんでいるようだ。

膝ほどの深さの池に、金髪の小さな女の子がスカートをたくしあげながらこわごわ入っていくそばで、黒いラブラドル犬がブルブルッと水をはね散らかす。きゃっきゃっと笑い声をあげて女の子はふり返り、母親の隣にいた真冬と目があったとたんにびっくりした顔になった。東洋人《オリエンタル》を見慣れていないのかもしれない。にっこり微笑みかけた真冬に、おずおずとした笑顔が返ってくる。

（ティムだって、本当ならこの子ぐらい無邪気に笑うことができるはずなのに）

ため息をついた時、

「マフィ！」

はっとふり向くと、ラリーが少し離れたところから手を振っていた。もう一方の手で小さい息子《ティム》の手を握っている。真冬はほっとして立ち上がり、石段を降りた。

ラリーはブルーのボタンダウンのシャツを着て、肩から紺のセーターをかけていた。彼には、青がよく似合う。瞳と同じ色だからかもしれない。ポール・ニューマンみたいなブルーアイズ、とは言い古されたたとえだが、ラリーのはそれよりもっと深い青だと真冬は思う。まるで地底湖のように澄んでいて、見ていると引きこまれそうになる。

ラリーがその目でまっすぐ自分を見つめていることを意識しながら、真冬は二人に近づいて行った。

「遅れてごめん。出がけに事務局から電話が入ってしまってね。ずいぶん待った？」

「そんなでもないわ」

「でも、約束を十五分も過ぎてしまった」

「七」

「え？」

「十七分よ」

「じゃ、間をとって十六というのは？」

「値切ってどうするの」

二人はクスクスと笑いあった。

「ハーイ、ティム」

驚かさないよう、真冬が優しく声をかけると、ラリーに手を引かれた男の子ははにかんだように父親の後ろに隠れた。黒い髪に黒い瞳、生まれつき日に灼けたような赤みがかった肌。やせた体は父親似だが、他はあまり似ていない。どちらかといえば日本人の男の子を思わせる顔だちだ。

「こんなに待ったら、腹がへっただろう？」

それこそ「そんなでもないわ」と答えたかったが、真冬は食欲がないことを言わなかった。

「ティムは何が食べたいのかしら？」

「僕には訊いてくれないのかい？」嘆いてみせながらも、ラリーは息子のほうにかがみこんだ。「お前、何がいい？」

父親からのぞきこまれたティムは、あいているほうの指をしゃぶった。

「おいおい、赤ん坊みたいだぞ」

ラリーが手をつかんで口からひっぱり出そうとしたとたん、ティムはつながれていた手までもふりほどいて、今度は真冬の脚にぎゅっとしがみついた。べとべとの指でジーンズをわしづかみにする。

「あっこら」

「いいのよ、ラリー」真冬はティムの頭にそっと手を置いた。「叱《しか》らないでやって。しつけなんてもっと後でいいわ。急いじゃだめよ」

「……そうだったな」

ラリーは、少し寂しそうに微笑んだ。

もう四歳半になるのだが、ティムはとても小さい。

貧弱なその体を見るたびに、真冬は昔行われたという酷《むご》い実験の話を思い出す。生まれた赤ん坊を一人ぼっちで部屋に寝かせ、乳だけは充分与えるが一度も抱かず、一言の言葉もかけずにおくと、赤ん坊はやがて衰弱死してしまったというのだ。愛情がきちんと注がれなければ、子供は正常に育たないということだ。

真冬とつきあいだしてすぐに、ラリーは前妻のことをすっかり話していた。

彼の離婚した妻イヴリンはいわゆるアメリカインディアンの血を濃く引く小柄な美人だったが、子供時代、両親からほとんどかまってもらえなかったらしい。そのせいか、大人になってもまだ愛情を受けることにばかり飢えていて注ぐということができず、自分の産んだティムの世話もおざなりにしかしなかった。子供が子供を産んだようなものだ。

やがてイヴリンは、忙しいラリーが自分をかまってくれないことに我慢できずに、当時のアパートメントの管理人だった男とともに貯金のほとんどを持って——ティムだけは置いて——家を出ていってしまった。それが、二年ほど前になる。離婚が正式に成立したのはそのしばらく後だった。

ともあれ、妻がいなくなった以上、ラリーは自分の手でティムを風呂《ふろ》に入れてやらなければならなかった。

生まれた当初はできるだけ育児を手伝うように心がけていたものの、その頃はもう大学の仕事にかまけすぎて、家には遅く帰って寝るだけだった。イヴリンが愛想をつかすのも無理はない。ラリーは自嘲《じちょう》気味にそう思った。風呂に入れるどころか、起きているティムの顔をまともに見るのさえ、考えてみればずいぶん久しぶりじゃないか。

ところが、服を脱がせようとするとティムは泣いていやがった。なだめすかしてズボンを脱がせたラリーは、それを見たとたん、息がとまった。

ティムのへそから下は、そこらじゅう痣《あざ》だらけだった。ももの内側や尻など、ふだんは人目につきにくい場所を念入りに選んだかのように、指や爪の先できつくつねったあとが残っていた。新しいものは赤紫色に血がにじみ、古いものは黄色と緑のまだらに、その中間のものは青黒くなっていて、ティムの下半身はまるで絵の具で汚れたパレットのようだった。

震える腕に抱きしめようとすると、ティムは後ずさりした。裸のまま便器とバスタブの間でちぢこまり、おびえた野良猫のように上目づかいに父親の様子をうかがった。相手がいま自分に危害を加えたい気分でいるかどうかを確かめているのだった。

俺の息子は、母親の愛情の代わりに虐待を浴びて育ってきたのか。

こらえきれずに、ラリーは泣いた。イヴリンの短い置き手紙を見つけた時でさえ冷静さを失わずにいられたというのに、その痣を目にしたらもう我慢できなかったのだ、と、彼は真冬に打ち明けた。妻をそこまで追いこみ、息子にこんな思いをさせておきながら、忙しさを口実に何も知ろうとしなかった自分。それは、自分のふがいなさへの涙だった。

だが、それももう終わりだ。生徒を教えるのは天職だと自負しているし、これを俺から取ったら何も残らないが、少なくとも息子の顔さえ見られないような仕事の仕方だけはやめよう。これからは母親のぶんまでこの子を愛してやればいい。ゆっくりつきあって優しくしてやれば、子供のことだ、すぐに明るさを取り戻してくれるだろう。ラリーはそう思った。

そんなにうまくはいかなかった。

体の痣は消えても、心の傷は残る。ひとりでに治るということはあり得ない。

ある日、真冬は見てしまった。ティムが、父親の飼っているカナリアを、つかんで殺す現場をだ。

あまりのことに真冬は声も出なかった。ティムは鳥かごに手をつっこんでカナリアを追いまわし、つかまえると同時にぎゅっと握ったのだ。カナリアだけではなかった。蝶だろうがカタツムリだろうが子猫だろうが、ティムにとって、可愛がることといじめることはイコールだった。

「どうしてそんなことをするの?」

と、真冬はできるだけ穏やかにさとした。ティムの目は、相手をいじめている最中も少しも嬉《うれ》しそうではなく、むしろいじめられている側と同じ痛みを感じ、彼自身もおびえて苦しんでいるように見えた。真冬が彼をほうっておけないのはそのせいでもあった。ティムの中に、かつての自分を見るような気がしたのだ。あの頃、どんなに泣いても傷ついても誰からも助けてもらえなかった少女に、いま大人になった自分が手をさしのべているような、そんなせっぱつまった気持ちだった。

初めのうちティムは、真冬が何を言っても、「バーカ」と言い返した。そばにある物を投げつけたり、彼女をつきとばして逃げたりして、全身全霊で逆らおうとした。人を試すかのように、顔を見ながらわざと物をこわす。わざと憎まれ口をきく。わざと弱いものをいじめてみせる。

正直言って、憎いと思ったことも一度や二度ではない。それでも真冬はあきらめなかった。ティムのためでも、ましてやラリーのためでもなく、自分自身のためだった。

頭ごなしに叱らないように、大声を出さないように。苛立ちを懸命におさえながら、彼女は根気よく同じ質問を続けた。

「どうして、いじめたりするの？　かわいそうでしょう？」

変化は突然やってきた。ある時ティムが、足もとにじゃれついてきた子犬をいきなり蹴飛《けと》ばしてキャウンと言わせたところへ真冬が近づき、

「ほら、わんちゃん痛い痛いって。優しくしてあげようね」

そうたしなめた時だ。ティムは真冬の顔をまじまじと見つめたかと思うと、まるであたりまえのことのように言った。

「だってマムは、ぼくにもこんなふうにしたもの」

真冬からその話を聞いたジャクソン医師は言った。

「子供を虐待する母親によく見られる傾向なんだがね。子供に対して、愛していると口にしながらベタベタ可愛がったかと思えば、急に怒りだして暴力をふるう。そしてまたすぐに後悔しては、抱きしめて愛していると言う。毎日毎日、それのくり返しだ。ティムの母親もおそらくそんなふうだったんだろう。そのせいで、あの子は間違って学習してしまったのさ。暴力は、愛情を示す手段のひとつなんだとね」

「それじゃ、大人の感情を逆撫《さかな》でするようなことをわざとしてみせるのはどうしてなんですか？」と真冬は言った。「それも愛情表現だとでも？」

「あの子は、母親以外の大人との関わり方を知らないんだよ。自分を愛してくれる人は自分を攻撃するという考えが、頭にしみついてしまっているんだ。この人も痛いことをするんじゃないか。ニコニコしていても今に怒りだして、ぶったりつねったりするんじゃないか。その不安が風船のようにふくらんで割れる寸前までいくと、子供の心はそれを抱えておくことができなくなって、自分で風船を割ってしまうんだ。相手を挑発してわざわざ攻撃を引き出すことによって、自分のいだいている恐怖を現実のものにしてしまおうとするのさ」

「そんな……どうして？」

「現実にさえなってしまえば、もう不安でいる必要はなくなるからだろうな」ジャクソンはやれやれと首をふった。「うっかり挑発にのって怒鳴ったり叩《たた》いたりすれば、きみの負けってわけだ。ティムは、自分の認識が正しかったことを証明してみせることになる」

暴力は、愛情を示す手段。

自分を愛してくれる人は、自分を痛めつける。

その間違った認識がすっかり正されたとは、今でも言えない。このごろではだいぶ落ち着いてみえるし、真冬に対しても、会えばこうしてためらいがちに甘えてくるようになったものの、ここまでこぎつけるだけで一年近くかかった。いまだに、初めて会った人にはベタベタと甘える癖が抜けない。相手がどういう人間かわかるまでは、とりあえずできるだけ攻撃を受けないですむように下手《したて》に出ておこうとするのだ。

「昼間のほとんどをベビーシッターに任せっぱなしなのがよくないとはわかってるんだけどね」と、ラリーは言った。「これぱっかりはどうしようもない。子連れ授業ってわけにもいかないし」

忙しそうなウェイトレスから、彼は礼を言ってメニューを受け取った。騒がしい昼どきのチャイニーズ・レストランでは誰もが大きな声になり、そのせいで店内はよけいに騒がしくなっていく。

「ええと、きみはどれにする?」

「そうね。ほら、ティム。何がいい? 飲茶《ディムサム》なんてどう?」

真冬は隣に座ったティムと一緒にメニューをのぞきこんだ。

「私は、『本日のスープ』とサラダにしておこうかな」

「それだけ?」

「朝を食べすぎて、少し胃がもたれてるの」

ラリーは何か言いたそうにしたが、結局それについては何も言わなかった。

真冬は、さりげなく話を戻した。

「前のミセス・オチョアに続けてもらえれば一番よかったのにね」

「親父さんが病気じゃ仕方がないものな」

「入院なさったんですって?」

「うん。今度、見舞いに行ってこようと思ってる。まあ、それでも、今度のシリルもよくやってくれてるよ。愛情や気配りが細やかなのはオリエンタルの女性ならでは、かな?」

真冬はラリーに微笑み返し、半月ほど前から新しくベビーシッターになったシリル・ウォンの顔を思い浮かべた。うつむきがちにおずおずと話す、小学生と言っても通りそうなほど小柄な中国系の女性で、年を訊いたら三つも年上だというのでびっくりした。目が細く、唇が薄いので一見とっつきにくそうにみえるが、話してみると、たまに浮かべるはにかみ笑いが可愛らしかった。もとは託児所の職員だったそうだ。

ただ、どうしてなのだろう。彼女が来てから、ティムの乱暴がまた少しひどくなったように思える。いつもというのではないが、時おり爆発したようにかんしゃくを起こすし、かと思えば親指をくわえて部屋のすみに引きこもってしまったりする。

しかし真冬は、口を出すまいと決めていた。面接してシリルを雇うことにしたのは父親のラリーなのだし、横からああだこうだと小賢《こざか》しく意見したからといって、実際に自分が何か協力できるわけではないのだ。家族でもない者がとやかく言うべき問題ではないような気がするし、第一、こんな騒がしい場所で、まとまった話ができようはずもない。彼らは、運ばれてきた料理を食べるほうに専念することにした。

なかなか美味《おい》しいチャイニーズだった。安いわりにボリュームもある。

真冬はスープだけで本当におなかがいっぱいになったほどだが、ティムは、食事のあとサーヴィスで出てきた杏仁《あんにん》豆腐をぺろりとたいらげてしまった。真冬が手をつけずにいたぶんまで物欲しそうに見つめる。

「かまわない？」

真冬は向かいのラリーを見やった。

「そりゃいいけど、きみは？」

「私は、これの匂《にお》いが苦手だから」

「そうか。ラッキーだったな、ティム」

二人は、器《うつわ》をかかえこむようにして夢中で甘いものを口に流し入れるティムを眺めた。その食べ方を見ているうちに、どちらも無口になってしまった。

食べ物に固執《こしつ》するのは、虐待されて育った子供に共通する傾向らしい。ジャクソンから聞かされるばかりでなく、ラリーも真冬もその関係の本を読みあさった結果、今では幼児虐待とその後に必要とされるケアについてかなり詳しく知るようになっていた。

勘定書きと一緒に皿にのって出てきたフォーチュン・クッキーを、ティムは三つともかき集めてポケットにつっこもうとした。

「大丈夫よ、ティム。持って帰らなくても、あなたの家にはたくさんお菓子があるわ」

言いながら真冬は、彼のほっぺたについたケチャップをナプキンでぬぐってやった。

「そのクッキーはね、ここで割るの。中から何が出てくると思う？」

ティムは不思議そうに、小さいしぼり袋のような形をしたクッキーと真冬の顔とを見くらべた。

「割ってごらんなさい」

「……ぼく？」

「そうよ」

「……いいの？」

「もちろん。ダディと私のも、代わりに割ってくれる？」

ティムの目が輝いた。

「こぼさないように、この上でね」

と真冬が皿をさしだすと、おとなしく言うことを聞いてそこで割った。

クッキーの中から出てくるリボン状の紙には、短い予言や格言が書かれている。真冬は横から読んで聞かせてやった。

「まずは、ラリーのぶんね。見せて、ティム。……あらやだ。『災いは忘れた頃にふりかかる。常に備えて待て』ですって」

ラリーが向かい側からブーイングしたので、ティムはククッと可愛い笑い声をたてた。

(お前は災いの種だ)

またしてもこみ上げてくる不安を、真冬は心のすみにむりやり押しやった。

(お前に近づく者はみんな不幸になる)

「いやな予言は忘れるに限るわよ」真冬はつとめて明るく言った。「次はティム、あなたのぶんよ。ん？　なあに？　ああ、いいのよ、割ったあとのは食べても」

ティムが大急ぎでかけらを口に入れる。

「ええと……あなたのはね、いい？　『大切なのは転ばないことではなく、転ぶたびに必ず起き上がること』だって。うん、これは確かに大事だわ、そう思わない？」

転んではよく泣くティムが、神妙な顔でこくりとうなずく。その頭を、真冬がよしよしと撫でてやる。

「オーケー、最後は私のぶんよ。あら、まあ、ずいぶん大きく出たものね。『人生を変える出来事が、あなたを待っている』。ねえ、何だと思う、ティム？」

小さな頭が横に傾く。

「いいことだったらいいんだけど……」

ふと、注がれる視線を感じて、真冬は顔を上げた。

いつものように目尻にしわを寄せたラリーがじっと見つめている。

「なあに?」なぜかどぎまぎしながら、真冬は顔を赤くした。「どうかした?」

「どうもしないよ」

「何か言いたそうだわ」

「そうかな」

「違うの?」

「ビンゴ。じつは、話したいことがあるんだ。いつ言おうか、ずっと迷ってた」

いつのまにか客が引けて、たくさんの椅子ばかり残った店内に、ティムがクッキーのかけらをほおばるポリ、ポリリという音が小気味よく響く。

「いいことだと思ってもらえるかどうかは、まったく自信がないんだが」

「いったい……」

真冬が口ごもる。

ラリーは微笑み、静かに言った。

「『人生を変える出来事が、あなたを待っている』」

3

ニューヨーク・シティ。

初めてこの街を目にした時の印象を、真冬ははっきり覚えている。

巨大な剣山を思わせるマンハッタンのビル群。陽をはじいて、まばゆいばかりのプラチナに光り輝くガラスの街。

スクリーンなどで見慣れたものとそっくり同じ光景が、ただし数百倍、数千倍にスケールアップして眼前に迫り、やがて、少なくとも十以上の人種を乗せたバスがビルの林へ呑《の》みこまれていくと、彼女は自分が木々の根もとを這《は》いまわる虫になった気がした。東京を濃縮して百回くらい爆発させたような街だと思った。

「人種のるつぼ」などという言葉はもう古い。異なる人種が容易に溶け合うはずはなく、溶け合うことをあえて拒んで民族ごとの色を尊重すべきだと考える人々も多いために、今では「人種のサラダボウル」あるいは「モザイク」と表現されている。真冬が魅力を感じたのはまさにその部分だったし、ニューヨーク大学を選んだのも、もとはと言えばそれまでとはがらりと環境を変えたくてたまらなかったからだ。いかにも日本的な思考回路、義理、つきあい、遠慮、沈黙、ごまかし、薄笑い……そういったもののすべてを捨て去って、一から始めたかった。この街で暮らしさえすれば、それが可能になると思っていたのだ。

しかし、彼女は来て早々に思い知らされた。

たしかに、旅人として数日滞在するなら、この街ほど自分を日本人だと意識しないですむ場所はないかもしれない。だが、ここの住人として生きていこうとするなら話はまったく別だった。

十年以上も日本にいる間に彼女の英語はかなりさびついていたし、感覚も、思っていた以上に日本人化してしまっていた。毎日、ことあるごとに、彼女は「日本人である自分」を意識させられた。きっかけは、アメリカで育った人間との考え方の違いだったり、時にはオリエンタルへの差別であったり、あるいはもっと基本的な個やエゴの問題であったりしたが、行き着く先はいつも同じだった。日本で教育を受けた十年あまりの積み重ねも、骨の髄まで日本人である母親から育てられた十八歳までの年月も、紙くずのように簡単に丸めて捨て去れるようなものではなかったのだ。

真冬にとって、これはとんだ計算違いだった。きっといいものがあると信じて登った山の上で、何を探せばいいのかわからずにうろうろしているうちに日が暮れてしまった、そんな不安感で一時は頭がおかしくなりそうだった。部屋でじっとしていると、まわりの壁に押しつぶされそうな気がした。

バッグをしっかりと握りしめて、姿の見えない追手を振りきろうとするかのように一人であちこちを歩きまわった。

街は美しく、同時に醜かった。富裕と貧困が、秩序と混沌《こんとん》が、欠落と過剰があたりまえのように同居していた。

零下まで冷えこむ冬は路上で酔っぱらいが凍りつき、真夏の炎天はアスファルトをフライパンに変える。昼も夜もパトカーのサイレンが鳴りやむことはない。歩道には紙くずがはりつき、道路端《ばた》には汚水がたまり、商店のシャッターは冷たく人を拒んでいた。犬たちのほとんどはあまり幸せそうにみえなかったし、犬を連れている主人のほうも同じだった。人々の表情は、笑っている時でさえどこか不機嫌で疑りぶかそうに感じられたが、もしかするとそれは真冬自身がそんな精神状態だからそう感じるのかもしれなかった。

歯の抜け落ちたホームレスが空き缶の中のコインをガシャガシャいわせながらゴミ箱をあさってまわる。地下道はどこも小便臭く、落書きだらけの壁にもたれて腕組みをする白人の男の肩でイレズミの美女がゆがむ。美術館前の石段には世界中から集まったカップルが肩を寄せ合って座り、歩道脇ではのっぺりした顔のオリエンタルがちゃちなおもちゃを並べ、横断歩道の信号の横では浅黒い肌のヒスパニックがジュースやプレッツェルを売るワゴンを出す。

信号待ちをしている一分ほどの間に目の前を歩き過ぎるのは、これ以上は太れないといった体格のイタリア女性、挨拶《あいさつ》がわりに手や腕を打ちつける黒人の若者たち、ティファニーの紙袋をさげた日本人観光客、最新流行のスーツを着こなした黒人女性、色鮮やかなサリーをひるがえしたインドの女性、全身黒ずくめのユダヤ紳士、地図をにぎった定年退職したてのドイツ人夫婦、上質の服を粋《いき》に着くずしたゲイのカップル……。

勤めに向かう人々は目にもとまらぬ素早さで新聞を買い、厚かましい鳩《はと》たちは我が物顔で窓や歩道を汚し、誰もかれもがクチャクチャと神経症のようにガムをかみ続け、いつ見ても渋滞中の道路ではあらゆる車が絶え間なくクラクションを鳴らし、観光馬車を引く馬はところかまわず臭い糞《ふん》を落とし……。耳も鼻もふさぎたくなるようなそれらの音と匂いのすべてが、見上げれば、ビルのこずえにのぞく先すぼまりの青空へと昇っていく。

タクシーの料金をごまかされたり、スリにあったり、エレベーターの中でバッグを引ったくられたり、一度など真っ昼間に家財道具一式を盗まれたことまである。当時同じアパートメントにいた住人たちは、引っ越しと勘違いして、誰も不審に思わなかった。この街では誰も、他人のことなどかまっている余裕はないのだ。

それでも、どういうわけか、真冬はここを出て他へ移ろうとは一度も考えなかった。日本を嫌いになったようには、この街を嫌いにならなかった。

半分は意地だったかもしれない。自分の期待が的はずれだったと認めるのがいやだっただけかもしれない。けれど、何ものかをねじ伏せるようにして毎日をくり返し、寂しいすきま風の吹き込む穴をふさごうと躍起《やっき》になってもがいているうちに、ふと気がつくと、ここでの生活は着古したシャツのように真冬の体に合っていた。

そして彼女は、初めて気づいたのだった。地下鉄の轟音《ごうおん》や車のクラクションとはまったく異質な音の存在に。この街にはいたるところで音楽が——パッケージされたそれではなく、ここで暮らしている人々の生み出すなまなましいばかりの音楽が、常に響きわたっていたのだということに。喧騒《けんそう》の間を縫って耳に届くギターや、歌や、サックスの音色が、いつのまにか優しく感情をかきむしり、震わせるようになっているのはなぜかということに。

音は、記憶に直結している。そして呼びさまされた記憶は、心を甘酸っぱく刺激する。この街で過ごした時間が積み重なり、なにげない記憶が優しい塵《ちり》のように降りつもっていくうちに、彼女の内側でも音とせつなさが結びついてしまったのだ。

気持ちの中の、冬眠していた部分がそれらの音に刺激されて蠢《うごめ》きだすと、彼女はとつぜん今までに味わったこともない解放感のまっただなかにほうり出された。ここでは、たとえマフユと名乗っても、いちいち不思議そうな顔をされなくてすむ。こんなはずではなかったことを数え上げてみたところで、何も変わらない。それよりも、ごくシンプルなレベルで嬉しかった出来事を、ひとつずつ数えて毎日を暮らしていくほうがずっといい。たとえば、新しい友人たちがつけてくれた「マフィ」という生まれたての名前のことなど——。

彼女は、ニューヨークを好きになり始めていたのだった。

ペンキのはげかけた格子窓《こうしまど》をギギ、と押し開けると、かすかな潮の香りが流れこんできた。ハドソン川が近いせいだ。

洗いざらしのシャツのそでをたくし上げて、真冬は深く息を吸い込んだ。水分をたっぷり含んだ朝の空気が、頭の芯にまだ残っている眠気をすっきりと追いはらってくれる。このキッチンの窓からは、芝生の前庭とレンガ敷きの車寄せを見わたすことができた。その向こうにはプラタナスの並木が影を落とす静かな路地があり、今もジョギングを楽しむ二人連れがゆっくりとしたペースで通り過ぎていく。

チェルシーは住みやすいところだった。しばらく前までは治安の面で問題もあったが、このごろはそれほどでもなくなってきたし、夜になって一人で出歩かないほうがいいのは何もこのあたりに限ったことではない。古いタウンハウスの立ち並ぶ落ちついた雰囲気の街並みを見ていると、体の中がすみずみまで整理されるような気がした。

ニューヨークでの生活を始めた当初、真冬はクイーンズに一人で部屋を借りていた。誰かと部屋を共有《シェア》したほうが安く上がることは知っていたが、それほど金銭的に困っているわけでもなかった。学費と生活費は、日本に住む母方の叔父が出世払いという約束で援助してくれていたからだ。

子供がいないせいか、叔父は小さい頃から真冬を可愛がってくれた。十八になって真冬がアメリカ国籍を選択しようとした時、母親は何としてでもそれを思い止まらせようとしたが、逆に真冬を勇気づけ、手続きのために渡米するのにつき添うことまでしてくれたのもこの叔父で、翌年真冬が大学を決めて再度渡米するまで、叔父夫婦は彼女を鎌倉の家に置いてくれた。彼は、実姉である真冬の母親とは昔からひどく折り合いが悪く、どうやら積極的に彼女をバックアップしてくれたのも、その反動によるところが大きかったようだ。

叔父からの仕送りに加えて、アルバイトによる収入があるかぎり、贅沢《ぜいたく》さえ我慢すればあえてクイーンズの部屋から引っ越す必要などないはずだった。

それなのに、友人からの口コミでチェルシーの家の話がまわってきた時、真冬は一も二もなく飛びついてしまった。通学が楽になるのは確かに魅力だし、ドアマンのいないアパートメントが少し不安だったせいもある。けれど何よりも大きかったのは、今から思えば、一人で食べる食事の味気なさだったような気がする。

新しいシェアリングメイトたちはそれぞれに個性的な連中ではあったが、お互いのプライヴァシーに対する考え方だけはきっちりしていた。家自体は古びた一軒家だったものの、暮らすのに支障はなかった。

一階にキッチンとダイニング、バス・トイレともう一部屋。二階にもトイレとシャワールーム、そして三つの部屋がある。

真冬は一階の部屋を使うことになった。前の住人は、何を思ったか大学を中退してスーダンだかブータンだかへ行ってしまったという話だった。

大家のミセス・ローゼンシュタインは、庭をはさんだ隣の家に一人で住んでいた。真っ白な髪をひっつめた老婦人で、丹精をこらした庭はいつも花でいっぱいだった。

初めて挨拶をした時、真冬は何の気なしに言った。

「ドイツ系のお名前ですね」

するとミセス・ローゼンシュタインは、不機嫌そうに黙ってしまった。

真冬がその理由に思い至ったのは、九月の終わりのある日、隣の家の窓辺に七本のろうそくが飾られているのを目にした時だった。〈ローシュ・ハシャナ〉――ユダヤ教の新年にあたる祝日だ。ミセス・ローゼンシュタインは、ドイツ人ではなくユダヤ人だったのだ。

思い悩んだ末に、真冬はいつかの失言を謝りに行き、ミセス・ローゼンシュタインは彼女を家に上げてお茶をごちそうしてくれた。顔がひっきりなしに左右にふるふると震えているのは年のせいだったが、慣れるまでは、何を言っても違う違うと否定されているようで妙な気分だった。

ミセス・ローゼンシュタインによれば、彼女は初め真冬たちが住んでいる家でB&B形式の宿屋を経営していたそうだ。自ら泊まり客のベッドを整え、朝食を作り……それが、あるとき客からクレームがついてしまった。食器やカトラリーが汚れていて気持ちが悪いというのだ。

「年のせいで目が弱ってきて、きれいに洗ったつもりでも落ちていなかったのよ」とミセス・ローゼンシュタインは悲しげに言った。「貸家にして体は楽になったけれど、昔ほど楽しくないわ」

はっきり尋ねたことはないが、もうかなりの年には違いない。

隣の家のカーテンが今朝もちゃんと開いているかどうかを、真冬は窓から上半身をのりだして確かめた。毎朝の日課なのだ。

大丈夫、異状なし。

コンロに向き直って、フライパンを火にかけた。バターを溶かし、卵を割り入れ、トースターにパンをセットする。

何だか肩が重い。またしても、あのいやな夢を見たせいかもしれない。

こちらへ来てすでに五年あまりが過ぎ、マンハッタンの地下鉄をほとんど路線図なしで乗りこなせるようになり、夢をほとんど英語で見るようになった今でも、目が覚めると一瞬自分がどこにいるのかわからなくなることがある。今朝もそうだった。

火を弱くしてから、彼女は再び窓ぎわに寄りかかった。首と肩をゆっくりとまわしながら上を向いて、まぶしさに顔をしかめた。光の粒子が、瞳めがけて真っ逆さまに飛びこんでくる。

大好きだった父が引き金を引いたあの朝——たしかあの朝も、空は洗い流されたようにすみずみまで晴れていた……。

バンッ！　という音に飛び上がった。すぐに二階のドアの音だと気づいたものの、心臓はすでにばくばく暴れ狂っていた。ふうっと体の力を抜いて、サイドボードの上のデジタル時計を見やる。

7：18ＡＭ。

誰だろう。サンドラはいつものように走りに出ているはずだし、たぶんドングということもないはずだ、彼はゆうべ遅かったから。とすると、昨日ボーイフレンドとケンカしたとかでふて寝したルーシィだろうか。

コンロの前に戻ると、目玉焼きは少し固くなりすぎていた。慌てて、ワニの口の形をした鍋《なべ》つかみをはめてフライパンの柄《え》を握り、温めておいた皿にうつしかえる。

四人の男女が共同で使っているキッチンだけに、棚にはそれぞれ好みの異なる物たちがにぎやかにあふれかえっていた。マンガつきのマグカップがあるかと思えば、白地に銀箔《ぎんぱく》づかいのシックな皿がある。〈有機栽培の原料のみ使用!〉と書かれたコーンフレークの箱の隣には、なめると舌が蛍光ブルーになるキャンディの瓶が並んでいる。いつだったかルーシィが嬉しそうに「ビリー・ミリガンのキッチン」と呼んでいたのを思い出して、真冬はくすっと笑った。

傷だらけの大きなテーブルにバターやジャムやドレッシングを並べていると、階段をおりてくる足音が聞こえた。銀色のトースターからパンが飛び出すと同時にダイニングのドアが開いて、入ってきたのはやはりルーシィだった。パジャマがわりのTシャツの上からローブをはおっただけの姿で、ベリーショートにした灰金《アッシュブロンド》色の頭をかきながら大あくびをしている。胸は人一倍大きいくせに顔だちは男の子のようで、そのせいかどことなく小悪魔的な魅力があった。

「おはよう、ルー」

と真冬が言うと、彼女はようやくあくびをひっこめた。

「おはよ。マフィの当番の日に早起きとはラッキーだったな」

隅へ行ってカップにコーヒーを注いでいるルーシィのローブからは、腰ひもの片端がだらりとたれて床についている。真冬は、ワニの鍋つかみでそれを指さして言ってやった。

「前くらい合わせなさいよ。ドングが起きてきたらどうするの」

「ドング？」ルーシィはふり返って、明るいブラウンの目を丸くした。「あいつ、帰ってきたの？」

「ゆうべ遅くにね。くたびれ果ててたわ」

この家をシェアしている四人の中でただ一人の男子学生で、韓国系アメリカ人のドングは、一週間ほど前から、一番上の姉の結婚式のために実家のあるロサンジェルスへ戻っていた。西海岸の大都市に家がありながら大陸の反対側のニューヨーク大に通おうというあたりが何とも彼らしい。行動力と向学心のかたまりのようなドングは、昨日も式が終わるなり、パーティもそこそこに飛行機に飛び乗ったのだった。なんでも、今日の午後の試験に間に合わせるためだそうだ。

「で、どうだったって？」ルーシィはパンを皿に取ってテーブルにつきながら、スープをよそっている真冬の背中に言った。「彼、式のこと何か言ってた？」

「だんなさんがいい人そうで安心したって。ポラロイド写真を見せてもらったけど、お姉さんてほんとにきれいな人よ。伝統の衣装もすごく素敵だったし。あなたもあとで見せてもらったら」

「式の最中にオイオイ大泣きしたりしなかったって？　ほら、帰る前からあいつ、そのことばっかり心配してたじゃん」

「うーん、けっこうあぶなかったらしいわよ。我慢して我慢して、それでもいよいよせっぱつまってくると、全然関係ないこと考えるようにして気持ちをそらせたんだって。ちょっと、ひどいわルーシィ、そんなに笑うようなこと？」

「違うんだってば」ルーシィはひいひい笑いころげてのどを詰まらせた。「だってそれって、まるきりセックスみたいに聞こえない？」

「やだ。もう、あなたってそういうことしか頭にないの？」

　あきれてたしなめながらも、真冬はついつられてふきだしてしまった。あの体の大きなドングが、口をへの字にして泣くのをこらえているところを想像すると、微笑ましくてくすぐったくなる。ああいう弟を持ったお姉さんはきっと幸せだろう。

「まあ、彼が泣くのも無理ないわよね」と真冬は言った。「お母さんが亡くなった後はずっと、お姉さんが母親代わりをしてくれてたっていうんだから。ベーコン食べる？」

「もちよ。あ、待って、どうしよう……うーん、いいや一枚だけ」

「もっと食べなきゃだめよ」

　真冬はフライパンを持ってきて、ルーシィの卵の横にジュージュー音をたてるベーコンを二枚のせてやった。

「無理なダイエットすると、生理が止まっちゃったりするんだからね」

「知ってるわよ、それくらい」ルーシィはトーストをかじりながら片膝をかかえた。白い下着が丸見えになる。「こないだもアーキン教授のクラスの男の子が、ガールフレンドからデキちゃったみたいって言われて落ち込んでたけど、後でダイエットのせいだとわかってホッとしてたもん」

「それでホッとできるのは男だけよ、女はそうはいかないでしょ」

「なんか、サンドラみたいだよ、そのセリフ」

「だいたいあなた、自分で思うほど太ってなんかいないのに」

「フン、だ」ルーシィは真冬の体をうらめしそうに横目で見やった。「あんたみたいな痩せっぽちが言うとイヤミにしか聞こえないわよ」

「とにかく」真冬は脱線した話をようやくもとに戻した。「早くローブを合わせなさいってば。足もおろして。ドングが見たら、鼻血ふいて卒倒しちゃう」

「うっふふん。いっそ、素っ裸で座っててみようかな」

「ルー!?」

「だって、どう反応するか見てみたいじゃない」ルーシィはチェシャ猫みたいにニヤニヤ笑った。「今どきあんなに純情な男、ちょっといないよねえ」

去年の一月に、卒業していったジョゼフの代わりにルーシィが入ってきて以来、この家の顔ぶれは変わっていない。

つきあいの長さから言えば、同じ大学院生のドングやサンドラとのほうが長いのだが、真冬は現在三年生のルーシィといるのがいちばん気楽だった。年齢の問題ではなく、要するに馬が合ったのだろう。

ルーシィ自身の言葉を借りれば、彼女は「そのまんまテレビのホームドラマになりそうな」WASP《ワスプ》の中流家庭に育った。四人兄弟の下から二番目、兄が二人と弟が一人。ただし、上の二人はレスリング部で、下はジュードーの黒帯だそうだ。「これでガサツにならなきゃ奇跡ってもんじゃない？」と彼女は言う。

　気性《きしょう》がまっすぐで歯に衣着《きぬき》せない、男まさりだけれど人情家で涙もろい、悩みはといえば少し気を抜くと太りやすい体質と、浮気性のボーイフレンド、それに評価がB以上だったためしのないペーパー、せいぜいそのくらい……そう公言してはばからないルーシィには、そばにいる人間にネガティヴな感情を抱かせないという特質があった。子供時代にいい思い出のまったくない真冬が、両親や祖父母からあたりまえのように愛情を注がれて育ったルーシィに対して、まぶしく思いこそすれ不思議と嫉妬《しっと》を感じなかったのも、その能天気ともいえる明るさのためだったかもしれない。

　ベーコンを、結局のところ一枚と半分食べ、ルーシィは残った半分を足もとで待っていたスノーブーツにやった。

「テーブルからやると癖になるわ」

「いいじゃない、べつに。それとも、テーブルから落ちるパンくずを拾ってもいいとジーザスに許されたのは犬だけで、猫にはその資格がないとでも言う気？」

「もう」真冬はため息をついた。「ほんとに口が減らないったら」

「うん、よく言われる」

指についた油を順番になめながら、ルーシィはえへへと笑った。

「それはそうとさぁ、マフィ。あんた、彼とはどうなってるの？」

「彼って？」

「とぼけないでよ。サンダーソン教授に決まってるでしょ。まさか、あたしが聞かされてるのはほんの一部で、じつは他にも男がうじゃうじゃ……」

「わかった、わかったってば」

真冬はまたしてもため息をついた。手にしていたマグカップを置いて、思いきって言ってみた。

「じつはね、その……プロポーズされたの」

「ええっ？　誰に！」

「とぼけないでって言ったのはあなたよ」

「それじゃあ」ルーシィは真冬の目を下からのぞきこむようにした。「ほんとにはんとなの？」

「ええ」

「あの、中年まで秒読みのウディ・アレンもどきが？」

「ちょっと、ずいぶんじゃない」

「冴《さ》えない子持ちのくせして、十も年下のあんたにプロポーズ？」

「十歳離れてるくらいめずらしくもないでしょ」

「ブロンドの男って、ハゲるんだよね」

「ルー、あなたもしかしてケンカ売ってる?」

ルーシィはぷっとふきだした。

「……ふうん。惚《ほ》れてるんだ?」

「悪い?」

「べつに悪くないわよ。何ていったっけな、あの映画。夫がいるのにチンパンジーのほうを愛しちゃう女が出てくるやつ。あれ観てあたし泣けたもんね」

「……何が言いたいのよ」

「人の好みはそれぞれだってこと。で、何て返事したの?」

「それが、まだしてないの」

「どうしてよ?」

「すぐには返事しないでほしいって言われたから」

「変なおやじ」

「違うのよ、ゆっくり考えてくれってことよ」

「わかってるってば、言ってみただけじゃん。じゃ、質問を変えるわ。何て返事するつもりなの?」

真冬は、黙った。

「ああ、ああ、その顔見れば聞かなくてもわかるよ」ルーシィはあきれたように首を振った。

「ねえマフィ、ほんとにちゃんと考えたの？　相手は子持ちよ、子持ち。それに、たとえ前の女房の産んだ子でも、愛する男にそっくりっていうならまだ愛せるかもしれないけど、あの子ぜんぜん彼と似てないじゃない。どこから見てもインディアン、じゃなかった、ネイティヴ・アメリカンて顔してるし」

「どうして知ってるの？」

「連れて歩いてんの見たことあるもん」

と、玄関のドアが開く音がして、駆けこんできたのは新聞を手にしたサンドラだった。タオル地のヘッドバンドを額にはめ、長い茶色の髪をポニーテールにしている。スポーツウェアの襟ぐりや脇の下は汗でぐっしょりだ。

「おはよう」

息をはずませてサンドラは言い、灰色がかった緑の目でテーブルの上を見わたしてニコリとした。

「すぐ来るから、片づけないでおいてくれる？」

「いいわよ。私たちもまだ済んでないし」

「すぐよ。シャワーを浴びるだけだから」

出ていくサンドラの後ろ姿を見送ってから、真冬はルーシィに顔を近づけた。

「今のこと、まだ誰にも内緒よ」

「うーん、私って口軽いからなあ」

「ルー！」

ルーシィはげらげら笑った。「あんたってばほんと、からかいがいがあるよねえ」

言葉どおり、サンドラが再び姿を現すまではすぐだった。真冬たちが二杯目のコーヒーをおかわりした頃には、彼女は瞳と同じオリーヴグリーンのTシャツと薄地のスウェットパンツに着替えてキッチンにやってきた。することが何でも早いのは、昔からガールスカウトや運動部に入っていたせいらしい。

留学生のサンドラはイギリス人で、じつに整ったノーブルな顔だちをしていた。濡れた髪を結い上げた横顔には、匂い立つような清潔な色気さえ感じられる。本人があれほどきっぱりと宣言《カミングアウト》していなければ、彼女がレスビアンだとは誰も信じないだろう。

イギリスはね、同性愛者に冷たい国よ、とサンドラが言ったことがある。アメリカなんかに留学するって言ったら、家族も友達もみんな反対したり馬鹿にしたりしたけど、この国に来て私、どんなに楽になったかしれないわ。

「ベーコンは何枚？」

と真冬が訊くと、サンドラはまたニコリとした。

「三枚。カリカリにしてくれる？」

「いいなあ、太ること気にしないでもいい人は」とルーシィ。

「あなたも一緒に走ればいいのに」

「冗談でしょ？　あたしに続くと思う？」

初めの頃こそは何となくサンドラを敬遠していたルーシィも、今ではすっかり打ちとけている。

〈私がレスビアンだからって警戒するのは、男を見るとみんな自分をレイプすると思いこむのと同じくらいナンセンスよ〉

そう言われて納得したらしい。

とはいうものの、じつをいえば真冬も、サンドラの前では少し緊張するのだった。もちろん、レスビアン云々《うんぬん》とは関係ないし、彼女のイギリス風の堅苦しい話し方のせいでもない。真冬が緊張するのはただ、サンドラの前で話している時、たとえばsomebodyをついheで受けてしまったり、うっかりspokesmanなどと口にしたりしようものならたちまち言い直させられるからだった。大学ではサンドラは、「男女平等を実現させる会」というサークルを主宰している。

「男女が平等になったりしたら、あたしたちますますラクできなくなるじゃない」

ルーシィなどは陰で真冬にそうぼやくのだが、おそらくサンドラの頭の中には「フクをする」という考え自体が存在しないのだろう。ラリーから聞いたところによれば、教授連中もサンドラには一目《いちもく》おいているようだ。

パンを二枚トースターに押し込んでおいて、サンドラはコーヒーを片手に新聞をひろげた。

「……いやあね。また銃で人が死んでるわ」

真冬の手がぴくりと震えた。卵を割りそこねて、黄身が流れる。スクランブルドにしてごまかすしかなさそうだ。

「どこで?」とルーシィが訊く。

「サウス・ブロンクスよ。『スタジアム帰りの観光客、裏通りに迷いこんでホールドアップ』」

「抵抗したんじゃない?」

「そうみたい」

「ばっかねえ」

「犯人たちもすぐ捕まってるわ。みんな十五、六の子供よ」

「ばっかねえ」

「誰にでも簡単に銃なんか持たせるからいけないのよ」と、サンドラは苦々しげに言った。

「ルー、あなたこんなことが許せると思う? よりによってスーパーで銃が買えるなんて。トマトとズッキーニにはさまれてマグナムが売られてるのよ?」

「さすがに、はさまれてはいないと思うけど」

「同じようなものだわ」

カシャンと飛び出したトーストを、サンドラは新聞をたたんで取りに立った。

「そりゃね、この国は努力してると思うわよ。誰が何と言おうが、理想の実現のために懸命に試行錯誤してる、自由で素晴らしい国よ。それは認めるわ。だけど、銃に関しての甘さばかりはどうしても理解できない」

「なにせほら、開拓者精神《フロンティア・スピリット》で大きくなってきた国だからさあ」とルーシィは言った。「自分の命とか財産は自分で闘って守るって考え方が、骨の髄までしみついちゃってんのよ」

「それ、どこで読んだの？」と真冬。

「……前にカレが言ってたの受け売りだけどさ」とルーシィは白状した。

「だけど、今の状態はどう考えたって異常よ」とサンドラは言った。「だって、この国に銃を売る店がどれだけあると思う？　マクドナルドの二十倍以上だって話よ。娘の誕生日に父親が拳銃を買ってやるのよ。小学校の門の前で子供が銃を持ってないか荷物を検査したりするのよ。デリヴァリーのピザ屋と合言葉まで決めなきゃドアも開けられないなんて、これが異常でなかったら何が異常だっていうの？」

　サンドラはトーストにバターを塗りながらため息をついた。

「飛行機が危ないの、イスラムがどうのって言う前に、フロリダはどうなのよ、ねえ。テロでも戦争でもないのにあれだけの観光客がたて続けに殺されるなんて、この国のほうがよっぽどどうかしてるじゃない。いっそ国内のツーリストにも、どこそこの何が危ないって告知するべきよ。ハロウィンの日にはルイジアナへ行くな、たとえ行っても知らない家のドアをノックするな、って具合にね」

「それって、ジョークになってないよ、サンドラ」

「ジョークのつもりなんかないもの」

　そう彼女が言った時、

「朝っぱらから物騒《ぶっそう》な話をしてるなあ」

眠そうな声とともにキッチンをのぞきこんだのは、ドングだった。

トレーニングウェアの上下を着て、ぼさぼさと伸びた髪はみんな天井を向いている。オリエンタルにはめずらしいほど長身なのだが、がっしりした肩の上には丸っこくて親しみやすい感じの童顔がのっていた。

「すぐ食べる?」と真冬。

「あ、僕は朝飯いらないや」すまなそうにドングは言った。「ごめんね、マフィ」

「あら気にしないで。私はそのほうが楽だもの」と真冬は笑った。「でも、明日はあなたの当番だからね」

「うえぇ」とルーシィが言った。「明日はあたし、遅くまで寝てようかな」


サンドラとルーシィがそれぞれ授業とアルバイトに出かけたあと、真冬がキッチンで皿を洗っていると、ドングがコーヒーを飲みに来た。こういう場合はもちろんセルフサービスだ。

「なんだか胃がもたれててさ。機内食を律儀に全部食べたせいかな」

色あせたジーンズと大学の名前の入ったトレーナーに着替えたドングは、照れくさそうに言った。もう髪もきちんととかしつけてある。

「コーヒーなんかより、胃薬を飲んだほうがいいんじゃないの?」

「どうせなら、コーヒーを飲んでから胃薬飲むよ」

真冬は笑った。「頭いいわ」

洗い終えた皿を拭《ふ》いて、食器棚にしまう。ドングは熱いコーヒーをすすりながら黙っていたが、真冬は背中に彼の視線を感じた。

「マフィ」

「うん？」

やっぱりきた、と彼女は思った。

「例のこと、考えてみてくれた？」

「……ええ」

「その様子だと、まだ悩んでる？」

「悩んでるっていうか……」真冬は口をつぐんで皿を全部しまい終え、ドングに向き直った。

「そうね。まだ悩んでるわ」

例のこと、とは、ドングが友人たちと共同で始めようとしているビジネスのことだった。そこにスタッフとして加わってくれないかと、真冬は一週間ほど前に彼から持ちかけられたのだ。

クロスカルチャー・コンサルタント。

在米の日本企業を対象に、両国のカルチャーギャップから生じる損失を未然に防ぐためのアドヴァイスをしていく、あるいは駐在員のための教育プログラムを提供していくというのが、ドングたちの考えているビジネスの内容だった。

日本人は、たとえば人種差別・性差別という概念自体にあまり慣れていない。そういった問題の根の深さを理解していないばかりか、どんな行為が差別的とされるのかすらよくわかっていないことが多い。だからこそ、何の考えもなしに「男子社員募集・白人希望」などと広告を出してしまう。それで訴えられれば、会社は言い逃れのしようがない。そんなつもりはありませんでした、ではすまされないのだ。

需要はあるはずだ、とドングは言った。ただし、うまく始められたとしても軌道に乗るまでに少なくとも半年から一年はかかるだろう。データベースをもとに電話で担当者に趣旨を説明し、じかに会ってメリットを説かなければならない。そして何より、顧客である企業が満足するだけのサーヴィスを提供し続けていかなければならない。

そのためにも、日本のことに詳しいスタッフがどうしても必要なんだ、と、彼は真冬を説得した。二人の仲間も自分もこの国で育ったから、この国のことしかわからない。自分はコンピュータには詳しいが、ソフトの面では自信がない。何とか、日本流のものの見方・考え方を客観的に分析できる人材が欲しいのだ、と。

「ごめんね」と真冬は言った。「もう少しだけ考えさせて」

「いいよ、急がせるつもりはないから。でも、さしつかえなければ聞かせてくれる？　何をそんなに悩んでるのか」

真冬は迷った。ドングに言って、わかってもらえるだろうか。というより、うまく説明できるだろうか。

彼女の沈黙を勘違いしたドングは、にっこり笑った。

「無理に言う必要はないんだから、気にしないで」

いかにも育ちのよさそうな笑顔だった。きっとお姉さんの教育が良かったのだろう。

そしてふと思った。もしかして、同じオリエンタルの彼なら、自分の言わんとする意味を理解してくれるかもしれない。

「つまりね、こういうことなの」

一言一言を選びながら、真冬は説明しようとした。

「ほんとのこと言うと私、日本がいやでたまらなくてこの国へ来たのよ。自分の中の日本人的な部分がすごく嫌いで、そんなもの捨ててしまえたらどんなにいいかと思ってた。でもいまだに、自分がたいして変わったようには思えないの。私はただ私として生きたいだけなのに、法の上ではアメリカ人なのに、みんな私の顔を見ると日本人としてしか扱ってくれない。差別とかそういう意味のことを言ってるんじゃなくて、たとえば……悪く取らないでほしいんだけど、今回のビジネスにしたってそうだわ。私が日本人でなかったら、あなたは私を誘わなかったでしょう？　違う？」

「いや。違わないと思う」

真冬は微笑した。

「ありがとう、はっきり言ってくれて。でも、もちろんそれは、あなたのところに限ったことじゃないってわかってるつもり。この街で私が運よく仕事を見つけられるとしても、十中八九、日本人であることが武器になるような職業になってしまうでしょう。つまり、日本企業や日本人を相手にする仕事ってことよね。それでなくてもこれだけ失業者があふれてるんだから、アメリカの企業は、なるべくこの国で生まれ育った人間を雇おうとするはずだもの。昨日今日アメリカ国籍を取ったばかりの私なんかより、そのほうが何かと安心でしょうしね。それは仕方のない事実なんだけれど、でも……まだ私、うまく納得できないの。割り切ってしまえないの。あんなに必死の思いで日本を飛び出してきたのに、どこまでいってもこんなふうに日本がついてまわるのか、日本人としてしか生きられないのかと思うと、気持ちが萎《な》えてしまうのよ。私の言う意味、わかる？」

一気にしゃべりすぎて、軽いめまいがした。

黙っているドングの膝に、スノーブーツがひょいと飛び乗る。のどを鳴らす音が、離れている真冬の耳にまで届く。

「きみの言ってる意味はわかるよ」

ドングは猫の灰色の背中を撫でてやりながら言った。

「でも、どうしてきみがそんなふうに感じるのかは、正直言ってよくわからない。僕は、卒業した後もこの街にとどまっていたいから、何とか自分でビジネスをおこそうとしてる。そう、僕はこの街が好きだよ。だけど……自分がコリアンであることを捨てたいとか忘れたいとか思ったことは一度もない。そりゃ時には、はらわたが煮えくり返ることもあるさ。差別がどういうものかは、現実に差別されてみないとわからないよね。同じアメリカに生まれて、僕だってアメリカ人なのに、こういう顔や肌の色をしてるっていうだけでどうしてこんな思いをしなきゃならないんだろうと思うと、悔しくて情けなくて、眠れない夜もある。それでもやっぱり、コリアンである自分を否定しようとまでは思わない。ねえ、マフィ。自分のルーツを捨ててしまおうだなんて、そんな悲しい考えこそ捨ててしまえよ。きちんとスタート地点から走り出して初めて、僕らはゴールを目指せるんじゃないのかい？　自分が誰なのかもわかっていない人間に、大事なものなんてつかめないと思うよ」

「それじゃあなたは自分が誰かわかってるというの？　コリアンであるという以外に？」

「そう言われると……」ドングは指の先で、スノーブーツの長いひげを撫でつけた。「僕にも偉そうなことは言えないんだけど」

猫は気持ちよさそうに目を細めている。オスのくせに男の膝が大好きなのだ。

「仕事の件に関しては、無理強い《むりじ》するつもりはないけどさ」とドングは言った。「きみが加わってくれると、ほんとに助かるんだ。僕らみんな、すごく期待してる」

「そんな、期待されても困っちゃうわ」と真冬は慌てて言った。「私なんて、ただ日本で長く育ったっていうだけで何の役にもたたないわよ。そりゃもちろん……そんなふうに言ってくれるのは嬉しいけど」

ドングがとてもおかしそうに笑いだしたので、猫も真冬も面くらった。

「何？　私、また何か変なこと言った？」

「きみってさ、自分のことを少し過小評価しすぎじゃないかな」と、彼はまだ笑いながら言った。「それとも、日本人の常で、謙遜《けんそん》は美徳って思ってるの？　この国でそんなこと言ってたら、人の踏み台にされるだけだよ。マフィ、もっと自分を信じてやりなよ。人生は虫食いのリンゴばっかりじゃないんだからさ」

真冬が苦笑するのを見て、今度はドングが「何？」と訊いた。

「ううん。前にも別の人から同じような意味のこと言われたなあと思って」

「それって、恋人？」

「ん……まあ、そんなとこ」

「そいつきっと、きみのことすっごく愛してるんだね」

からかわれたのかと思ってドングを見やったが、彼はしごくまじめな顔をしていた。ルーシィの言葉が頭をよぎる。——今どきあんなに純情な男、ちょっといないよねえ。

「ドング」真冬は、細かいタイル張りのキッチンカウンターにもたれかかって自分の腕を抱いた。「ひとつ、訊いてもいい？」

「どうぞ」

「あなた、『愛してる』って……どういうことだと思う？」

「へ？」思いがけない質問だったのだろう、ドングはけげんそうに真冬を見つめた。「それ、何か哲学みたいな意味で言ってる？」

真冬は首を横にふった。

「いいえ、まったく現実的な意味でよ。ねえ、『愛してる』っていうのは、『大好き』っていうのとは違うものなの？」

「急にそんなこと言われてもなあ……」

ドングは、なめらかな眉間《みけん》にしわを寄せた。猫を膝から下ろし、脚を組みかえる。

「うーん、どう違うかはうまく言えないけど、微妙に……いや、もしかすると決定的に違うものなんじゃないかな。だってさ、マフィ、『愛してる』は、やっぱり『愛してる』だよ。他の言葉なんかじゃ置き換えられないものだよ。どうしてもその相手でなけりゃだめで、その人に心からの愛情や慈《いつく》しみを感じて、その人のことを考えると今自分が生きてることに感謝したくなるなら、それがつまり、『愛してる』ってことじゃないのかい？　なんか、すごくあたりまえの答えしか返せなくて申し訳ないけど」

「ううん。たぶんあなたの言うとおりよね。だけど、私の問題はそこなの」

大きく息をついて、真冬はつぶやいた。

「私にはね、ドング。あなたの言う、そのあたりまえの『愛』っていうのがどういうものなのかさえ、イメージできないのよ。全然」

4

いったいいつから自分は、虫食いのリンゴにしか目を向けないようになってしまったのだろう、と真冬は思った。ボストンから日本に戻って、小学校でいじめを受け始めた時からだろうか。それとも、父親が自殺してしまったあの朝からだろうか。あるいは……両親の間に口論が絶えなくなり始めた、あの頃からだろうか。

彼女はまだ一度も、ラリーに向かって「愛している」と口にしたことがなかった。彼を愛していないからではない。口に出すのが恥ずかしかったわけでもない。ドングにも打ち明けたとおり、人が愛という名で呼ぶものがどういうものなのかが本当にわからなかったからだ。

愛について語られた言葉ならいくらでも知っていた。曰《いわ》く、愛とは見つめ合うことではなく、二人が同じ方向を見つめること。曰く、愛のあるところ常に楽園なり。曰く、財産も地位も愛に比べれば塵のごときもの。曰く、愛とは決して後悔しないこと……エトセトラ、エトセトラ。

わざわざ古典や名言辞典をひもとく必要はなかった。ローマ法王からテレビ伝道師まで、ブロードウェイの名舞台から昼メロ《ソープオペラ》まで、プラカードを掲げたゲイたちからエイズを患《わずら》ったホームレスまで、ありとあらゆる人たちが愛についての自分なりの意見を語っている。けれど、その中のどれひとつとして、彼女に愛というものの輪郭をおぼろげにでも理解させてくれる言葉はなかった。それらの持つ説得力はまるで、南極のペンギンに山火事とは何かを話して聞かせる程度のものでしかなかった。

「愛してる」はやっぱり「愛してる」だよ、とドングは言う。他の言葉じゃ置き換えられないものだよ、と。

それなら、いま自分がラリーに抱いている感情は何なのだろう？

ラリーを大切に思うこと。彼の痛みを自分の痛みのように感じること。彼と過ごす時間をいとおしく思い、彼もまた自分といる時間をそんなふうに思ってくれるといいのにと願うこと。彼の仕草や声や匂いにずっと包まれていたいと望み、彼が安らげる場所を用意したいと思うこと。彼がそばにいないと胸に穴が開いたように不安なのに、次に会う時を想像するだけで体じゅうが甘酸っぱいむず痒《がゆ》さに包まれること。

それらはみんな、自分がラリーをとても好きだからだと真冬は思う。

とても好き。それだけではなぜいけないのだろう。どうしてラリーは「愛してるよ」と口にした後に、さぐるような、期待に満ちた目で見つめてくるのだろう。

理由は、もちろんわかっていた。彼は「私もよ」という答えを待っているのだ。でも、言葉なんて、しょせん言葉でしかないのに。そんな言葉を口にしてもしなくても、彼に対して抱いている気持ち自体がどう変わるわけでもないのに。

そして真冬は、少し寂しくなる。変わるわけではないなら、そして相手がそれで喜ぶというなら、さっさと口に出してしまえばすべて丸くおさまるものを、上手に割り切ってしまえない自分の不器用さがわずらわしくなるのだ。

しかし、もし今のような迷いを抱えたまま「私もよ」と答えたならば、それは嘘をつくのと同じことになってしまう。実際は愛してもいないのに愛しているなどと言うのは論外だが、愛が何なのかわからないくせに愛していると言うのも、同じくらい嘘なのではないだろうか？　たとえそれが世間でいわれる愛とそっくりなものであったとしても、当人が確信を持って口にしない限り、言葉はむなしい偽物でしかない。

　そんなにこだわる必要はないのかもしれないと、真冬もうすうす感じてはいた。ほとんどの人々は、愛というものの定義など正確に把握していなくても、相手を好きにさえなれば平気で、「愛している」「私もよ」と言い合えるものらしい。よほどの事情がない限り、そんなふうに言われて傷つく人はいないだろう。少なくとも、言ってもらえなくて傷つく人の数よりはよほど少ないはずだ。

　愛している。――あたたかい言葉ではないか。


「それなのに、きみがその言葉に対してネガティヴな感情を抱くようになってしまったのはどうしてなんだろう？」

　と、ジャクソン医師は言った。

　リラックスできるようにと半ば強制的にすすめられた寝椅子に横たわって、真冬は口ごもりながら言った。

「たぶん……母の影響だと思います」

　高価な革張りの寝椅子は背中にぴたりと添うようにできていたが、真冬の気分はリラックスからは程遠かった。

ここ数回にわたってジャクソンがようやく聞き出したところによれば、ボストン支社長までつとめていた真冬の父親が自殺した直接のきっかけは、会社の金を何年にもわたって着服していた事実が明るみに出たからだった。

しかし、そこに至るまでの間には、夫婦の間で日ごと夜ごとの口論が展開された。

母親は、まじめ一点ばりの会社人間だった夫が、いつの頃からかあまり品がいいとはいえないタイプの友人たちと金を賭《か》けてポーカーをし始めたことを知っていた。最初のうちこそたいした金額ではなかったはずが、やがて大金を賭けるようになり、お決まりの坂道を転げ落ちて負債がふくれ上がり、気がつくと夫は妻の知らない人間になりはてていた。妻が家族のためを思って何か言えば言うほど夫は疎《うと》ましがり、怒鳴り声をあげ、時には手もあげた。ただ娘に対してだけは、それまでどおりの優しい父親として接し続けていたらしい。

「私を愛していたからとは限らないと思います」と、真冬は自分で分析してみせた。「何にも問題なんてないようなふりでいい父親を演じ続けていたのは、ただ、現実から目を背《そむ》けたかったからじゃないでしょうか」

「なるほど、そうだったかもしれない」とジャクソンは言った。「しかし、そうではなかったかもしれない。当人がこの世からいなくなった以上、真実を知ることはもう誰にもできない。きみが決めつける必要はないと思うよ」

真冬は黙っていた。

「それともきみは、当時から、父親の言葉や態度をまやかしだと感じていたのかい？」

「……そういうわけではありません。あの頃は、父が本当に自分を愛してくれているんだと思っていました」


真冬の母親は決して醜い女ではなかったが、夫婦仲がうまくいかなくなり始めてからというもの、眉間や唇の両脇に深いしわが刻まれてしまった。内面の苛立ちの表れた険《けわ》しい表情がかえって夫を遠ざけていることに、彼女が気づいていたかどうかはわからない。いずれにしろ、母親は台所で酒を飲むようになり、素面《しらふ》の時でさえ何かにつけて娘に当たるようになっていった。夫の死後、日本へ戻ってからはさらにその傾向が強まり、子供なら誰でもするような失敗をわざと人前で大げさになじったり（恥ずかしくて死んでしまいたかったと真冬は言った）、遊びに夢中の娘が一度で言いつけをきかない時など、いきなり髪をひっつかんで引きずったりした。

もともとの性格は几帳面《きちょうめん》で、他人にも自分にも厳しい人間だったようだ。うまくいかない人生への鬱屈《うっくつ》した思いを娘への八つ当たりで晴らそうとする自分に対して、彼女はなおさら苛立たしさを覚えたろう。親戚の援助を頼らなければ生活できない状態にも、さぞプライドを傷つけられただろう。かといって、他にどうすることもできない。ただ苛立ちだけが雪だるま式にふくれ上がっていく。まるで、かつての負債と同じように。

彼女に必要なのは、すべてを娘のせいにして八つ当たりすることのできるもっともらしい理由だった。このとき、格好の言い訳となったのが「愛」という言葉だったのだ。

「日本人の多くは、その言葉を口に出すのをためらうと聞いたことがあるんだが？」

ジャクソンがそう訊くと、真冬は少し考えて言った。

「それに関しては、まったく抵抗を感じていなかったみたいです。もしかすると……宗教の影響もあったかもしれません」

「宗教？」

「日本に帰ってまもなくだったように思うんですけど、母に連れられて買い物に出かけた時に、ばったり昔の友達という人に会って……女の人でしたけど、確かその人が母を誘ったんだったと思います。細かいことはあまりよく覚えてません」

「どんな宗教だったのかな」

真冬は困ったような顔をした。

「カルト的な教団とか、そういうのではありませんでした。それなりにまともだったとは思います。日本ではまあ中堅といった感じの。でも、うちみたいな狭い家にも時々知らない人たちがたくさん集まって、お祈りだかお念仏だかを唱えたりして……私はそれがいやでいやでたまりませんでした。小さいうちは言われるとおり一緒にそこへ座りましたけど、もう少し大きくなってからは、信者の人たちが集まる日には暗くなるまで家に帰らなくなりました。もちろん、後でひどく叱られましたけど」

「いやだと思ってるということを、お母さんに言ってみた？」

「まさか！」真冬は目をみひらいた。「そんなこと、できるはずないじゃないですか」

「どうして？」

「……怖くて」


宗教に頼るようになっても、母親は酒を飲むのをやめられなかった。むしろ、悪癖と知りながら罪悪感とともに飲むために、酔ってからの癖がよけいに悪くなった。

夫の愛情を一身に集めていた娘への、屈折した嫉妬。夫が死ぬ時でさえ、そばにいたのは自分ではなく娘だったという疎外感。そのとき自分は何をしていたか？　夫への当てつけに、高い買い物をして憂さ晴《うさば》らしをしていたのだ。

「お前の顔を見てると、いやなことばかり思い出す」

と、母親は憎々しげに言った。酔っている時にはふだんに輪をかけて怒りっぽくなり、さいなことで腹を立て、お仕置きと称しては、いやがって泣き叫ぶ娘を真っ暗なクローゼットに閉じ込める。そのたびに、母親は怒りと興奮と、おそらくは恥の意識から顔を真っ赤にしてくり返すのだった。

「私だってほんとはこんなことしたくないのよ！　お前のためを思えばこそやってるのよ！　お前を愛してるから、いい子にしてやりたいから、だから仕方なくこうするのよ！」

長年にわたるそのくり返しによって、真冬の脳裏《のうり》には「愛」と「真っ暗なクローゼット」

とがしっかりとペアでインプットされてしまった。続いてゆく明るい未来を無条件に保証してくれるような愛など、大好きだった父を失ってから後は経験したことがなかったのだ。

母親が彼女に教えた「愛」とはすなわち、相手に絶対の服従を要求するものだった。安らぎや温《ぬく》もりとはかけ離れたもの。逆らえばたちまちお仕置きが待っているもの。それが「愛」だった。それでも、真冬が母親の手の中でじっとしている間はまださほどの問題は生じなかった。比較がなかったからだ。やがて外の世界に一歩ふみ出し、それまで自分が抱いていた「愛」への認識が根底からくつがえされるのを見て初めて、彼女は深く混乱してしまったのだった。その混乱から逃れようともがけばもがくほど糸はもつれ、容易にはほどけない固い結び目を作った。

真冬が成長するにつれて、酒量の増えた母親の口から出る言葉にはますます歯止めがきかなくなっていった。

「お前はお父さんを見殺しにしたんだよ。お前さえさっさと誰かを呼んでいれば、あの人は助かったかもしれないんだから。それをお前ときたら、ぼんやりつっ立ったまま父親が死んでいくのを眺めていたんだわ。恐ろしい子」

恐ろしい子、と言う時、母親は醜い怪物を見るかのように顔をゆがませた。

「お父さんだけじゃない、お前は私の人生まで変えてしまったのよ。お前を産んだせいで、私はもう子供が産めなくなってしまったんだからね。みてごらん、昔からお前と一緒に遊んでた子はみんな、きまって大きな怪我《けが》をしたり、悪い病気にかかったりしてるじゃないの。

いつだって無傷で健康なのはお前だけ。貧乏くじを引かされるのはまわりだけ。お前はきっと、あのお方のおっしゃるとおり、近づく者を不幸にする星の下に生まれついてるんだわ」

母親がしょっちゅう引き合いに出すあのお方とは、入信した宗教団体の支部長の地位にいる男のことだった。「大先生」と呼ばれる教団の開祖などは信者にとっては雲の上の存在で、それに比べればよほど身近な支部長でさえ、母親はひたすらありがたがって拝み奉《たてまつ》っていた。どうして、娘を入信させることにあまり熱心でなかったのかはわからない。自分の魂が救われることにしか関心がなかったのかもしれない。

真冬の目には、家の中にしつらえられた祭壇を拝む母親の姿は滑稽《こっけい》に映った。滑稽でありながら、本人のあまりの真剣さが薄気味悪くもあった。年をとって体が衰えるとともに、母親の傾倒ぶりはますますエスカレートしていくようにみえた。

「それにしても、お父さんは本当に助かるような状態だったのかな?」と、ジャクソンは言った。「今まできみの話を聞いてきた限りでは、とてもそうは思えなかったんだが」

「ええ。いま考えても、助かることはあり得なかったと思います。私が見つけた時にはもう、父は生きているのが不思議なほどの状態でしたから」

その日も、寝椅子だった。仰向《あおむ》けになって天井を見上げていると、真冬はいつも、リラックスするどころか心細くてたまらなくなる。何だか自分がとても弱くなってしまった気がするのだ。それともジャクソン医師は、それを知っていてわざとそうさせているのだろうか。

心細くなるようにしむけて、助けを求めさせようとしているのだろうか。

何度も何度も、この部屋で父親の死について語らされた結果、このごろでは前のように激しく取り乱すこともなくなってきている。記憶が喚起《かんき》する胸の痛みこそ変わらなかったが、語ることそのものに対しては心の中に抗体ができつつあった。体の一部、たとえば腹筋を鍛《きた》えるのと同じように、心の一部を鍛える際にも反復は有効なものらしい。

「つまりきみは、お父さんが致命傷を負って、もはや誰が何をしても助からなかったということをはっきり認めているわけだね」

「ええ」

「それなら、お母さんから与えられた暗示……と言っていいと思うんだが、きみがお父さんを見殺しにしたという指摘によって植えつけられた罪悪感も、克服できるんじゃないかい？」

「もう克服しています」

「そう？」

「信じて下さらないんですか？」

「訊いているのは私だよ。きみは自分で、本当にそう思う？」

「…………。いいえ」

二人とも、しばらく黙っていた。時計の秒針が、硬い音で時を刻んでいく。

真冬がますます不安になって起き上がりたくなってきた頃、ジャクソンはようやく質問を再開した。

「きみがお母さんのもとを離れたいと思ったのは、いつ？」

今から思えば、中学二年の終わりごろ、初めて男の子から手紙をもらったあの日がきっかけだったような気がする。

その子は真冬と一緒に図書委員を務めていて、じつは彼女のほうでも憎からず思っていた相手だった。他のクラスの女子にまで人気があったが、それを鼻にかけるようなところは少しもなく、いつも男友達に囲まれていた。

図書室のすみでこっそり手紙を読み、恥ずかしいような、誇らしいような、泣くのと笑うのを同時にこらえているような、そんな無防備な気持ちで家に帰り着いた真冬は、先に勤めから戻っていた母親に見つからないように手紙を机の引き出しの奥に隠した。ところが、やがて風呂に入って出てくると、母親は台所で彼女を待ち構えていた。手にはコップが、テーブルの上には酒の瓶と、あの手紙があった。

「これは何」

真冬は、必死になってその日のことを洗いざらい報告した。べつに隠すつもりはなかったの、何となく照れくさかったから言わずにいただけよ、と。

「そう。どういう男の子なの」

真冬は母親の顔をさぐり、あたりさわりのないように答えた。

「いい人よ。みんなからもすごく人気があるの」

するといきなり音をたててコップを置き、何か生々《なまなま》しい猥褻物《わいせつぶつ》でも見る目つきで彼女を見て言ったのだった。

「何をそんなにニヤついてるのよ、早々と色気づいたりして、まったくいやらしい子だね。お前、まさかこんな手紙を本気にしたんじゃないだろうね。からかわれてるってことがわからないの？　え？　お前みたいに不細工で何のとりえもない子と、まともにつきあおうなんて男がいるはずないでしょう。そんなふうに隙だらけだから男につけこまれるんだよ。それとも、お前のほうから気のあるそぶりでも見せて誘ったんじゃないの」

そして母親は、いつもどおりの捨てゼリフでこう結んだのだった。

「お前みたいな疫病神《やくびようがみ》を愛してくれる人間なんか、おなかを痛めた私以外にいるわけがないんだよ。よーく覚えておくんだね」


「お母さんは、本当にきみを愛していたんだと思うかい？」

ジャクソンの問いに、真冬は少しためらってから答えた。

「わかりません。ただ単に、やり場のない怒りを私にぶつけるための言い逃れだったのかもしれません。それとも、口でそうくり返すうちにあの人自身も、愛してるからそうするんだと思いこんでしまったのかも……。わからないわ」

ソファに座らせてほしいという真冬の主張を、ジャクソンもその日は聞き入れてくれていた。

「それは、間違った愛だったと思う？」

「それもわかりません」と、彼女は正直に言った。「どうして私にわかります？　間違った愛どころか、正しい愛がどんなものかもわからないのに」

「なるほど、それもそうだ」

ジャクソンは太い眉根をひらいた。

「お母さんのことを、きみはどう思っていた？」

「どうって……べつに」

同じようなことを、以前にも訊かれた気がする。

「憎んだり、恨んだりしたことは？」

「いいえ」

「一度も？」

「……たぶん、一度か二度は」

「好きだと思ったことは？」

「でも、親ですから」

「親だからといって好きだとは限らないだろう？」

「いいえ、そういう意味ではなくて。親は親だから、好きかどうかなんてあらためて考えてみたことはなかったという意味です。子供は親を選べませんし……」真冬は迷ってからつけ加えた。「肌の色と同じです」

「肌の色？」

「私は黄色。先生は、」

「ブラック」

「というより、きれいなチョコレート色だわ」真冬は微笑んだ。「でもそういうのって、生まれる前からすでに決められているものですから。わざわざ好きとか嫌いとか考えてみても始まらないでしょう？　もし自分ではあまり気にいらなかったとしても、うまく折り合いをつけてつきあっていくしかないんです。私にとっては、母親もそれと同じでした」

「つまりきみは、自分がオリエンタルであることを、嫌ってもいないかわりに誇りに思ってもいないということ？」

「その類いの質問って、今までにもいろんな人からされたことがあるんですけど」真冬は考えながらゆっくりと言った。「ちゃんと答えられたためしがないんです。オリエンタルだとか日本人だとか、民族ゆえの誇りだとかって、私にはまだよくわかっていないものですから。卑怯《ひきょう》な答えだとは思いますけれど」

　ジャクソンが気を悪くしていないかと思ってちらりと目を上げたが、彼は穏やかな顔で見つめているだけだった。

　真冬は思いきって訊いてみた。

「先生は、アフリカン・アメリカンとしてのご自分を誇りに思っていらっしゃいます？」

「ちょっと待って、マフィ」

ジャクソンは微苦笑といった感じの笑みを浮かべた。

「アフリカ系ではない黒人も、ニューヨークにはたくさんいるんだよ。私はプエルトリカンだ」

「ご……ごめんなさい」真冬はびっくりして口を押さえた。

プエルトリコ人というと、思い浮かべられるのは『ウエスト・サイド物語』に出てくる肌の浅黒い若者たちだけだった。プエルトリコにもジャクソンのような黒人がいるということを、彼女は今の今まで知らなかったのだ。

「私って、情けないほど無知だわ」

ジャクソンはまた微笑すると、

「無知は、知ろうとすることで克服できるよ」

と言った。

「私の父は、プエルトリコから移住してきた二代目だ。母は三代目。両親も兄弟も妹も、私よりは肌の色がだいぶ薄いんだ。だから小さい時は、同じように色の薄い親戚の家へ行くと、いとこたちが私だけを仲間はずれにするのが寂しかったよ。血のつながった家族の中でまで、肌の色をめぐってそんな軋轢《あつれき》が生まれるのさ」

「信じられないわ」

「だが、本当のことだ」

ジャクソンは無意識に上着のポケットから煙草の箱を取り出し、はっとなって「失礼」と元へ戻しかけた。

「どうぞ」と真冬は言った。「吸って下さい。気にしませんから」

「ありがとう。きみはうちの女房より優しいな」

「だって私は、先生を愛してませんもの」

ジャクソンはぷっとふきだして、結局、煙草の箱をポケットに戻した。初めて見るような目で真冬を見つめる。

「日本では、英語の教育をどんなふうにしているのかな？」

「たいてい十二歳くらいから始めます、中学校の授業で。学校によってはもっと早くから始めるところもありますし。中学校からは週に三時間か、四時間くらいかしら。高校では大学受験のための熟語や構文を頭にたたきこんで、大学ではひたすら辞書を引いて……ほとんどの人は、卒業した瞬間に全部忘れるみたいですけど」

「どうして」

「話す機会がないからでしょうね」

「なるほど」

ジャクソンは、ソファのひじ掛けに頬杖《ほおづえ》をついた。

「小さい頃、私の家はね、ヒスパニック系の集まるハーレムにあった。きみと同じで、小学校に通い始めた当初は誰も友達がいなかったな。英語を話すクラスメイトとは親しくなれなかった。家ではスペイン語で育てられたから、私はアメリカにいながら英語が話せなかったのさ。だが、スペイン語を話すクラスメイトとも親しくなれなかった。というより、なろうとしなかったんだ。少しでも早く英語を覚えたかったからね。そう、何とかしてハーレム以外の場所に住んでやるんだと思い続けて、私は大人になった」

ジャクソンが自分自身について話すのを聞くのは、考えてみればこれが初めてだった。当然だ。彼は医師で、こちらは患者なのだから。

だが、ジャクソンはまったく頓着《とんちゃく》しない様子で話していたし、真冬は少し意外に思いこそすれ、違和感は感じなかった。これがセラピーの一環であろうがなかろうが、たいした問題ではない気がした。少なくともジャクソンは今、ミスター・フロイトから押しつけられた知識ではなく、自身の言葉で話してくれている。

「肌の色への誇り？　プエルトリカンとしての誇り？」ジャクソンは口をゆがめ、肩をすくめた。「じつをいうと、私にもよくわからないんだ。私のところへは、もちろん偏見を持たない白人も来るが、有色人種《カラード》の人々のほうが多く訪れる。彼らの内面ならさんざん分析しているはずなのに、自分自身のこととなるとこんなものさ。もし私にいま、誇りを持っているとはっきり言える何かがあるとすれば、それは、あの父と母の間に生まれ、彼らに育てられたこと——ただそれだけだよ」

「何だか……うらやましいわ」

意識するより前に、そんな言葉がこぼれていた。

「うらやましい？」

真冬は黙っていた。

ジャクソンはしばらく指先でひじ掛けをコツ、コツ、と叩いていたが、やがて言った。

「マフィ。きみはさっき、母親とは無理にでも折り合いをつけるしかなかったと言ったね」

「ええ」

「今は、どう思っている？」

「え？」

「今だよ。昔と違って、母親のもとを離れて六年もたった今なら、少しは彼女のことを客観的に見られるんじゃないか？」

「…………」

真冬は、ごくりとつばを飲み込んだ。

どうして舌が動かないのだろう。――わかっている。勇気がないから。自分の手でかさぶたをはがすのが怖いからだ。

傷はとっくに癒《い》えていて、血はもう出ないかもしれない。でも、もしかするとまたたくさん出るかもしれない。とても痛いかもしれない。それが怖いのだ。母親をけなすような言葉をひとことでも口にすると、何か恐ろしいことが起こるのではないか。むかし口答えをした時のように、言いつけをきかなかった時のように、顔を醜くゆがめた母親が真っ暗なクローゼットにとじこめに来るのでは……。

そんなばかばかしいことはありっこないと理性ではわかっていても、あの暗闇への原始的な恐怖が真冬の舌を金縛りにしていた。

予定の時間はあとわずかだった。後ろの時計を見なくても、数か月にもわたって毎週来ていればだいたいわかる。いつまでも答えようとしなければ、ジャクソンは言うだろう。今日はこのへんにしておこうか、と。そして、再びこの話題が蒸し返されるまでには、また二回、三回とまわり道をしなければならないだろう。あるいはもっとだろうか。

そんな悠長なことはしていられなかった。自分だけではない。待っているラリーも苦しんでいるのだから。

真冬は、こわばった口を無理やりこじあけた。

「……今は」

怖い。だめ。——いいえ、言うのよ。言え！

再び口をひらき、

「今は……」目をつぶって飛び降りた。「弱い人だと思っています」

身構える。（ごめんなさい！）母親の怒声が降ってくるのを覚悟する。（許して、暗いのはいや、いや！）体が硬直する。何があってもパニックを起こすまい、醜態《しゅうたい》をさらすまいと歯をくいしばる。体温が急に下がる。それでも……。

——何も、起こらなかった。

おそるおそる目を開け、顔を上げると、向かい側に座ったジャクソンが静かな表情で見つめていた。

「私……」ヴィブラートのように声が震える。「私、何を言ったの」

「母親は弱い人だと思う、と。きみはそう言ったんだ」ジャクソンは微笑した。「たいしたことじゃなかったろう？　雷に打たれると思っていたわけでもあるまい？」

「え……ええ。いいえ、そう思ってました」

ふいに体の底からヒステリックな笑いがこみあげてきて、真冬は口をおおってそれを飲み下した。

「マフィ。幼かったきみの目には、母親は運命を左右する権利を持った全能の神のように映ったかもしれない。でも、今ならわかるだろう？　年も取り、体も衰えて、彼女はもうきみに対して何もできない。何の影響も与えられない。本当は、何年も前からそうだったんだ。きみが日本を出ようと本気で決意した時、それを止める力さえなかったんだからね。昔がどうだったかはともかく、きみの母親は今はもう神じゃない。ただの弱い人間なんだよ」

真冬は、ジャクソンの言った言葉の意味をひとつひとつ確かめながら、長いあいだ黙っていた。ずいぶん長く。

そして、やがてささやいた。

「いいえ、先生。本当は、昔からそうだったんです。あの頃から、ずっと、そうだったんだと思います」

いま初めて自分にも声が出せることを知ったかのように、彼女は一言ずつ、そっと言葉を押し出した。

「母は……母はいつでも、お酒や宗教に頼らなければ一人では立っていられない、弱い人でした」

ジャクソンの大きな手が伸びてきて真冬の手を包みこみ、ぐっと握った。

「そしてきみは、強い女性だ。いつかもそう言ったろう？」

5

シリル・ウォンは、震えていた。

ソファのそばの窓から見える空は今にも泣き出しそうで、部屋の中は蒸し暑いほどだ。震えているのは、だから、これからしようとしていることへの恐ろしさのためだった。

雇い主のミスター・サンダーソンは、大学の研究室に客が来るとかで出かけている。恋人の日本人も、午後は授業が入っているはずだから急にここへ来る心配はまずない。あのミズ・シノザキが授業をさぼるなどあり得ない。

シリルはうらやましかった。自分だって、もし大学か短大にでも進んで、きちんと幼児教育の資格を取っていれば、こんな人生は歩まなかったかもしれない。どこへ出てももっと敬意を払ってもらえたろうし、初めからまともな男性とめぐり合い、ほどほどの幸せに愚痴などこぼしながらも平和な家庭を作ることができただろう。そうすれば、アンドリュー・ビスティのような男とは一生関わり合いにならずに済んでいたかもしれないのだ。

時計の針は、午前十一時をまわっている。アンドリューがこのアパートメントまで来てあいれをするのは、六月に入ってから今日で二度目だ。彼は十一時半には着くと言っていた。言ったからには確実にその時間までに現れるに違いなかった。

シリルは薄い眉を寄せて、部屋のすみをふり返った。奥の壁いっぱいに張られた大きな鏡の前で、ティムは、父親から最近買ってもらったばかりのブロックおもちゃ・レゴで遊んでいる。要塞《ようさい》か何かのつもりだろうか、ごつごつと不格好に組み上がったカラフルなレゴを、ティムは別に作った戦車のようなかたまりで攻撃して壊そうとしていた。

うずくまったティムと、彼を見つめる自分の姿の両方が鏡に映っていることに気づいて、シリルは震えの止まらない手で顔にさわった。

いつのまにこんなに痩せてしまったのだろう。それでなくとも小柄で、よく未成年に間違えられる細い体が、このままでは消えてなくなりそうだ。ひそかに自慢にしていた黒髪は水気を失ってぱさぱさになり、まるでスーパーの棚で三日も売れ残ったトウモロコシのひげのようだった。

こんなみっともないなりをしていたら、アンドリューを悲しませてしまう。

そう思いかけてすぐ、シリルは唇をゆがめた。どんななりをしていようが、このごろでは彼はもう何も言わない。前みたいに服を買ってきてはくれないし、ブラシで髪をとかしてもくれない。優しく接してくれるのは変わらないが、それはどちらかといえば無関心ゆえの優しさに近い気がした。

穏やかで、知的で、銀縁の眼鏡がよく似合うアンドリュー。

どこでどう間違ってこんなことになってしまったのか、シリルにはわからなかった。アンドリューと一緒に暮らし始めて一年近くが過ぎ、これからやっと人並みの幸せを築けると有頂天になっていたのに、彼の興味はすでにシリルから別の対象へと移ってしまっている。あるいは——認めたくはないが、彼の目的は初めから彼女ではなかったのかもしれなかった。

彼と出会ったのは、シリルがまだ託児所で働いていた頃だった。スタッフたちは午後になると、子供たちの手を引いて近くの公園まで遊びにいくのが日課だったが、時折そこにカメラを携えて現れては丹念に人々の表情を撮りためている男性がいた。それがアンドリュー・ビスティだった。

もの静かな人だな、というのが第一印象で、初めのうちはせいぜいすれ違う時に挨拶する程度だったのが、そのうちに言葉をかわすようになり、やがては彼の姿が見えないと目で探すようになった。

ほかのスタッフたちは彼女をからかった。シリルったらほんとに惚れっぽいんだから。また痛い目にあって泣いても知らないわよ。

しかし、それまでさんざんろくでもない男に引っかかっては、貢《みつ》がされて捨てられるというパターンをくり返していたシリルにとって、アンドリューの物腰や態度はまるで貴公子のように優雅で紳士的に思えた。彼は、今まで彼女が知っていたような男たちとはどこもかしこも違っていた。男という同じ生きものとは思えないほどだった。

これでもプロのカメラマンなんですよ、と彼は自己紹介し、よかったら子供らが遊んでいるところを撮らせてくれないだろうかとシリルに頼んだ。彼女ばかりでなく他の職員たちに対してもていねいに趣旨を説明し、個展の記録や作品集《ポートフォリオ》や、クレジット入りで雑誌に使われた写真などを見せて、近いうちにヴィレッジのギャラリーで三度目の個展をひらくのだと言った。撮った写真を使用する場合には必ず託児所を通じて親の許可をもらうとまで約束してくれたので、シリルたちは相談のうえ、特に問題はないだろうと承諾したのだった。

問題は、ないどころではなかった。が、すでにアンドリューに夢中になっていたシリルは、ずいぶん後になるまでその深刻さに気づかなかった。

経営者との金銭的・感情的なトラブルがもとで、シリルが託児所をやめたのをきっかけに、二人はアンドリューのアパートメントで一緒に暮らし始めた。

シリルには、毎日が現実とは思えなかった。ずっと恥じていた肉づきの薄い胸や木熟な体つきを、アンドリューは宝物のように扱ってくれた。黄色い肌をそっと撫でては中国の陶器などと呼び、つり上がった目を神秘的で美しいと言い、ベッドではいつも初夜のように優しくしてくれる。かと思えば次々に服を買い与えてくれたりもする。フリルやリボンのついた子供っぽいデザインはシリルの好みではなかったが、彼が喜ぶ顔を見られるならたとえ裸で外を歩けと言われてもそうするだろうと思った。その頃には彼のことを、恋人というよりは恩人のようにさえ思い始めていた。

彼は毎晩、シリルの体を洗いたがった。それも自分は服を着たまま、バスタブの外側にしゃがんで長い時間をかけて洗うのだ。初めのうちは奇妙な感じがしたものだが、彼女はすぐにそれにも慣れた。バスタブに横たわり、スポンジで体を撫でまわしてもらうとうっとりした。楊貴妃《ようきひ》にでもなったような気分だった。七人もいる兄弟姉妹のちょうど真ん中だった彼女にとって、誰かからそこまで愛情や手間をかけてもらうのは生まれて初めての経験だったのだ。

愛されているのだと思った。幸せだった。天にものぼるほど幸せだった。

そうして半年近くたった頃、彼女はアンドリューが暗室として使っている部屋を掃除しようとして、床の上に一枚の写真が落ちているのを見つけた。

白い壁を背景に、三歳くらいの男の子が全裸で写っていた。それはシリルの目には、裸の男の子を写したというよりは、男の子の裸を写したもののように見えた。何より気にかかったのは、その子の目つきだった。罪悪感と嫌悪感がないまぜになった目つき。おびえと媚《こ》びも少しずつ混じっている。託児所に勤めていた頃、何度かこんな目を見た覚えがあった。いけないことと知りながら隠れてこっそり何かをする時や、それが見つかってしまった時、子供はきまってこんな目をする。

シリルは、黙ってその写真をくずかごに入れ、アンドリューには何も訊かないでおくことにした。よけいな詮索《せんさく》をして、彼との関係にひびを入れたくなかったのだ。

しかし、今になってみると思う。あれはもしかすると、自分を試すためにアンドリューがわざと置いたものではなかったかと。なぜなら、その日を境に彼はどんどん大胆になっていき、自分の特殊な性癖をほとんど隠さないようになり、やがては彼女までも共犯に引きずり込んだからだ。

シリルに小さな子供のベビーシッターをさせては、買い物や散歩に連れ出したついでに自分たちのアパートメントに立ち寄らせる。彼女だけを別室に行かせ、子供にはお菓子を与えて遊んでやり、すっかりうちとけたところで服を脱がせ、写真を撮る。

彼が毎回子供たちをどう説得して（脅して？）服を脱がせるのか、そして裸にしてから写真を撮るまでの間にいったい何をして（させて？）いるのか、シリルは決してはっきり知ろうとしなかった。心の目と耳をふさぎ、必死に笑顔を装って、何も異状はないというふりを押し通した。それは、とてもばかばかしいことだった。暗室に張りめぐらされたロープにはいつでも、とうてい芸術作品にはみえない全裸の子供たちやその陰部の写真が万国旗のようにぶら下がっていたのだし、それを見れば例の空白の時間にアンドリューが何をしているかも一目瞭然《いちもくりようぜん》だったのだから。

アンドリューにとってはまさに、趣味と実益を兼ね備えたビジネスのはずだった。性的な嗜好《しこう》を満足させられるうえに、撮った写真はマニアに高く売れる。

子供たちへの口止めはたいていの場合、罪悪感を植えつけるだけで充分だった。小さい子供はもともと自己中心的な考え方をするため、まわりで起こったことのすべてを自分の責任だと思いこむ傾向が強い。それを利用して、アンドリューが子供らに優しい口調でくり返し話しかける言葉が、ドアの向こうから漏れ聞こえてきた。

いいかい。誰かにこのことをしゃべったりすると、きみのダディやマムはとっても悲しむんだよ。お菓子をもらえるからって、こんないけないことをしていたきみを、マムは嫌いになってしまうかもしれない。別の子と取り替えちゃいたくなるかもしれない。そうしたら、きみはダディやマムから引きはなされて、病院かどこかに入れられて、家族はばらばらになってしまうんだ。そんなの、いやだろ？　だったら、このことは誰にもしゃべっちゃだめだ。きみがしゃべらないと約束したら、僕も誰にも言わないよ。僕たちだけの秘密にしておくんだ。いいね？

どうしてノーと言えなかったのだろう、と、シリルは唇をかんだ。子供たちはともかくとしても、どうして自分までが。

暴力で押さえつけられたわけでもなければ、脅迫されたわけでもない。それなのに……もうこんなことはやめてほしいと何度も言おうとしたのに、どうしても言えなかった。

アンドリューがわざわざこのミスター・サンダーソン宅にまで来るような危険をおかすのは、彼らのアパートメントではティムがまったく言うことをきかないからだった。三回か四回試してみて、アンドリューはあきらめた。落ち着きを失ったティムを思いどおりにし続けるのは難しかったし、下手をすれば、いつもの口止めが効かなくなる恐れがある。それでしかたなく場所を変えることにしたわけだ。

シリルは、この前のアンドリューの顔を思い出して、またブルッと身震いした。ティムの部屋からカメラを持って出て来た時の、あの満足そうに鼻の穴をふくらませた顔。おそらく、ネイティヴの子供の赤い肌がめずらしかったせいだろう。今までのモデルは皆、少なくともシリルを雇えるくらいには裕福な白人家庭の子供ばかりだったから。アンドリューには、性別や人種に対する差別意識がまったくないのだわ、とシリルは皮肉に考えた。

さしものティムも、毎晩寝ているベッドの上なら安心するらしい。自分が何をされているのかが、幼い彼にはわかっていないのだった。

あの日の夕方、シリルがお風呂にいれてやろうとすると、ティムは自分の小さな性器をいじってちょこんと立たせ、ほめ言葉を期待した顔で彼女を見上げた。

気がついた時にはもう、ひっぱたいた後だった。

同じことをしたのに一方からはほめられ、もう一方からは叩かれ、混乱しさっておびえているティムを抱きかかえて、シリルは声をあげて泣いた。泣いているうちに、ティムと自分のどちらに同情して泣いているのかわからなくなった。

アンドリューは病気なのだ。理性はそうささやいていた。が、その事実を認めたくないあまりに、シリルは、彼が子供たちに性のはけ口を見いださなければならなかったのは自分のせいだ、自分が彼を満足させられなかったからだと考えようとした。こんなふうになってしまってもまだ、彼女はアンドリューを愛していた。あるいは愛というのは思いこみで実際は執着でしかないのかもしれなかったが、いずれにしても、彼に見放され、あの家を追い出されるくらいなら死んだほうがましだった。

どうしてこの街はこんなに残酷なのだろう、とシリルは思った。すべてが嘘で塗りかためられている。夜の間は輝いて見えた夢も、目覚めるとちゃちな紛い物《フェイク》に過ぎない。何もかもそんな具合だった。やっと見つけた幸せまで、やはり幻想でしかなかった。この街に暮らす人々は、その幻想を幻想だと認めまいとすることで、かろうじて正気を保っている……。なのにどうして自分は、この街を出ないでいるのだろう。

壁の時計を見やる。進み方のあまりの速さにぎくりとした時、はかったようなタイミングで呼び鈴が鳴った。

シリルは、ぎくしゃくと立ち上がった。

ティムが、黒く透きとおった瞳で問いかけるように見上げてくる。またあの人？　とでも訊きたそうな目つきだが、彼はよほどのことがなければ自分から口をきこうとしない。アンドリューにとってはまさに好都合というわけだ。

（ごめんなさい）

シリルは、ティムの視線から引きはがすようにして顔をそむけた。

（でも、またあなたの好きなお菓子がもらえるわ）

そして、ドアを開けに行った。

雨が降り始めていた。デニス・ジャクソン医師が秘書に言って貸してくれた傘をひろげて、真冬は歩き出した。

初夏には不似合いな小糠雨《こぬかあめ》だった。傘に降る雨音さえ聞こえない。霧のように細かい水滴があたりの風景をひっそり湿らせていくだけだ。通り過ぎる車のワイパーの動きは緩慢《かんまん》だったが、タイヤの音は濡れていた。青い傘の柄を握る手が、水の底に沈んだ貝のように青白く染まって見える。

雨は、好きだ。ゆっくり歩きながら、真冬は思った。

雨は、いつもの薄汚れた街並みを美しく変えてしまう。見慣れた広場がふいに知らない顔で目の前に立ち現れる。目ざわりな背景はすべて黒っぽく沈んで、鮮やかな色だけが浮かび上がり、すべてのものの輪郭が、にじんだインクのように曖昧《あいまい》になる。風景は現実感に乏しく、熱にうかされて見る夢のごとく取りとめがない。その心もとなさが、かえって気持ちを落ち着かせてくれる。行き交《か》う人々が皆、祖国を追放された旅人のように心細そうに見えるからかもしれない。異邦人は自分だけでないと思えてほっとするのだ。

それほど突拍子《とっぴょうし》もない考えではないはずだった。この大陸は、コロンブスらによって発見される前からここにあったのだし、白人が大挙して押し寄せるずっと前から、インディアンたちはここに住んでいたのだから。アメリカ大陸はもともと彼らのものであり、彼ら以外の人間はすべてよそ者だったのだ。

いつだったかラリーが言っていた。

「土地を略奪したり、人々を奴隷にしたりといった行為は世界じゅうの歴史の中でさんざんくり返されてきたことだけど、前から住んでいた友好的な人々を皆殺しにして絶滅させようとまでしたのは、我々白人だけだよ。白人は彼らを野蛮人と呼んだが、どちらが野蛮だったかは考えるまでもないと思うね」

どこかでパトカーのサイレンが鳴っている。いつものことだから誰一人として気にも留めない。頭の上に新聞やバッグをかざした人々が、小走りに道を急ぐ。

略奪と殺戮《さつりく》の果てに築き上げられた、アメリカという国。いま、その上を歩きまわる人間の多くが、もとはよそ者であったという一点において共通しているという考えは、真冬を少し楽にした。

でも、と、真冬は思う。

同時にまた別の意味においては、よそ者として扱われるべきではないのに不当な扱いを受けている人たちがいる。

たとえば、ジャクソン。血筋はプエルトリカンでも、彼は、アメリカに生まれ育ったれっきとしたアメリカ人だ。それでもきっと、この国の人間として（あるいはただ人間としてさえも）正当に扱われなかった経験は数えきれないほどあるに違いない。彼が精神分析医として開業するまでに乗り越えなければならなかったであろう障害や、いまだに日々味わっているはずの屈辱の質を想像すると、気分が悪くなる。

ただ、真冬が難しいと思うのは、こんなふうに考えること自体が傲慢《ごうまん》さとすれすれだという気がするからだ。彼女自身も、たとえばすれ違いざまに「ゴーホーム、ジャップ！」とつばを吐かれたり、店で何か買おうとして露骨に無視されたり、もっと陰湿な差別を受けた経験だって幾度もある。が、その程度のことと、生まれた時からこの街以外に行き場のなかったジャクソンの思いとは比べようもない。彼の境遇への同情は、自分に余裕があるからできることなのかもしれないのだ。さらには、黒人なのだから差別されたはずだ、ここまでの道のりは大変だったはずだ、とステレオタイプの決めつけをしてしまうこと、もしかしてそれさえも、無意識の中に潜《ひそ》んでいる一種の優越感なり差別意識なりの表れではないかと思うと、彼女は立ちすくんでしまう。何かを「はずだ」と考えるのは、それをあたりまえだと考えるのと、ほとんど紙一重《かみひとえ》なのではないだろうか……？

プァップァーッ！　とクラクションを鳴らされて、真冬は飛び上がった。うっかり信号を赤で渡るところだった。

そばの鉄柱につかまって、めまいをこらえる。ひどくふらついた。ジャクソンのところで、少なくとも数日分の精神力をいちどきに使い果たしてしまったせいだ。

「……やだな」と、真冬はつぶやいた。「なんかもう、やんなっちゃうな」

久しぶりに口にする日本語だった。

長い長い年月、心の中に泥のように沈殿したまま表に出ないでいた本音を思いきって吐き出したあの瞬間は、天に向かって叫びたいほど晴れ晴れとした気分に満たされたものだが、雨の中を歩き、水気を吸いこんだ傘や服が重たくなるにつれて、疲れはじっとりと体を押し包み始めていた。自分が今、生きものとしてとても弱ってしまっているのが感じられた。かかとに鉛が詰まったかのようだ。どう頑張っても、これから図書館で調べものをするだけの元気はふるいおこせそうにない。午後の授業に至っては、出るだけ無駄という気がする。今はただ、ベッドに倒れ込んでゆっくり休みたいだけだ。

わけもなく心細かった。迷子のように、このましゃがみこんでしまいたくなる。誰かに話しかけられでもしたら泣き出してしまいそうだ。

かといって、こんな時に限ってラリーは部屋にいない。プリンストンからの客が来るとかで大学に出てしまっていて、帰りはたぶん夕方になると言っていた。

どうしよう。

とっくに青にかわった信号も渡らずに立ちつくす。

彼の部屋で待ってみようか。

腕時計をのぞいた。十一時半。これから行けば、ちょうどティムにお昼を作ってやれるかもしれない。もしシリルが彼を連れて出かけていたとしても、ラリーから渡された合鍵《あいかぎ》がある。中で待っていられる。そうだ、そうしよう。お昼は少し軽くすませて、デザートにみんなでケーキを食べるのもいい。シリルは紅茶をおいしくいれるのが上手だから。そしてひとやすみしたあとは、今日はもういいからと言って帰ってもらえばいい。ティムと二人、レゴで遊んで、彼の好きなディズニーや『E.T.』の古いビデオでもまた一緒に観て、お昼寝の時間には絵本を読んでやって……それから、自分も彼の小さな体に添い寝して眠ろう。

決めてしまうと、少しだけ元気が出た。そんな他愛のない慰めこそ、真冬が今いちばん必要としているものだった。もしかすると、ラリーの優しい愛撫《あいぶ》よりも。

六番街からちょっと入ったカフェでケーキをいくつか箱に詰めてもらい、ゆっくり歩いて、今度は車に用心しながら五番街を向かいへ渡った。

ラリーの住まいはグラマシー・パークのすぐ近く、古いレンガ造りの建物の中にある。キャンパス内にスタッフ専用のアパートメントが用意されているにもかかわらず、外に部屋を借りる余裕があるのは、彼が大学だけでなく別のところからも収入を得ているからだ。いまだに親のスネをかじってるみたいなものだよ、とラリーは苦笑する。

ラリーの実家はアリゾナにあり、牧畜業から不動産業まで手広く営《いとな》んでいるのだが、長男の彼が家督を継ぐ権利を弟に譲って学者になる決意をかためた時、父親は、ある引き換え条件を出すことでようやく折れた。いわく、家業には直接携わらなくてもよい。だが、学生どもに経営学を教える頭と、コンピュータを扱えるだけの知識があるのなら、せめて経営面のアドヴァイザーくらいは引き受けろ。働きに見合った給料は支払ってやる。——それが「条件」だった。

情けをかけてくれたのさ、とラリーは言っていた。親父流のやり方でね。

前妻のイヴリンがティムを残して出ていってしまって以来、ラリーは故郷に帰っていない。真冬にもその気持ちはよく理解できる。家族の、とくに母親の大反対を押し切ってまで結婚した結果がこれでは、帰りにくいのも無理はなかった。

——結婚。

ラリーには、プロポーズの返事をずっと待ってもらっている。あれからもう二か月になるというのに、彼は一度もその話をむし返さないし、真冬への態度も変えない。

ケーキの箱が雨に濡れないようにかかえて歩きながら、彼女はふっとため息をついた。自分で自分の頬をひっぱたいてやりたかった。仕事に関してはドングを待たせ、結婚に関してはラリーを待たせ……。マフィ、あんたいったいどれだけわがままなことしてるかわかってる？　自分勝手で、優柔不断で。そんなことばかりしていると、本当に自分をだめにしてしまうわよ。相手を傷つけたくないなんていうのはただの言い訳で、ほんとはただ自分が傷つきたくないだけのくせに。

うつむいて歩いているうちにうっかりアパートメントの前を通り過ぎてしまい、真冬はあわてて引き返した。建物の入口のベルを押す前に、中にいたドアマンのトニー・ディマジオがクスクス笑いながらガラスの重いドアを開けてくれた。

「いったいどこまで行く気だったんですか？」

太めの体を優雅にかわして真冬を通しながら、彼は言った。

「やだ、見てたの？」

「スーッと通り過ぎていくから、よく似た別の人かと思っちゃいましたよ」

真冬は笑って、隅のエレベーターのボタンを押して待った。

「傘を持ってて良かったですね」

人のいいイタリア系のトニーは、いつもこうして何かしら話しかけてくれる。

「ええ、ほんとに」

「今時分ひく風邪はたちが悪いですからねえ」

制服のボタンをいじっていた手で、彼はひょいとケーキの箱を指さした。

「おいしいんですよね、その店のは」

「そうなの？　初めて買ってみたんだけれど」

「なかなかおいしいですよ。甘いもののことなら任せて下さい」自分で言ってトニーは笑った。「そういえば、お客さんはひと足さきに上がっていきましたよ。二十分ぐらい前だったかな」

「お客さん？」

「あれ、違いました？　ビスティさんて人でしたけど、知りません？」

真冬は首を横に振った。

「規則どおりインターフォンでお部屋に連絡入れたら、あのいつもの女性、ええと……」

「ミズ・ウォン」

「そうそう、あの人の声が出て、どうぞ通してくれって言うからドア開けたんだけど」

「配達の人とかじゃなくて？」

「いやあ、そういう感じじゃなかったな。荷物も持ってなかったし。まじめそうでハンサムな男性でしたよ。ああ、荷物といえば、カメラバッグを持ってたっけ」

カメラバッグ？　真冬は眉を寄せた。心当たりはない。シリルの知人だろうか。でも、だとしたらどうしてわざわざここへ呼んだりするのだろう。

「初めて見る人？」

「僕は初めてですね。スティーヴはどうか知らないけど」

トニーとスティーヴは交代で勤務している。

「まだ降りてきてないのね？」

「確かです。ずっとここにいましたから」

トニーはすっかり不安そうな表情になった。チィーンと音がして、降りてきたエレベーターがするすると口を開ける。

「一人で大丈夫ですか？」

「ええ、ミズ・ウォンの知ってる人だもの。心配ないと思うわ」

「あなたが行くこと、お部屋へ連絡入れておきましょうか？」

真冬は少し考えて、うなずいた。

「そうね。お願いしてもいい？」

手を振りあってから、三階のボタンを押した。扉が合わさると同時に箱が揺れ、ズ……ンとうなりながら上がっていく。

ビスティ……？　いったい何者だろう。やっぱりトニーについて来てもらえばよかったかもしれない。心細い時ほど、つい意地を張って自分だけで大丈夫という顔をしてしまう。とはいっても、シリルは名前を聞いたうえで通していいと言ったのだから、強盗でないことだけは確かだろうし……。

エレベーターを降り、手前から二つ目のドアの呼び鈴を鳴らした。

答えがない。

もう一度押す。ずいぶん待ってみたが、誰も出てこない。

もしかして、シリルとその男は、そういう関係なのだろうか。二人とも、今ごろ慌てふためいて服を身につけているのだろうか。でも、それならよけいに、こちらが気をつかってやる必要はないはずだった。雇い主の留守中に他人を家に入れるなんて、本来許されることではない。

真冬は、それでもやはりどきどきしながらバッグの中を探って合鍵を取り出した。鍵穴に差し込もうとして、手を止める。

もし、その男が乱暴なやつだったら？　いくら「まじめそうでハンサム」でも、見とがめられて逆上すれば何をするかわからない。何しろここは犯罪都市ニューヨークなのだ。

鍵を引っ込めようとした時だった。

中から物音が聞こえ、ドアが細く細く開けられて、シリルが顔をのぞかせた。防犯用の鎖はかけたままだ。

「どうしたの？」びっくりして真冬は言った。「どこか具合悪いの？」

シリルは血の気のうせた顔をかすかに横に振った。唇は紫色で、ドアのノブをつかんだ手はぶるぶる震えている。着ている服に乱れはないようだが、どう見ても普通ではない。気分が悪くて、その男を呼んだのだろうか？

「中にいるのは誰？」できるだけ優しく聞こえるように言った。

シリルは剝製《はくせい》のような生気のない目を真冬に据えている。

「ね、開けて」胸の動悸《どうき》がますます速まる。「あなたがそうしてほしいなら、ラリーには言わないでおくから」

シリルの視線が宙を泳いだ。顔がゆがみ、何か言おうと口を開けて、また閉じた。手がのろのろと動く。ひとことも口をきかないまま、震えている手で鎖をようやくはずし、ドアをそっと開けようとした。

と、いきなり別の手がシリルの向こうからぬうっと伸びてきた。思わず悲鳴をあげた真冬は開いたドアにはじき飛ばされて廊下の壁に背中をぶつけた。背の高い白人の男が飛び出してきてケーキの箱を踏みつぶした。手にはむき出しの一眼レフ、肩にカメラバッグ。男は一瞬迷ってから右へ走り、エレベーター脇の階段を数段抜きにかけ降りていった。

シリルがよろめくように追いかけ、下をのぞきこんで何か叫ぶのが聞こえたが、真冬はもがいて起き上がると、閉まりかけていたドアを引き開けて中に転がり込んだ。

やましいことをしていない限り、あんなに血相を変えて逃げるわけがない。何か盗もうとしていたのだろうか。部屋は荒らされた様子はないが、気味が悪いほど静まり返っていた。

「ティム！」

しんとしている。

「ティィィム！」

キッチンをのぞき、リヴィングを見まわし、床に散らばったレゴを飛び越して子供部屋へ走る。ドアをばたんと開けると、音にとびあがっておびえたティムと目が合った。

ほーっと体じゅうで息をつく。

「ティムったら、呼んだら返事くらいしてよ。心配す……」

そこで、目が動かなくなった。

ベッドの上にぺたんと座ったティムの下半身は、むき出しだった。裸のお尻のまわりにお菓子の包み紙が散乱し、いつもなら着ているはずのデニムのズボンと白いパンツは脱がされて、そばの椅子の上で丸まっている。ベッドの足もとの床に、小さな黄色い紙箱が落ちていた。それがフィルムの空き箱だということに気づいたとたん、ショックが平手打ちのように真冬を襲った。

駆け寄って体に手を触れるより先に、ティムが腕からよじ登るようにして首っ玉に抱きついてきた。声は出さない。泣きもしない。ただひたすら無言でぐいぐいしがみついてくる。

四歳の子供とはとても思えない力だ。

「ティム……もう大丈夫よ、ティム……」

呪文《じゅもん》のようにくり返して抱きしめ返しながら、真冬は夢中で彼の両足の間をさぐった。自分が何を確かめようとしているか考えただけで、吐き気がこみあげてくる。

カタッと後ろで音がした時、真冬は心臓が止まるかと思った。ふり向くと、戸口にシリルが立っていた。

「何もしてないわ」幽霊のようにぼうっと立って、シリルはつぶやいた。「あのひと、その子には何にもしてない。少し、さわって……自分でさわることを教えて……写真を撮っただけ。それだけ」

「それだけ、ですって？」

ほとんど声にならない。

「お願い」シリルが身を揉《も》む。「あのひとを許してあげて。警察には言わないで」

「こんなことしておいて、よくも言えるわね」

体ががくがく震えたが、もはや恐怖のためではなかった。あまりにも激しい怒りのためだった。ティムを抱いたまま真冬がにらみつけていると、シリルはやがて、手放しで泣き出した。

「お願い……ほんとはいい人なんです。許してあげて。あのひと、病気なの」

「病気なら！」真冬は思わず叫び、落ち着かなければと懸命に声をおさえた。「病気なら、ちゃんと治してもらうべきよ」

シリルはすすり泣きながら、すがりつくように真冬を見た。

「治るかしら？　ねえ、治ると思う？」

知ったことじゃないわ、と怒鳴りつけたいのを必死でこらえる。

「治るわよ。本当に病気ならね。でも、そのためにはまず専門家に診《み》てもらわなくちゃ」

シリルの脚からカクンと力が抜けて、ふにゃふにゃと床に座り込んだ。

「わかってたのよ」シリルはつぶやいた。「悪いことしてるって、わかってた。でもどうしようもなかったの。ほんとに、ほんとにどうしようもなかったのよ。私にはどうしようも……」

ごめんなさい……ごめんなさい……と、ひたすらくり返して泣いている。

真冬はティムをベッドに降ろそうとしたが、彼は意地でも離れようとしなかった。しかたなく、抱きかかえたままシリルの脇をすり抜け、リヴィングから電話を持ってきて鼻先につきつける。

「自首したほうが罪が軽くなること、知ってるでしょう？」

シリルが、涙でべたべたになった顔で見上げてくる。

「しっかりして！」と、真冬は言った。「あなたが自分で電話するのよ」

6

現実ではない場所に入りこんでしまったような奇妙な感覚を、真冬はもてあましていた。
あの男――アンドリュー・ビスティが自分に何をしたか、入ってきたとき部屋はどういう状態だったか、ティムはどこにいて、どんな様子だったか。警官や刑事たちを前にひとつひとつ思い出して話すにはかなりの集中力と自制心が必要だったが、それでいて時おり頭の隅にぼんやりと、まったく脈絡のない考えが（刑事ってほんとに映画みたいに二人組でやってくるんだわ）浮かんだりした。

真冬が事情聴取を受けている間じゅう、ティムは彼女を離そうとしなかった。ラリーがいくら抱き取ろうとしても、頑《がん》として手を放さない。ひきつけでも起こしているのではないかと不安になったラリーが、何度もティムの顔を覗《のぞ》きこんだほどだ。

真冬がラリーの研究室に電話をかけたのは、シリルを説得して警察を呼ばせたすぐ後だった。彼が遠来の客をほったらかしてここに駆けつけるまでの十五分ほどが、永遠にも等しく思えた。しがみついて一瞬も離れないティムに服を着せてやることもできないまま、ただ毛布でくるんだ小さな体を抱きしめていると、まるで自分のほうが彼に抱きついているかのように感じた。ティムと抱き合っていなかったら、とっくに取り乱してしまっていたかもしれない。

一時間ほど後に、無線で連絡が入った。ビスティが逮捕されたとの知らせだった。アパートメントの駐車場に車を取りに戻ったところを、あっけなく捕まったという。どこかへ逃げるつもりだったようだが、うかうかと家のまわりに姿を現すあたり、シリルがそんなに早く口を割るとは思っていなかったらしい。

部屋からは、いかがわしい雑誌の類いに加えて、余罪を裏づけるおびただしい数の写真やネガ、取り引きしている顧客リストなどが見つかった。刑が確定した後は、おそらくビスティは専門医の手にゆだねられることになるだろうと刑事は言った。

専門医といえば、途中、ティムを診る医者もやって来た。白髪混じりの鷲鼻《わしばな》の男で、言葉の端々にはわずかにドイツ語なまりが聞き取れた。こういう事件に慣れた様子の彼は、自分はアッパー・イーストにクリニックを開いていて、虐待の対象となった幼児を、性的虐待を受けた子も含めて、週に何人も診ているのだと話した。

診察の結果、シリルの言っていたことはある意味では本当だったとわかった。ティムはまだ、何もされていなかった。つまり、肉体的にはどこも傷つけられていないということだ。

医者は小さな白い錠剤を彼に飲ませ、同じものをいくつか置いていった。もちろん、それで何が良くなるわけでもない。興奮をおさえるだけの薬だ。ティムが傷つけられたのは、目には見えない部分だった。


最後まで残っていた警官を送り出して、部屋の中に向き直った真冬は、閉めたドアによりかかって長いため息をついた。

遅い午後の日が、窓から薄くさしこんでいる。いつのまに雨が上がったのだろう。忘れていた疲れが数倍にふくれあがって襲いかかり、彼女はそのまま押しつぶされるように床にしゃがみこんだ。

子供部屋から出てきたラリーは、真冬がうずくまって目を閉じているのを見ると、そばへ寄って膝の下に腕を入れ、力を込めて抱き上げた。ソファまで運んで降ろし、自分も隣に腰かけてしっかりと抱きかかえる。

しばらく、どちらも口をきかなかった。ただ体を寄せ合って、外の街の音を聞いていた。

やがて、かすれた声で真冬が言った。

「ティムは？」

「うん。もう落ち着いた。よく眠ってるよ」

「……信じられないわ」

「いや、ほんとにさ。薬がきいたんじゃないかな」

「ううん、そうじゃなくて。こんなことが起きるなんて信じられない、と言ったの」

「ああ」

「だって、あんまりよ。ひどすぎる」

「もっとひどいことになっていたかもしれなかったんだ」と、ラリーはささやいた。「それを救ってくれたのはきみだよ。きみが来てくれなかったらと思うと、ゾッとする」

ラリーに髪をゆっくり撫でられているうちに、真冬はこらえきれずに嗚咽《おえつ》をもらし始めた。彼の体に腕をきつく巻きつけ直し、白いシャツの胸に顔をうずめる。警官に連れていかれるシリル・ウォンの後ろ姿が、目の奥に焼きついて離れなかった。

「こんなのってないわ」真冬はつぶやいた。「どうして？　ねえ、どうしてティムばっかりひどい目にあうの？」

「まったくだ」ラリーはゆっくりと首をふった。「いったい神様は何をやってるんだろうな」

「いないのよ、きっと」

きっぱり言い捨てて、真冬はラリーのあごの下に額を押しつけた。洟《はな》をすすり上げている彼女に、ラリーはサイドテーブルに手を伸ばしてティッシュを取ってやった。

「たぶんあの子、また夢にうなされるようになるわ。ずいぶん良くなってたのに、かわいそうに」

「うん」ラリーは、真冬の髪を手さぐりで耳の後ろにかけた。「でも、かわいそうなのはティムだけじゃないよ」

「まさか、あんな男に同情する気？」

「いいや」

「じゃあ、シリル？」

「いや。きみさ」

真冬は驚いて体を起こした。

「私？」

「そう。きみだってひどい目にばかりあってる。神様はいない、と言いきるくらいにね」

「……ジャクソン先生から、何か聞いたの？」

「やつがそんな男じゃないのは知ってるくせに」

ラリーは、額を真冬のそれにそっと押しあてた。真冬は目を伏せた。彼の額は温かかった。

「きみはなかなか話してくれようとしないけど」低い声で、ラリーは言った。「いくら鈍い僕でも、これだけ近くで見ていればわかるよ。きみが過去にどれほどつらい思いをしてきたかってことくらいはね。プロポーズの返事をこんなに待たなきゃならないのも、そのせいなんだろう?」

「…………」

「それとも、僕のせい? 僕に不満?」

「まさか!」

慌てて打ち消したものの、後を続けようがなくて、真冬は唇をかんだ。

「子持ちの中年男はいやかい?」

「そんなふうに見える?」

「見えない。少なくともティムのことは、心から可愛がってくれてるように見える」

ラリーの言うのは当たっていた。以前はティムを憎らしいと思ったりもしたし、なかなかなついてくれない歯がゆさに苛立ちもしたが、今は違う。真冬の体には、さっきまでしがみついていた小さい手の感触がまだ残っていて、今ならばあの子を……そう、「愛している」とさえ言えそうな気がした。ティムに対する感情は、ラリーに対するそれよりずっと動物的で原始的だった。理屈ではなかったし、疑問をさしはさむ余地もなかった。どうにかして守ってやりたいと思い、そしてその思い以外に何も必要ないのだった。

真冬は、何度か深呼吸をした後で、思いきって言った。

「『お前に近づく者は、みんな不幸になる』」

「なんだって？」面食らったラリーは、真冬の顔をのぞきこんだ。

「母が、いつも私にそう言ってたのよ。いつも、いつも、口癖みたいに」

真冬は、話し出した。父親の死から始めて、少しずつ。この数か月、ジャクソンのところでそうしてきたように、部屋のひと隅を見つめてゆっくり、できるだけ冷静に話そうとした。

学校でのいじめ。「真冬」という名前へのひがみ。小さいころ母親から受けた仕打ちや、浴びせられた言葉の数々。父の死に対する無力感と罪悪感、アルコールと宗教に依存しきってしまった母親との確執《かくしつ》……。

ラリーは、ときどき声をつまらせる彼女の背中を撫でる他はほとんど身動きさせず、ずっと黙って耳を傾けていた。

「わかるでしょう？」

こめかみを押さえながら、真冬は言った。

「そういう母親に、私は育てられたのよ。一度だって、ほんとうに一度だって、愛されてるという満足を感じた記憶なんてない。相手がいま素面《しらふ》かどうか、虫の居所はどうか……顔色ばかりうかがって大きくなったわ。その点では、ティムと同じね。お前は疫病神だ、おまけに私が誰かを少し好きになると、母は決まってさっきの言葉を口にしたの。近づく人を不幸にするって。それがまた、偶然でしょうけどいちいち現実になっていったものだから、私も心の底で母の言葉を信じるようになってしまったの。だって、父が死んで以来、私のまわりではほんとにひどいことばかり起こったのよ。ジャングルジムで一緒に遊んでた男の子は、落ちて首の骨を折ったわ。それ以来自分では指の先も動かせなくなった。首から上しか動かないのよ。そうかと思えば、四年生の時にやっと仲良くなれた友達は、私を追いかけて道路を渡ろうとしたところを車に轢《ひ》かれたし」

「死んだの？」

「ううん、命は取り止めたけれど、両脚の膝から下を失ったの。ほんの三歩か四歩の差で私だけが無傷だった。そういうことが起こるたびに母が言うのよ、またお前が不幸を呼んだんだよって」

乱れた息を整えようと真冬が黙ると、ラリーはその耳もとにそっと口づけた。

「ねえ」

「ん？」

「同情を買おうとして話してるだなんて思わないでね」

「そうは思わないけど」

「けど？」

「同情するなと言われても無理だよ」

真冬は、薄く笑った。「ありがと」

「それで？」

「それで……そのうちには私、学校で世話をしてたウサギが、野犬に襲われて全滅したことまで自分のせいにするようになってたの。私があんまり可愛がったりしたからだ、だからウサギは死んだんだって。おかしいわよね、小さい頃から母の愛情を信じたことなんてなかったのに、母の言葉だけはそっくりそのまま信じてしまうなんて。でも、いまだにだめ。直ってないの。あなたを好きなんだと、ううん、たぶんこれこそがその、『愛してる』ってことなんだと、はっきり認めてしまうのが怖くてしょうがないの。認めたが最後、あなたやティムに悪いことが起こりそうな気がして」

ラリーは微笑み、背中を撫でる手を止めずに言った。

「ばかだなあ、マフィ。きみが考えてるよりも、僕はタフな男だよ。こんなふうにひょろっとしてるから頼りなく見えるかもしれないけど、これでもアリゾナの厳しい自然の中で育ったんだ。自分の身ぐらいは自分で守れるし、たぶん、きみのことも守ってあげられると思う。もちろん、守ってもらわなくて結構と言われればそれまでだけどね」

真冬は、力なく微笑み返した。

「あなたは充分に頼りがいのある人よ。それを疑ったことはないわ。でもね、私……自信がないの」

「自信？　何の」

「ティムの母親になる自信。考えてもみて。人の愛し方を知らない私が、いい母親になれるわけがないでしょ？　自分の子供時代からさえ、いまだにうまく抜け出せていないっていうのに、あれほど傷ついているティムに何をしてやれる？　できることなんて何もないわよ。

私ね、本当は、母親が大嫌いだった。憎むまいと努力したけどやっぱり憎かったし、ずっと、自分は絶対にこんな母親にはなるものかと思ってたわ。でも、それならどんな母親になればいいかっていうと、全然わからないの。お手本がなかっただけに、見当もつかないのよ。反面教師にするにはあの人、常識を踏み越えすぎていたし……それにどんなに嫌ってみたところで、私があの人の血のつながった娘だって事実は動かしようがないじゃない。私は、あの母親から生まれてきたの。十八年間もあの人に育てられたの。知らないあいだに似てしまっていないとも限らない、いいえ、充分にあり得ることだわ。ねえラリー……私、怖いのよ。すごく怖いの。いつか自分も、子供に当たり散らすような母親になるんじゃないかって……そういう素質をどこかに隠し持ってるんじゃないかと思うと怖くてたまらない。心の中に凶暴なウィルスを飼ってる気分よ。わかる？」

「マフィ……」

ラリーは彼女を抱き寄せ、それだけでは足りなくて、体ごと自分の膝にひっぱり上げてかかえこんだ。

「わかるよ。よくわかる。僕がもしそんな境遇に置かれたら、誰のことも信じられなくなって、きっとものすごく荒《すさ》んでいただろうな。ブロンクスの裏道あたりで銃でもふりまわしていたかもしれないし、そうなれば今頃は生きちゃいなかったろう。マフィ、きみはすごいよ。苦しんではいても、そうやって必死で戦ってる。何とかして人を信じようとしてる。人をというより、未来を、というべきかな。それがきみにとってどんなに勇気のいることか、想像はつくよ。だからこそ僕は、きみを誇りに思う」

「誇り……に？」

「そうさ」

「だめよ、私、そんなのに値する人間じゃないわ」

「それは僕が決めることだよ。ずっとひどい目にあってきたのに、きみはこんなにまっすぐじゃないか。普通ならもっと卑屈になって、人を恨んだり憎んだりしても不思議はないのに」

「違うの、そうじゃないのよ」真冬は激しく首を振った。「私がお人好《ひとよ》しなのは、まっすぐだからなんかじゃない。そんないいものじゃないの。それだってやっぱり、自分が怖いから。しっぺ返しが怖いから。ただそれだけよ」

「わからないな」

「言ったでしょう、私、あのジンクスを信じてたわ。私に近づく人には悪いことが起こるって。だからこそ、想像してみただけで恐ろしかった。もしも自分が誰かを憎んだり恨んだりした時に、その相手がひどい怪我でもしたら……死んでしまいでもしたら……」

「マフィ」

「だから、お願い。誇りに思うなんて言わないで。私はただ、臆病《おくびょう》なだけよ」

ラリーの腕に、力が加わった。

「わかった、言わないよ。でも、思ってるくらいはかまわないだろ？」

「いいんだよ、マフィ。何もそんなに答えを急ぐ必要はないんだ。一緒にゆっくりやっていけばいい。人生はこれからのほうが長いんだし、時間はたっぷりある。つらいこともあるだろうけど、いいことだってその倍はあるさ」

「ラリー……」

彼は不精髭《ぶしょうひげ》のはえたあごを、真冬の冷たい頬にこすりつけた。

「なあ、マフィ。僕がいつ、ティムの母親になってくれなんて頼んだ？　ん？　僕はただ、パートナーになってくれと言ったんだ。きみを必要としてるのは、ティムじゃない、この僕さ。それに……」真冬の頬を両手ではさみ、目の奥を覗きこむ。「心から想《おも》い合っている夫婦の間で育つ子供は、決して不幸にはならないよ。そう思わないか？」

「それは」真冬は口ごもった。「そう思うわ。でも、」

「でもは無しだ」ラリーの指が彼女の唇をふさぐ。「それじゃ、プロポーズを受けてくれるね？」

真冬は迷った。彼が心から真剣に言ってくれていることはよくわかる。でも。

「頼むよ。イエスと言ってくれ」

真冬は黙っていた。

「陳腐《ちんぷ》なセリフに聞こえるかもしれないけれど、本当に、僕にはきみが必要なんだよ。文字どおりの意味で。きみと会うまでの僕は、ただ息をしてるだけで、中身は死んでた。ティムを食べさせるために何とか毎朝起きていただけさ。それが……きみと言葉をかわすようになってから、僕の中の何かが生き返ったんだ。きみが熱心に質問してくるのが楽しみで仕方なかった。年も離れてるし、僕はコブ付きだ、いけない、いけないと思いながらも、どんどんきみに惹《ひ》かれていった。それまで適当に流してやっていた授業にも、がぜん熱が入ったよ。好きな先生にふり向いてほしくていい成績を取ろうとする生徒はいるけど、僕の場合は逆だったわけさ。そして、あのデートの誘いをきみが受け入れてくれた時、僕はようやく、人生ってやつもそんなに捨てたもんじゃないかもしれないと、もう一度考え直せるようになったんだ」

ラリーは大きく息をついた。

「約束するよ、マフィ。一生、きみの信頼を裏切ったりしない。絶対に、きみを悲しませたり、力で押さえつけたり、言葉で傷つけたりしないと誓うよ。だから、イェスと言ってくれ」

「…………」

「頼むよ」

「…………」

「ひざまずいてお願いしなけりゃ、だめかい？」

とたんに、真冬の眉の両端がへなっと下がった。口もとがみるみるゆがむ。また泣きだすのかとラリーが思った時、唇がわずかに動いた。

「……イエス」

ささやいたかと思うと、やはり泣きだした。今度のはしかし、子供のような泣き方だった。

ラリーのほうは、泣いている彼女を抱きしめて、思わず声をあげて笑った。笑いださずにいられなかった。息子の身にあんなことがあった直後だと気づいても、いや、だからこそ、笑うことが必要だったのだ。

「大丈夫だよ。心配しなくたって、誰にも悪いことなんか起こりゃしないよ」腕の中の彼女の背中を、ラリーはゆっくりとさすった。「こうやって、ひとつずつ乗り越えて、呪縛《じゅばく》を断ち切っていけばいいんだ。そうすればいつかは、自由になれる時が来る。僕も、ずっとそばにいて協力するから」

そしてラリーは手をのばし、

「愛してるよ、マフィ」いつものように真冬の鼻をきゅっとつまんだ。「いっそのこと、きみを産んでくれたお母さんに感謝したいくらいだ」

7

「まったく、あきれちゃうわよあんたには！」

天井に向かってそう叫んだルーシィの横で、サンドラは微笑んで真冬を抱きしめ、おめでとう、と耳もとで言った。

ドングにいたっては大喜びだった。真冬から個人的な悩みを聞かされていたからでもあったし、彼女が例のビジネスの件をもっと前向きに考えてみると答えたのでなおさらだった。

「なんだかこのごろ、まわりがどんどん結婚してっちゃうなあ」と彼は言った。「僕も恋人が欲しくなっちゃったよ」

「いいじゃない、美女三人をはべらせてるみたいなものなんだから」とサンドラ。「あなたをうらやましがってる男性、きっといっぱいいるわよ」

「いつでも代わってやるんだけどなあ」

するとルーシィは腕組みをして、うふん、と笑った。

「照れなくていいのよ、ドング。ほら、映画でもよくあるじゃん。さんざん憎まれ口たたきあってるうちに、いっちばん仲悪い相手と愛が芽生《めば》えちゃうって意外性狙いのパターン。ちなみにあたしなら、彼氏と別れたわよ」

「ありがたい申し出だけど」ドングは舌を出して言った。「愛が芽生えるまで、きみって人の意外性に耐える勇気は、僕にはないな」

あんなことがあった後では託児所に預けるのさえ心配で、真冬はこのところ昼の間ティムを連れて歩いていた。

ラリーは、結婚するからといってティムの世話まで押しつけるつもりは毛頭ないし、彼女が仕事を持つのも大賛成だと言い、すぐさま次のベビーシッターを探し始めていたが、さすがに人選には慎重にならざるを得なかった。ティムは表面的には前とそれほど変わらないように見えたが、ときどき、夜中に大声をあげて目を覚ますことがあった。

「だからって、なにもあんたが大学をやめることはないんじゃないの?」

あたりをうかがいながらルーシィがささやいた。

二十二丁目にある大きな書店の店内だった。真冬は、ドングのビジネスの参考資料として日米文化比較論といった類いの本を探しに、ルーシィのほうはキングの『グリーン・マイル』の続きを買いに入ったところ、ちょうどストーリータイムにぶつかったのだ。マンハッタンのあちこちに支店を出すこの書店が、毎週サーヴィスで行っている子供向けの読み聞かせの時間だった。

「べつに、やめるとは言ってないわ」スペースの前のほうに離れて座っているティムから目を離さずに、真冬がささやき返す。「しばらく休学しようかと思ってるだけよ」

「それにしたって、あんまりお人好しすぎるよ。あんたの子じゃあるまいし。早くいいベビーシッター見つけて、その人に任せればいいじゃない。あとひといきで修士号が取れるって時に、もったいないったら」

スペースの入口近くに立った二人が小声で話している間にも、奥からは子供たちに絵本を読み聞かせる女性の声が聞こえてくる。このサーヴィスはなかなかの人気らしく、今日も結構な数の親子が集まっていた。鼻先にプライドをぶらさげた教育ママもいれば、最後にもらえるおもちゃやお菓子が目当てで集まってきた子供もいる。けれど、真冬がティムをここに座らせるつもりになったのは、たまたま、これから読まれる絵本についてのアナウンスが耳に入ってきたからだった。

その絵本は、十九世紀の半ば、ドゥワミシ族の長《おさ》・セアルル――ワシントン州シアトルの名のもとにもなった人物――が白人たちの前で述べた言葉を、美しいイラストで再現したものだった。先祖代々の土地を譲り渡して居留地へ移るように言ってきたアメリカ大統領の使者の前で、チーフ・セアルルは逆に問い返したという。もともと我々の所有物ではないものを、どうやって買おうというのだ？　と。一篇の詩のような彼の演説は、真冬でさえも知っているほど有名だった。

〈いったいあなたがたは、どうやったら空が買えるというのだね？　どうやったら雨や風を自分のものにできるというのだね？〉

読み聞かせている女性の声は、はっきりと後ろまで届く。

〈わしらにとっては、この地球の上のあらゆるものがみんな、聖なるものなのだ。松の葉の一本一本も。砂浜の砂の一粒一粒も。暗い森に漂う霧も。草原も。ブンブンうなる虫たちも。わしらにとってはすべてが……〉

「こういうの、好き？」と、ルーシィが顔を寄せてきてささやいた。

「こういうのって？」

「だから、ネイティヴ・ピープルの教えとか、なんかこう、精神世界っぽいものよ。いろいろあるじゃない。生まれ変わりとか臨死体験とか、水晶パワーとか、宇宙人に遭遇したとか、超能力とか、イルカが人を癒《いや》すとかさ」

「大嫌い」と、真冬は言った。「迷信やおまじないの類いは特に嫌い。インチキくさかったり、お説教くさかったり、とにかく少しでも宗教っぽい匂いがするだけで鳥肌がたつほうなの」

ルーシィがびっくりした顔で見たので、真冬は自分の口調が思いのほか強すぎたことに気づいた。

「つまり……べつにそういう興味でここにいるわけじゃないのよ」気まずさを隠そうと苦笑しながら、真冬は言った。「これって一応、ネイティヴの人たちの伝統的な考え方じゃない？　ティムにはちょっと聞かせておいてもいいかなって気がしただけ。あの子はたしかナヴァホ族の血筋だけど、どの部族もたぶん根本的には同じような考え方でしょ」

「あの子をインディアンの戦士にでもするつもり？」

「まさか。でも、自分のルーツをまったく知らせないわけにはいかないもの」

〈……この地球はわしらのものではない。わしらこそが、この地球のものなのだよ……〉

「あたしはまあ、あの手の考え方ってそんなに嫌いじゃないんだけどさ」ルーシィは肩をすくめた。「けっこう正しいとこ突いてると思うもん。でも、この街で暮らしてると難しいよね、ああいうふうに考えるのは」

〈……いい匂いのする花はわしらの姉妹たちだし、クマも、シカも、偉大なるワシも、わし

らの兄弟なのだ……〉

朗読の声を音楽のように聞きながら、真冬は広い店内を眺めやった。冷房がききすぎて、少し肌寒い。あちこちに、二〇%オフ、三〇%オフといったディスカウント本の本棚がある。各コーナーには腰かけて本を読めるように椅子が置かれ、絵柄もさまざまの蔵書シールやブックマーカーなどが回転式のラックに並べられている。二人が立っているすぐそばの本棚には、エイズ関連の本が並んでいた。医学的な専門書はもちろんだが、いざエイズにかかった後でどう生きるべきかを論じた本が多いことに驚かされる。

真冬はティムに目を戻した。白いTシャツの上にデニムのオーバーオールを着た、小さな、小さな体。やがて彼が大人になる頃、この国はいったいどうなっているのだろう。

〈光り輝く川の水だって、ただの水ではない。あなたがたのおじいさんの、そのまたおじいさんの体を流れていた血液なのだよ。川のつぶやきは、あなたがたのおばあさんのおばあさんの、そのまたおばあさんの声なのだ……〉

わかっているのかいないのか、ティムは両足を投げ出して座り、ときどき絵本のページから目をそらしては、ガラスの外を行き過ぎる人々を眺めている。白人や黒人の子供たちが入り混じって集まる中でも、彼の赤みを帯びた肌の色は不思議なほど目立っていた。

「ねえ、マフィ」

「うん？」

「ほんとにあの子を可愛いと思ってるの？　それとも、彼の子供だから受け入れるしかないと思ってるの？　どっち？」

「そうね。可愛いっていうのとは、もしかしたらちょっと違うかもしれない」真冬は考えながら足を踏みかえた。「むしろ、ほっとけないっていうのかな。でも、もともと動物の母親の子育てってそういう感じのものなんじゃない？　愛情より何より、子供のＳＯＳがほっとけなくて面倒見ずにいられなくなるんじゃないかしら」

「じゃあ、愛する人の息子だからっていうのは関係ない？」

「うーん、わからないわ。今となっては切り離してなんか考えられないし。ただね、ラリーと向き合う時にティムという存在が間にいてくれるのは――実際にその場にいる、いないにかかわらず、あの子が存在してるってことを大前提としてラリーと触れ合えるのは、私にとっては何ていうか……救いなの。あの人との間に薄い膜が張っているようで歯がゆい部分もないじゃないけど、だからって、もしまったくの一対一で、じかにあの人と触れ合わなければならなかったら、怖くて結婚には踏み切れなかったと思うわ」

「つまりあの子が、コンドームみたいな役割をしてるってこと？」

「ルー！」真冬はひじでこづいて、まわりを盗み見た。「それはあんまりな喩《たと》えだわ」

「でもそうじゃない？　歯がゆいけど無難。物足りないけど安全」

「………」

真冬は半ばあきれて、隣の友人を見やった。

ルーシィの短いアッシュブロンドは、寝起きのようにつんつん立っている。くしゃくしゃの前髪の下から、子犬のような茶色の瞳が心配そうに見つめ返してくる。

ふっと微笑んで、真冬は言った。

「ねえルー、あなたにはほんとに感謝してる。でも、そんなに心配してくれなくても大丈夫よ。私ね、いまやっと、未来がそんなに暗いものじゃないと信じられそうなの。いろいろ問題は山積みでも、何とかなるんじゃないかって。生まれて初めて、自分の手で幸せをつかめそうな気がするのよ。あなたはティムのことで心配してくれるけど、正直な話、ラリーと二人だけでいる時のどきどきするような気持ちより、ティムと三人でいる時の安心感のほうが、私の持ってる幸せのイメージに近いの。だから……」

あたりが急にざわつきだして、真冬は口をつぐんだ。

見ると、絵本の最後のページはすでに閉じられて、小さなおもちゃが一人一人に配られ始めている。ティムは手渡されたおもちゃを物珍しげに眺めてひねくりまわしていた。

ルーシィは、ティムを見守る真冬の口もとに自然に笑みが浮かんだことに気づくと、

「ふん。いいわ」両手を上にむけてひょいと肩をすくめた。「あんたがそこまで言うのなら、もう心配なんかやめにしてあげる」

「ありがと」

「でもね、マフィ。あたしの大好きだったおばあちゃんが、いつも言ってたわ。『幸せっていうのは、手に入れるものだと思っちゃいけないよ。ただ感じるもの《ジャスタ・フィーリング》なの。その時その時に感じるだけで充分なの。無理につかもうとすれば逃げていくよ』って」

真冬は急に、のどの渇きを覚えた。

「……そうね。気をつけるわ」

ティムがぺたんと座ったままで、きょろきょろあたりを見まわしている。真冬がそばまで行くと、彼はたちまちしがみついてきた。脇の下に手を差し入れて抱き上げ、ほっぺたにキスをしてやりながら、

（つかもうとすれば逃げていくよ）

真冬は一瞬、ぎゅっと目を閉じた。

8

ラリーがアリゾナの実家に電話をかけて再婚する意思を伝えた時、母親のクレア・サンダーソンは予想どおり猛反対した。

「そう言わずに、会ってみてよ母さん。本当に素晴らしい女性なんだから」

「この前の時だってそう言ったじゃないの、ロレンス」

受話器の向こうから返ってくる声は、なめらかだがドライアイスのような感触だった。ラリーが二十一歳になった誕生日を境に、彼女は息子を愛称で呼ばなくなった。

「どうしてもっとちゃんとした家のお嬢さんと一緒になってくれないの？　いつだって、ろくに素姓《すじょう》もわからないような女ばっかり連れて来て。この前はインディアンで、今度は、どこだったかしら、チャイニーズ？」

「マフィはジャパニーズだってば、母さん」ぎりぎりの忍耐でこらえながら、ラリーはあえて快活に言った。「もちろん彼女がどこの国の人間でも、僕には関係なかったけれどね」

「お前は間違ってますよ。白人はね、白人同士でなければうまくいきっこないの」

「そういう偏見は不愉快だな。息子として恥ずかしいよ」

「私だってまさかよそでは言いませんよ。息子にだからこそ、たてまえを抜きにして言ってるだけじゃないの。これが偏見というなら、世の中の本当のことはみんな偏見でしょうよ。まったく、前の結婚でようやく懲《こ》りてくれたと思ったのに。私の息子が今度は黄色い子供の父親になるのかと思ったら、」

「母さん！」

思わず声を荒らげ、ラリーは再びグッと言葉を呑みこんだ。胃がねじれるようだった。彼は母親を愛していたが、こういうところだけは我慢ならなかった。

「なあ、頼むよ。親父が戻ったら、話してみてくれないか」

「冗談じゃないわ。それでなくてもこのところまた、心臓の調子がすぐれないのよ。持病のほうだって相変わらずだし、へたをしたらショックで寝込んでしまうわ」

そんなはずはない、とラリーは思った。父ならばきっとわかってくれる。一人の女を心底愛するというのがどういうものなのか、あの父はおそらく知っているはずだ。――しかし、それを母親に向かって口にするわけにはいかなかった。

「母さんが話してくれれば大丈夫さ」

「その手には乗りませんよ」

「とにかく、式には出席してくれるね？」

「どうしてニューヨークなんかで式を挙げなけりゃいけないの？　こっちで挙げればいいじゃないの。でないと市長も上院議員も、誰も呼べないわ」

「呼ぶ必要はないよ。サンダーソン家の結婚式じゃなくて、あくまでも僕とマフィが結婚するんだから。僕はもうニューヨークの人間だし、彼女もそうさ。呼びたい人もみんなこっちにいる。もちろん、家族以外はね」

答えずに黙りこくっている母親に、ラリーは駄目押しをした。

「なあ母さん、頼むから。僕のほうの家族が一人も出席しなかったら、彼女がどんなに傷つくかわかるだろう？　親父は体が無理でも、せめて母さんたちには来てほしいんだ」

長い沈黙の後で、聞こえよがしのため息が受話器に吹き込まれる。

「いいわ。とにかくお父さんには話しておきます」

「ありがとう」

「勘違いしないで、ロレンス。もし行くとしたって、お前のために行くのよ。断じてその女のためなんかじゃありませんからね」

ラリーが口をひらいた時には、電話は切れていた。

晴れがましいことは苦手だから籍を入れるだけでいい、という真冬に対して、式を挙げようと言い張ったのはラリーのほうだった。自分にとっては二度目でも、真冬には初めての、そして願わくば一生に一度の経験なのだ。

この幸運が、彼にはいまだに信じられなかった。イヴリンに手ひどく裏切られてからというもの、目に映るものすべてが色を失い、何を食べても味がしなかったのに、真冬との出会いはもう一度それらをいきいきと甦《よみがえ》らせてくれた。

顔だちは涼やかだが、ミス・キャンパスに選ばれるほどの美人ではない。頭はいいが、もちろんノーベル賞を獲《と》れるほどではない。そんな、平凡と言えば平凡な女性のはずなのに、何かが、まさに「何か」としか言いようのないものが、マフユ・シノザキという人間をまわりから際立《きわだ》たせていた。彼女の傷つきやすい感受性にも、繊細な優しさにも惹かれたが、もっと惹きつけられるのは、彼女が内に隠し持っている意外なまでの強靭《きょうじん》さと、時おり眉のあたりにふっと漂う翳《かげ》りの部分だった。

ラリーがきちんとした結婚式を挙げようと言ったのは、自分自身を納得させるためでもあった。イヴリンにしてやったことで真冬にしてやらないことなど、ひとつもないようにしたかった。純白のウェディングドレスや、美しい教会のヴァージンロードに憧れない女性がいるなどとは思えなかったし、もし彼女が遠慮したり気を遣《つか》ったりしているのなら、そんな必要はないのだと納得させてやりたかったのだ。

ところが、よく聞いてみると、彼女は本心から派手なことを避けたがっているようだった。ドレスにもヴァージンロードにもほとんど興味がないらしい。

どうしても式を挙げるというのなら、こういうのはどうかと彼女は提案した。

「カジュアルなパーティを開いて、みんなの前で誓いの言葉を述べるの。もしあなたさえ気にしないでくれるなら、牧師も立会人も必要ないわ。だって、神様を信じていない私が教会で愛を誓うことに何の意味がある？　神様なんかより、私はあなたに誓いたいの。あなたの家族や本当に親しい人たちだけがその場に立ち会ってくれれば、それで充分よ」

日本にいる母親や親戚には知らせないのかと訊くと、彼女はちらりと複雑な表情を浮かべ、じつは叔父夫婦と母親にはもう知らせたと言った。とりあえず世話になっている叔父に連絡したところ、彼は心から喜んでくれたものの、いかんせん仕事が忙しすぎてしばらくはとても体が空かないという。その電話で、母親の話題が出たのだ。

「年のせいか弱気になってるみたいだなんて叔父さまに聞かされたら、やっぱり気になってしまって……一応は親なわけだし。三日くらいさんざん迷ったんだけれど、とうとう電話してみたの」

「どうだった？」

「よせばよかったわ。六年も離れてる間には、あのひともちょっとくらい変わってるかもしれないなんて、つくづく自分のばかさかげんにあきれる」

「結婚するってこと、言った?」

「ええ」

「何て言ってた?」

「いきなり、わけのわからないお念仏みたいなの唱えられちゃった」

真冬は笑おうとして、途中でやめた。

「おまけに……」

「なに」

「ううん」

「言って」

「……『お前が幸せになんかなれるわけがない』って」

真冬の声は震えていた。それが悲しみによるものか、それとも恐れや怒りによるものか、ラリーにはわからなかった。数か月にわたるセラピーは彼女をいくらか冷静にさせ、過去の傷に立ち向かわせる助けにはなっているかもしれないが、根本的な癒しにはなっていないのだ。

彼にできるのはただ、何度でも抱きしめて安心させ、何とか気持ちを別のほうへ向けさせてやることだけだった。すでに断ち切りつつある過去よりも、これから続いて行く未来へと。

「新しい家族を作ればいいんだよ、マフィ」と、彼は言った。「きみと僕と、ティムとでさ。それにいつかは、ティムに弟や妹ができるかもしれない。そうだ、弟と言えば、僕の弟にも早く紹介してやりたいな」

「どんな人なの？」

ラリーは微笑した。

「きみにちょっと似てる」


七月の第四水曜日、朝からよく晴れた一日だった。二人の意見の間をとって、彼らは市役所で判事のもとに式を挙げ、その後でパーティを開くことにした。式の立会人はジャクソン夫妻に頼み、参列したのはアリゾナから飛んできたラリーの家族四人と、真冬の友人三人だけだった。

市役所の入口をくぐった時、真冬は、真新しい白いドレスを着ていた。その朝突然ルーシィたちからプレゼントされたもので、コットン地の半袖《はんそで》ワンピースのウエストから下に、織細なレースがオーバースカートの要領で幾重にも縫いつけてある。

「僕まで縫うのを手伝わされたんだぜ」とドングは言った。

「ほら、その引きつれちゃってるとこがそうよ」ルーシィが指さして、ドングにこづかれる。

「ワンピース自体はバナ・リパで買ったバーゲンのやつだし、レースの部分はカーテン地なんだけどさ」

「おいおい、そこまでばらすことないだろ？」

「いいじゃん、スカーレット・オハラだってカーテンでドレスを作ったわ」

「ねえマフィ」サンドラがいつものようにニコッとして言った。「あなたはドレスなんて興味ないかもしれないけど、ラリーはきっと、あなたのドレス姿に興味あるわよ」

　真冬は、のどにこみあげてきた固いものを懸命に飲み下して言った。

「ドレスで男を喜ばせるだなんて、サンドラ、あなたの主義に反するんじゃないの?」

「あら。人のこと、ガチガチのフェミニズムの闘士みたいに言わないで。男におもねるのと、愛する人を喜ばせるのを一緒にするほど野暮《やぼ》じゃないつもりよ」

　そして彼女は、白いバラのブーケを手渡してくれた。

「花泥棒したわけじゃないぜ」とドングが口をはさんだ。「ミセス・ローゼンシュタインがきみにおめでとうってさ」

　そのバラが隣の大家の庭に咲いていたものだと思いあたるなり、とうとう、感情のたががはずれてしまった。

「やったね、あたしの勝ち!」とルーシィが握りこぶしをつき上げた。「みんなで賭けしてたの。あんたがどこで泣きだすか」

　ふだんはカジュアルなパンツルックが多いだけに、真冬のドレス姿は新鮮で初々《ういうい》しかった。肩まで伸びていた黒髪をサンドラが器用に結いあげてやり、その髪型は真冬をいつもよりずっとしとやかに見せた。正面玄関で落ち合ったラリーなど、三人につき添われて入ってきた彼女を見るなり、いきなり抱きすくめてキスをしたほどだ。

「驚いた」ルーシィが目を丸くして言った。「サンダーソン教授って、あたしもっと堅物《かたぶつ》かと思ってた。こんなに正直なヤツだったわけ?」

　三人にひやかされながらも真冬の手を握って離さない父親を、足もとにいたティムはしげしげと見上げていたが、やがて真冬のもう一方の手をきゅっとひっぱって注意を引き、目が合うと、珍しくにっこりした。

「おいこら、ティム。今日はマフィにしがみつくなよ」とラリーは言った。

「あら、いいのに」

「いいや、今日だけは、マフィはダディのものだ。お前は我慢しろ。いいな?」

　真冬は隣で赤くなった。

「式の間、いい子でおとなしくしてたら、好きなもの買ってやるから」

「ハンバーガー?」とティム。

「お前も安いやつだなあ」

　とラリーがあきれ、真冬は思わずふきだした。

「よーしわかった。ハンバーガーくらい百個でも食わしてやる」

　ティムの笑みが満面に広がった。彼がそんなふうに笑うのはずいぶん久しぶりだった。ハンバーガーに釣られたにしろ、とにかく父親の交換条件は受け入れることに決めたようだ。真冬の手を握っただけでしげしげと見上げている。

「お前も見とれてるのか」

　ラリーがひょいと抱き上げてやる。その首につかまって、ティムはきらきら光る黒い瞳で真冬を見おろした。

「どうだティム。ダディのお嫁さんになる人はきれいだろ?」

父親の言葉にこくりとうなずいて、小声でつぶやく。

「マフィ、きれい」

言うなり恥ずかしそうにラリーの肩に顔を伏せたティムの頭を、真冬は笑いながらそっと撫でてやった。

すべてがこれから新しく始まるのだと、沁《し》みるように思った。ほんとうに、今日、たった今から。

ラリーが、家族に紹介してくれた。

父親のリチャード・サンダーソンをのぞく三人は、今朝早い飛行機で着いて『プラザ』にチェックインしたばかりだったが、リチャードだけは牧場の使用人に車を運転させ、アリゾナからここまで四日がかりで来たという。彼は数年前に慢性のリンパ性白血病と診断されており、今すぐに命がどうというわけではないのだが、飛行機に乗ると気圧の関係でひどい貧血を起こしてしまうとのことだった。一度そうなったが最後、入院して点滴でも受けない限り、まともに歩くこともできなくなるらしい。帰りもまた数千マイルを車で帰るのかと思うと、真冬は、こうして来てくれた彼の気持ちに感謝せずにいられなかった。

「やあ、あんたがマフユだね」

ほがらかに言ったリチャードは、息子のラリーよりさらに背が高く、雪に覆《おお》われたような見事な白髪で、瞳はラリーとよく似たブルーだった。まるでハト派のジョン・ウェインとでもいった風貌だ。若い頃はさぞもてたことだろうと真冬は思った。

「はじめまして。どうぞ、マフィと呼んで下さい。わざわざこんな遠いところまでお呼びたてして、本当に申し訳なく思っていますわ」

真冬が差し出した手を、リチャードは乾いた手でしっかりとつかんで握りしめ、さらにもう一方の手で包み込んだ。

「そんなことは気にせんでいいんだよ。この機会に、こっちに住んでいる古い友人にも会えたしね。それより、あんたに会えて嬉しいよ、マフィ。息子と孫を、よろしく頼む」

思いがけないほど温かな響きを持った声に、真冬はまたしても鼻の奥がじんと痺《しび》れた。今日はもう、涙腺《るいせん》がどうかしてしまっている。

隣が母親のクレアだった。ほっそりとした体つきに上品な黒のドレスがよく似合っている。金髪にふちどられた整った顔に如才ない笑みを浮かべているが、灰色の瞳にはどことなく人を拒むような雰囲気があった。挨拶をして握手を交わした時、真冬はリチャードとは対照的なその手の冷たさにびっくりした。

クレアは、真冬の目を見て言った。

「今度こそ、長いおつきあいになることを望みますわ」

「母さん！」

慌ててたしなめるラリーの横で、真冬は微笑んで答えた。

「ええ、安心なさって下さい。彼らを不幸にだけはしませんから」

ラリーは一瞬、驚いたように真冬の顔をのぞきこんだ。彼女が少し緊張気味の微笑を返すと、彼は、肩に腕をまわしてぐっと抱き寄せ、

「ありがとう」

と耳打ちした。

ラリーにはちゃんと伝わったのだ、と真冬は思った。不幸にだけはしませんから――。はっきりそう口にすることで、自分がついに過去と訣別《けつべつ》する覚悟をきめたのだということが。

ラリーの三つ下だと聞かされているイライザは未婚で、髪も瞳もブラウンの、見るからに勝ち気そうな女性だった。視線にはほとんど敵意に近いものまで感じられ、真冬が差し出した手にも、ほんのちょっとおざなりに触れただけで手を引っ込めてしまった。

一方、末の弟のマイケルは二十六歳。母親同様、金髪にグレーの瞳の持ち主だが、同じ組み合わせでこうも雰囲気が変わるものかと思うほど気さくな感じで、兄よりだいぶハンサムだった。背が高く、筋骨たくましく、見るからにカウボーイ・ハットの似合いそうな好青年だ。イライザから拒絶されて宙に浮いたかたちの真冬の手を、彼はさっと横から手を出して握ってくれた。

真冬は、ラリーの横顔を見上げて言った。「あなたの話していたのはこの方ね？」

「何です？」とマイケル。

「彼が言ってたの。弟にぜひ会わせたいって」

ラリーが口をひらこうとした時、判事が入ってきて、彼らを促《うなが》した。なんと、後にまだ四組も式を控えているという。

ラリーと真冬は、ティムを連れて前に進み出た。

式自体は、真冬が以前参列したことのある教会のものよりずっとシンプルだった。結婚指環を交換し、さらにラリーがもう一つ、小さなダイヤを一粒あしらったきゃしゃな指環をはめてやって真冬を感激させ、判事の前でかわるがわる書類にサインをし、ジャクソン夫妻が順にサインを書き加えると、それでもう終わりだった。あとは役所内の別の窓口に書類を提出するだけだ。

すべての手続きを済ませ、名実ともに家族になったことがまだぴんと来ないまま、ティムの手を引いた彼らが外に出た時だ。

炎天下、いきなりエルヴィスの『ラヴ・ミー・テンダー』が大音量で鳴り響き、ライスシャワーが降りそそいだ。

「ちょ、ちょっと待って」びっくりした真冬は、次の米粒をわしづかみにしたルーシィの袖を引っぱった。「気持ちはすごく嬉しいけど、そのくらいにしておいて。ほかの人たちに迷惑だし……」

「あんたの良くないとこはね、そうやってまわりを気にしすぎるとこよ」と、足もとに置いたCDプレーヤーの音量をさらに上げながらルーシィが笑う。「迷惑も何も、見てごらんよ」

見まわした真冬は初めて、あたりの人たちの様子に気づいた。ステッキを手にした老夫婦や、学生たちのグループや、若い黒人のカップルなどがみんな立ち止まって拍手してくれている。通り過ぎていく車がクラクションをけたたましく鳴らし、前と後ろの窓からTシャツ姿の若者たちが身を乗り出して、指笛を吹きながら口々に「オメデトーッ!」「早まったんじゃないかーッ!」などと叫ぶ。

「ほーらね。ここはお祭り好きが集まってる街なんだから」

「だけどルー」と横からサンドラが口をはさむ。「もうちょっとあかぬけた《クール》曲はなかったの?」

ルーシィは肩をすくめた。「いいじゃない、ホットで何が悪いのよ。結婚式だよ?」

彼女は、ラリーとティムにも米粒をふりまいてやった。ティムがてのひらを上にかざして笑い声をあげる。ルーシィが面白がってどんどんかけると、彼は笑いすぎて体をよじり、後ろへひっくり返りそうになってラリーに支えられた。

「ね、それより、どう? 新妻になった気分は」

真冬はぼうっとしながらつぶやいた。「もし私がここで泣いたら、今度は誰がもうかるの?」

「何言ってんの、まだまだ序の口よ。見て!」

指さされたほうに目をやって、真冬もラリーも絶句した。

ピンク。いつのまにか姿を消していたドングが向こうで車のドアを開けて待っている、その車が、いったいどこから借りてきたものやら、目もさめるようなショッキング・ピンク一色なのだ。屋根には『JUST MARRIED！』と手書きの看板が取りつけられ、後ろのバンパーからはご丁寧にも、ひものついた空き缶が数十個ぶらさがっていた。

「……お願い。あれだけは勘弁して」

うめいた真冬に、

「あきらめるのね」容赦なくサンドラが言った。「じゃ、私たちは先に帰って、パーティの用意してるから。ああ、ラリーの乗ってきた車はドングが運転して行くし、ご家族も適当に分乗して頂くわ。あなたたちは安心して、ゆっくりあれで帰っていらっしゃいな」

「そうそう、お客が来るのは夕方からだからさ、時間はたっぷりあるわよ。何ならマンハッタンをひとめぐりしてくれば？　最高のドライヴ日和《びより》じゃん」

茫然《ぼうぜん》として言葉も出ないでいる真冬のそばで、ジャクソン医師がまずプッとふきだし、妻のリンダがくすくす笑いだし、とうとうラリーまでが笑いだした。

ジャクソン夫妻が自分たちの車で行ってしまうと、ラリーと真冬とティムは、ピンクの車と共に取り残された。

「まったく、いい友達を持ったもんだよ、うちの奥さんは」

「ドレスとタキシードのまま地下鉄《メトロ》に乗ったほうがまだましだわ」

と真冬はぼやいた。

「彼らの好意を無にするつもりかい？」

「好意だけでしてくれてると思う？」

「多少、面白がってはいるみたいだね」と、ラリーは苦笑した。「まあ、ここに停《と》めとくわけにもいかないし。あきらめて、バッテリー・パークあたりへドライヴといくか」

「本気で言ってるの？」

「もちろん。今日みたいな日はフェリーが気持ちいいだろうな。どうだい？　おのぼりさんたちに混じってさ。ティムはまだ、船に乗ったことも、自由の女神を間近で見たこともないんだ」

「でも、この格好で？」

「最高だろ？」

「ラリー、あなたってば、かなり変わってるわ」

「そりゃそうさ。何せ、きみと結婚するくらいだからね」

「いじわる」

真冬がふざけて投げつけたパーティバッグを、ラリーはあやうく顔の前で受け止めた。

「跳《は》ねっ返りめ」

ラリーがハンドルを握り、車線へ出て走り出すなり、空き缶のやかましい音が追いかけてきた。ティムは初め助手席に座った真冬に抱かれていたが、音を聞くと後部座席へ移り、ペプシやクアーズの空き缶が躍りながらついてくるのを大喜びで眺めた。真冬はふり返って、やれやれとため息をついた。

「彼らも、少なくともティムにだけは本気で喜んでもらえたわけね」

「ほんとはきみだって嬉しいくせに」

「あら、あなたは？」

「もちろん。みんなから愛されてる奥さんを持つのは嬉しいものだよ」

　左右に迫るビル街を抜けてしばらく走り、やがて道路の幅がいくらか広くなった頃、真冬は言った。

「ねえ、もう一度言ってみて」

「何を？」

「……奥さんって」

　ラリーは黄色に変わった信号で車を停め、助手席に身を乗り出して、

「愛してるよ、ミセス・サンダーソン」

　言いながらキスをした。

「ハンバーガーは？」

　とティムが言った。

「何だって？」

「ハンバーガー」後ろの窓を勝手に下ろし、腕をつき出して対向車線側にあるバーガーショップの看板を指さす。「ハンバーガー」

「ティム、手を引っ込めて、危ないから！」

「ハンバーガー！」

「あ、そうか、約束だったっけな」

「ハァンバーガーッ！」

「あなた忘れてたんでしょう」

「じつを言うとすっかり……」

「ハァァンバーガァーーッ！」

ラリーはあきれたように白目をむいた。

「こういう場合、買ってやらないと子供はグレてしまうものでしょうか、ミセス・サンダーソン？」

「さあどうかしら。でも、約束を破るのはよくないと思うわ、ミスター・サンダーソン」真冬はすまして言った。「ティムのほうはちゃんと約束を守って、式の間いい子にしてたんですもの」

「ハァァンバァ、ガァァァァァッ！」

「……アイアイサー」

とうとう笑い出しながら、ラリーは信号が青に変わると同時にギアを入れ、中央分離帯の切れめをUターンしてバーガーショップの駐車場に乗り入れた。その間じゅう空き缶はものすごい音をたて、行き過ぎる車に乗っている人はみな指さして笑ったり、二人に手を振ったりした。

「ちょっとした人気者だな」

「開き直れば、けっこう気分いいわね」

ドライヴスルーの入口に遮断機が下りていたので、ラリーは空いているスペースに車を停めた。

夏の空がまぶしい。駐車場の片隅に立つ大きな木が、入道雲を背景に無数の葉をきらめかせている。

車の鼻先には、外壁に安物のレンガ風タイルを張った店のコーナー部分が迫っている。向かって左側のドアも道路に面した大きな窓もガラス張りだが、黄色いピエロの絵がでかでかと描かれているために中はよく見えない。客の頭がいくつか並んでいるのだけがわかった。少し待たされることになりそうだ。

「僕が買ってこよう」ラリーは車を降り、窓から真冬を覗きこんだ。「もしかして、きみも欲しい？」

「いいえ」真冬は笑って首をふった。「私は胸までいっぱい」

「さては、僕のキスを食べすぎたかな？」

「ううっぷ。もう口から出ちゃいそうよ」

「なんて下品な奥さんだ」

ラリーは片目をつぶって真冬とティムに手を振り、念のために内側からロックしておくよう身ぶりで指示すると、店のドアをぐいと引き開けて中へ入っていった。

真冬は、シートに背中を沈めた。エアコンがきつすぎたので窓を細く開けると、思いのほか気持ちのいい風が入ってきた。目の前に広がるボンネットのピンク色を見て、一人で笑ってしまう。……まったくもう。

「マフィ、ハンバーガーは？」

と、ティムが助手席の背に手をかけて乗り出してくる。

「待っててね」真冬はふりむいて言った。「いまダディが買ってきてくれるから」

ティムの表情が嬉しそうにくずれる。

笑うとこんなに可愛い子なのだ、と真冬は思った。もっともっと、笑う機会を増やしてやりたい。食べ物への欲求が満たされる時ばかりじゃなく、楽しい遊びや、面白いジョークや、そして愛される満足によって笑えるようにしてやりたい。

さわさわさわと、梢《こずえ》をわたる風の音が聞こえる。

「ティム」

きょとんとした目で、彼が見つめてくる。

生まれてこのかた誰にも言ったことのない言葉を、真冬は、微笑みながら口にした。

「愛してるわ」

瞬間、背中で空気が裂けた。

真冬は目を戻し、バーガーショップの大きな窓ガラスが端から波頭のように崩れ落ちてゆくのを見た。破片が雨と降り注ぎ、アスファルトの上で砕け散り、植えこみの葉がちぎれて飛び、黄色いピエロは姿を消して店の中が丸見えになった。

ジリリリリリリ……と防犯ベルが鳴り響いている。それに混じって、連続して響いていた乾いた銃声がやむと同時に金切り声が聞こえ、誰かが神を呼ぶ声も聞こえ、もう一度タタタン、タタン、と音がしてやむと声もやんでいた。防犯ベルだけが鳴り続ける中で、数人の若い男たちがカウンター越しにレジの札をわしづかみにするのが見える。

ラリィィィーッ！

真冬は悲鳴をあげたが、実際には声など出てこなかった。いやよ、いや、やめて、いやよ、とかすれ声でくり返す。

そろってサングラスをかけた肌の浅黒い男たちはスポーツバッグに札を詰め込み、銃を片手につかんだまま、床に倒れている客たちのふところに手をつっこんでは財布を奪った。いつから店の中にいたのだろう。ラリーが入っていった時にはもういたのだろうか。それとも、裏口から入ってきたのだろうか。

遠くからパトカーのサイレンが聞こえてくる。中の一人が「急げ《ハリアップ》！」と叫ぶ。ガラスのなくなった窓の枠を飛び越して、男が三人、次々に出てきた。まだ少年だ。駐車場のすみに停まっていた傷だらけの車に飛び乗り、タイヤをきしらせて走り出ていく。

真冬は動けなかった。ラリーのところへ行かなければと思っても、腰がぬけてしまっていた。ティムが後ろから乗り出して、

「マフィ？」

と覗きこむ。

必死で腹と膝に力を入れ、がくがく震える手でドアを開けて外に転がり出た。ティムがついて出ようとするのを押し止め、

「こ、ここにいて」

ドアを閉めると、泳ぐように宙をかきわけながら店に向かった。照りつける太陽の光が鋭い氷柱となって体に突き刺さる。寒い。背中がぞくぞくする。すべての音が遠のき、耳の中が真空になる。店の入口はすぐそこなのに、いつまでたってもたどりつけない。何度も気が遠くなりかけるのを、歯をくいしばってこらえる。だめよ。しっかりしなきゃ。ラリーが待ってる。

奇跡的に無傷で残っているドアを引き開けようとすると、汗で手がすべった。取っ手をつかみ直し、渾身《こんしん》の力で開ける。壁は穴だらけで、テーブルは角が砕け、椅子が横倒しになり、そして、床の上には何人かの客が折り重なるように倒れている。音が徐々に戻ってきた。最初に聞こえたのは、ベルに入り混じる赤ん坊の泣き声だった。女のすすり泣き。男の呻《うめ》き声。すすり泣いているのは、壁際でうずくまっている若い女性だった。どうやら、怪我はないらしい。真冬は声をふりしぼった。

「ラリー！　どこなの？」

それをきっかけに壁際の女性が絶叫し始めた。「助けて、助けて、助けて……」

「うるさい《シャラップ》！」

思わず怒鳴ると、声はやんだ。

「ごめんなさい」真冬まですすり泣きをもらしそうになる。「でも、ああ、ラリーが……お願い、返事してラリー！」

ベルはまだ鳴り続けている。パトカーのサイレンもすぐ近くまで来ている。大音響の中、ラリーの声が聞こえなくて気が狂いそうだ。

「ラリー！　返事をして、お願いだから！」

パトカーが駐車場に入ってきて、サイレンが止まった。

うう、と呻く声がベルにまじってほんのかすかに聞こえた。カウンターの向こう側から、黒いタキシードのズボンに包まれた脚がぬっとつき出ていた。

よろめくように駆け寄り、仰向けに横たわっている彼にすがりついた。

どう楽観的に見ても、彼は死にかけていた。顔は土気色を通りこして真っ白で、脂汗《あぶらあせ》にじっとりと濡れている。

「ラリー！」

悲鳴のような声が出た。

……ああなんてこと、だから言ったのに、あんなに忠告したのに、私に近づいちゃだめだって、きっと悪いことが起きるって……！

彼が薄く目を開ける。白眼の部分が気味の悪いほど真っ赤に血走り、あのブルーの瞳までが赤黒く濁っていた。焦点が合っていない。

「マ……フィ」

左手で血まみれの腹を押さえている。結婚指環をはめたばかりの指を押しのけるように、何かヌルヌルしたものがはみ出しているのを見て、真冬は吐きそうになった。何度もつばを飲み込む。口の中がからからで、のどがくっつきそうになる。どうして気持ち悪いと思ったりするんだろう。これはラリーの……ラリーの腸なのに。

慌ただしい物音がして、ふり返ると数人の警官が割れたガラスを踏んで入ってくるところだった。銃をかまえている。

「もう、に、逃げた」と、入口近くにいた男が撃たれた腕を押さえながら唸《うな》った。「三人だ。黒い車だ」

「早く！」真冬は叫んだ。「早く救急車を呼んで！」

「すぐ来ます」と警官が言った。

防犯ベルがふっとやんだ。真空のような静寂の中で、再び小さくサイレンの音が聞こえてくる。耳慣れたあの音を、まさかこんな思いで聞く日が来るとは思いもしなかった。

「マフィ」消えいりそうな声からは信じられないほどの力で、ラリーの右手が真冬の腕をつかむ。「聞いて、ほしいことが」

「しゃべっちゃだめよ。もうすぐ救急車が来るわ」

「聞きなさい、マフィ」有無を言わせずに、彼は言った。「頼みがあ……る」

「ティムなら大丈夫よ」

「あの子ももちろんだが、まずは……きみ自身のことだ」彼は荒い息を継いだ。「頼むから、このことを思いつめるな。決して……決して、自分のせいだと思うんじゃない。絶対にだ。誰にも、どうしようもなかった。いいか。世の中ってやつは、もともと不公平に、できてるものなんだ。それは、きみの……せいなんかじゃ、ない」

「やめて、ラリー、もうしゃべらないで」

がちがちと歯が鳴って、舌を噛《か》みそうだった。震えながらラリーの頭を抱きしめる。彼も震えているのがわかった。

「マ、フィ」

「お願い、黙って！」

「ドレスが血だらけだ」

「そんなことといいから！」

「寒い。寒いよ。だ……抱いてくれ」

真冬は自分も血だまりに横たわるようにして彼に寄り添い、その体をかかえて温めようとした。

「ラリー、お願い、一人にしないで。私を一人にしないで」

いよいよ大きくなったサイレンが、路肩の段差に乗り上げる時に弾《はず》み、店のすぐ前に来て止まった。

飛び起きてふり向き、

「ここです、早く！」

叫んだ時、真冬は見た。店の中を右往左往している警官と救急隊員の向こう、ぽっかり開いた窓を背にして、ティムがこちらを見つめていた。

「だめよ、あっちへ行ってなさい！」

ラリーが咳《せ》きこむのが聞こえ、彼女の名を呼んだ。急いで顔を近づける。

「ラリー、もう大丈夫よ、救急車が来たわ」

「死にたくない」

「ラリー！」

「死にたく……ないよ」

「死なないわよ。死ぬわけないじゃない。私を悲しませたりしないって、あなたそう言って約束したじゃない。あれは嘘だったの？　ねえ、嘘だったの？」

真冬は彼の顔をのぞきこんだ。目が曇ってよく見えない。急いで涙をぬぐりと、彼の左手が腹の傷を離れて持ち上げられるのが見えた。下腹部にあいた穴から流れ出る血の量が、真冬を打ちのめした。

「マ……フィ」

力をふり絞って持ち上げた血塗《ちまみ》れの左手が、真冬の顔の前に近づいてきた。まともに見えていないのだろう、彼の指はかなり手前で二度ほどむなしく宙をつまみ、いつものように鼻をつまもうとしているのだと気づいた真冬がその手を取ろうとしたとたん、糸が切れたようにぱたりと胸の上に落ちた。

「……ラリー？」

返事はない。

「ラリー？」

返事はなかった。

「…………。嘘つき」

真冬は、彼の上半身をかかえ上げ、胸に抱いた。赤ん坊をあやすように、体を前後にゆっくりと揺する。温かい彼の血が、ドレスの布地や下着を通してじゅくじゅくと沁みてくるのがわかる。

小さな運動靴がやってきて、血だまりのすぐ手前で立ち止まっても、真冬は顔をあげなかった。無言でラリーの体を揺すり、やがて誰かがやって来て無理やり彼から引き離すまで、ただずっと揺すり続けていた。

古いピックアップトラックの、スプリングの飛び出た助手席に座って、少年は、閉まらない窓から遠くの台地《メサ》を眺めていた。手には鷲《わし》の羽根。昨日セージの茂みで拾ってから、片時も手放さずに握りしめたままだ。

東の地平から現れた道路は、ゆるやかに起伏する地面の上をひたすら一直線に延び、やがて西の地平へと消えてゆく。行く手をさえぎるものは何もない。すれ違う車もめったにない。

窓から吹きこんでくる朝の空気のせいで、頬《ほお》が冷たかった。今朝、まだ暗いうちに祖父に起こされて、少年は生まれて七年間過ごした家を離れた。これからはこの祖父と一緒に、居留地の奥で暮らすことになる。

あたりは、少し前からようやく隅々まで明るくなってきた。東の方角から夜が明けていくさまは、まるで誰かの手が、この世界を覆《おお》っていた黒いカバーの端を引っぱってするすると取り去っていくような具合だった。はるか彼方《かなた》では、紺碧《こんぺき》の空と赤い大地が、愛し合う男女のようにぴったりと抱擁しあっている。父なる空と母なる大地の交《か》わし合うため息は、かぐわしい風となって荒野を渡り、雲を巻きあげながら天の高みへと駆けのぼる。

時おり、道路から細い横道がそれて、背の低い草とセージの茂みにおおわれた荒野へ続いているのが見えた。

少年は横道の先を目で追ってみた。平行した二本のわだちが中央にだけ草を残して延びてゆき、その先にはたいてい、お椀《わん》を伏せたような土の家が二つか三つ集まっているのが小さく見てとれる。ナヴァホ伝統のホーガンと呼ばれる住居だ。そばには大きな木がそびえて家の上に陰をさしかけ、少し離れて羊の囲いが作られている。

少年はホーガンに住んだことがまだなかった。死んだ母親は、夫、つまり少年の父親から、居留地の南のはずれに普通の家をあてがわれて暮らしていたからだ。

父親は、白人《ベラガナ》だった。彼は少年の母親『微笑む鳥《スマイリン・バード》』を、正式なナヴァホのやり方に則《のっと》って手に入れた。両親が愛し合っているのは少年の目にも明らかだったし、彼自身もまた、たくましくて優しい父親が好きだった。

週に何度か土産《みやげ》ものを持って訪れ、夜遅くまたどこかへ姿を消す父親を、彼は不思議にも不満にも思わなかった。父親には居留地の外に別の家があり、そこで別の家族とともに暮らしている――その事実を、母親は息子に隠そうとしなかった。ナヴァホは古来、経済力のある男が複数の妻を持つことに対して寛大なのだ。

しかし、先週、とつぜんの脳梗塞《のうこうそく》で母親が死んだ時、息子を手元に引き取りたいという父親の申し出を、祖父のアンガス・ベナーリ——またの名を『木でできた脚《ウドゥン・レッグ》』——は断った。「やがてはそういう日も来ようが、今はまだその時でない」集まった親族一同の前で、ウドゥン・レッグは父親に言い渡した。「孫は、わしが預かる」

その言葉をむげにはねつけることは、さすがの父にもできなかった。ウドゥン・レッグは特に力のあるメディスンマンで、このあたりのナヴァホの尊敬を一身に集める存在だったのだ。

かつて、メディスンマンはチーフと並ぶ権威を持っていた。部族政府ができて各地区から選ばれた議員が政治を執《と》り行《おこな》うようになって以来、チーフと呼ばれる存在は表舞台から姿を消したが、祈禱師《きとうし》であり、呪術師《じゅじゅつし》であり、薬草を用《もち》いて病気を治す医者であり、大いなる精霊《グレート・スピリット》の声を人々に告げる祭司でもあるメディスンマンは、いまだにナヴァホだけでなくどの部族にも存在する。

少年は、運転席の祖父をちらりと見やった。銀色の長い髪は、後ろでナヴァホ髷《まげ》に結われ、赤い毛糸で束ねられている。横顔には無数の深いしわが刻まれていた。いや、しわなどという生易《なまやさ》しいしろものではなかった。まるでナイフで彫りつけた傷痕《きずあと》のようだ、そう思った時、祖父がこちらを向いた。

「寒くはないか」

少年は首を横に振り、ふと、あの熱いスープを思い出した。母親が死んだ夜……愛する者を失った哀《かな》しみと、死者の顔を見ることへの恐怖とで、部屋のすみに縮こまって震えていた時、祖父がやって来て飲ませてくれたスープは気が遠くなるほどおいしかった。骨付き肉と野菜を煮込んだマトンシチューの上澄みだったが、ほかにも何か不思議な味と匂《にお》いがしたのを覚えている。飲み終わって気がつくと、いつのまにか朝になっていて、哀しみと恐れはほんの少し薄らいでいた。

「あの……」少年は思いきって言った。「ひとつ訊《き》いていい？」

「何じゃね？」

「新しい名前をくれるって言ったでしょ？」

「ああ、言ったな」

「そうしたら、父さんがつけてくれた今の名前はどうなるの？」

ウドゥン・レッグは、前を向いたまま微笑した。

「今までの名前を捨てろと言っているんじゃないさ。最終的にどちらを名のるかは、お前がいずれ一人前の男になった時に、自分で選ぶこった」

そして、少し考えてつけ加えた。

「だが、白人がつける名前は、それ自体の意味を持っとらんじゃろ？『ビル』や『ジョン』といった名前は、AとかBなどという記号と同じさ。我々の名前はそうじゃない。多くの者は、本人と深い関係のある森羅万象《しんらばんしょう》にちなんだ名前をもらう。あるいは、木人の個性や特質をよく言い表した名前をな。『座る牡牛《シッティング・ブル》』。『狂った馬《クレイジー・ホース》』。『黄色い狼《イエロー・ウルフ》』。わしの名前は、子供の頃、倒れた荷車の下敷きになって左脚が義足になったことからつけられた。それだって決して、蔑《さげす》みの意味でつけられたんじゃない。わしは、重い荷を担《にな》ったり速く走ったりできなくなったかわりに、やがてメディスンマンという役割を担うようになったし、心を空へ向けて飛ばすことができるようにもなった。すべてはわしの『木でできた脚』から始まったのだから、わしの名前はこれ以外にはない良い名前なんじゃ。三年前に亡くなったお前の婆さんは、『まだらの子鹿《スポッテッド・フォーン》』という美しい名前じゃった。いやあ、若い頃は本当に鹿のようにすらりとしていて、たいしたべっぴんさんだったさ」

祖父が懐かしそうな笑い声をあげたので、少年はちょっとびっくりした。

「今ごろはお前の母さんと二人、向かい合って仲良くラグでも織っとるだろうよ。……そら、ごらん、町が近いしるしだ」

節《ふし》くれだった指で祖父が指し示した先を見ると、道路の片側に木の電柱が現れて後ろへ消えるところだった。道先案内をするように、一定の間隔で現れてはすれ違い、遠ざかっていく。

昔から羊を飼って生活してきたナヴァホは、広い牧草地を確保する必要性から、集落を作る習慣がなかった。そのせいか、便宜《べんぎ》のために作られた町はどこも、学校と交易所、ガソリンスタンドといくつかのレストラン、それに数えるほどのモーテルの寄り集まりといったふうで、風をさえぎるものとてない荒野の真ん中でうら寂しく砂ぼこりにまみれている。

少年と祖父がやがてたどりついたウィンドウ・ロックの町も例外ではなかった。ナヴァホ部族政府の首都とは名ばかりで、道路には傷《いた》みが目立ち、人通りも多くはない。

町を抜けて少し走り、背の低いピニョン松の生い茂る林を過ぎたところで、祖父はピックアップを停《と》めた。ぜいぜいと喘《あえ》いでいたエンジンが、最後に深いため息をついて止まる。

「ほれ、おりてごらん」

言われるままに、少年は助手席から地面にすべりおりた。木陰の空気はさらに冷たく、息を吸い込むと肺の中がハッカ飴《あめ》をなめた時のようにスーッとした。

「こっちだ」

祖父の声のするほうへと車の前をまわる。どうしてこんなところへ連れてこられたのだろうと彼は思った。いじけたような草と、ねじくれた木々と、赤い岩しか見えないこんな場所へ。

きょろきょろ見まわしていると、祖父は笑みを含んだ声で言った。

「もっと上を見んかい」

少年は、目の前の巨大な岩壁を下から上へ目でたどっていき、やがて、あんぐりと口をあけた。

ウィンドウ・ロック。

町の呼称にもなったその名のとおり、頭上にのしかかるようにそびえたつ岩の中央には、天然の巨大な窓がうがたれていた。岩肌は燃え立つように赤く輝き、ぽっかりとあいた丸窓の向こうに空がのぞいている。青をどこまでも煮詰めたような空は、まるで異次元〝への入口のように見える。

少年は、ごくりとつばを飲みこんで言った。

「どうして、あんな穴があいたの？」

「さあな。長い時間のうちに雨や風にえぐられていったのかもしれんが、確かなことは知らん。わしにしても、ずっと付いて見とったわけではないんでな」

「どうしてあの穴の中だけ、空の色がほかと違うの？」

「ほう。違って見えるかね」

「だって……あそこだけ、あんまり青すぎるよ」

祖父は、目尻《めじり》にしわを寄せて微笑《ほほえ》んだ。

「お前はなるほど、特別な目を持って生まれてきたようじゃな」

とたんに少年は押し黙った。特別だと言われるのはいやだったが、もっといやなのは、誰かからそう言われるたびに視線をはずしてしまう自分の意気地《いくじ》のなさだった。

口を結んでいる少年を見て、ウドゥン・レッグは言った。

「間違えちゃいかんよ。わしが特別な目と言ったのは、物事を正しく見てとる良い目、という意味さ。良い目を持っているということは、心もまた良い心だというしるしだ。目は、心をのぞく窓なんじゃからな」

少年は祖父の言葉を誇らしく思い、少し背筋を伸ばした。

「いいかね」ウドゥン・レッグの声は、低いがはっきりとしていた。「わしらにとって、ここは聖なる場所なんじゃ。わしらの家《ホーガン》の入口がみな東を向いているのとおんなじで、この穴も東を向いている。朝の光を一番に迎え入れられるようにな。そして、春分と秋分の朝、太陽はあの巨大な窓から昇るのさ」

腰ほどの背丈の孫の肩を、ウドゥン・レッグはしっかりとつかんだ。

「お前にまず、ここを見せておきたかった。東は、善《よ》きものの来たる方角。朝は、すべての始まりの時じゃ。お前もまた、この聖なる場所から歩き始めるがいい」

「歩き始めるって……どこへ向かって？」

「…………」

曲がった人さし指で、祖父は黙って少年の心臓を指した。


町の学校に通い始めた少年は、白人たちの言葉と歴史、そして宗教などについて学んだ。が、ウドゥン・レッグや部族の年寄り《エルダー》たちの口からは、さらに多くのことを学んだ。

祖父が一人で寝起きする家の横には別の、もう少し新しいホーガンが建っていて、そこには少年の母親の姉であるドロシーの一家三人が住んでいた。夫のサイモンと、十歳になる娘のデリラだ。祖父にはもう一人、ビルという息子がいた。おおかたのナヴァホの男がそうであるように、彼は成人するとともに家を出ていた。娘が家に残り、男の側がその家の入《い》り婿《むこ》となるのが、母系社会であるナヴァホの慣習なのだ。

ビル・ベナーリは数年前から、百マイルも離れたフラッグスタッフの町で自らツアー会社を始め、そこそこ成功していた。いくぶん屈折したところのある、癖の強い男ではあったが、たまに生家に帰ってくると外の世界の刺激的な話をたくさん聞かせてくれるので、少年はじきに、彼が来るのを楽しみに待つようになった。

畑や羊の世話で忙しい時期を除いては、日々のほとんどはゆっくりと過ぎていった。夏涼しく、冬暖かいホーガンの中で、あるいは祖父と野山を歩きながら、少年はひとつずつ、少しずつ、必要なことを覚えていった。それらすべてが、一人前の男として認められ、新しい名前をもらえるようになるための準備でもあった。

ある時、祖父や犬たちと一緒に羊を追って歩きながら、少年は訊いた。

「どうしておじいちゃんたちは、自分のことをディネーって呼ぶの？　僕たち、ナヴァホなんじゃないの？」

「ナヴァホという名前は、もともと、我々をこの土地から追っぱらおうとした白人《ベラガナ》の連中がつけたものでな。我々の本当の呼び名ではないんじゃよ」祖父は、群れから離れようとする羊を鞭《むち》で追い戻しながら言った。「ずっと昔、このあたりを征服しようとしたスペイン人たちが、わしらを『農耕するアパッチ《アパッチ・デ・ナヴァフー》』と呼んだなごりなんじゃ。それに対してディネーというのは、『ザ・ピープル』――ひとびと、という意味さ。わしらだけじゃない。白人がアパッチと呼ぶ部族の連中は自分たちをそうは呼ばんし、スーも同じだ。カナダに住むエスキモーもそうだ。自分たちのことをエスキモーとは呼ばず、イヌイットと呼ぶ。どの部族もみんな、『ひとびと』にあたる言葉で自分たちを呼ぶんじゃよ。……どうしたね？」

うつむいて立ち止まった少年は、口の中でつぶやいた。

「じゃあ、僕は……ディネーじゃないんじゃないかな」

「なんで」

「だって、父さんは白人《ベラガナ》だもの」

うなだれたままの孫を、ウドゥン・レッグは見おろした。

「別の種族の血が混じればディネーでなくなると言うんなら、このわしもディネーではないことになるわな」

「えっ？」

「わしのじいさんはメキシコ人じゃった。そのもっと前にはたぶん、スペイン人の血も混じっておるじゃろう。それでもわしはディネーの中で育ち、今のお前と同じように、族の年寄りたちから教えを受け、最高位のメディスンマンから学んだ。だから、わしはディネーだ。もちろん、お前もな」

少年が額に巻いている青いバンダナの位置を直してやり、再び歩き出しながら、ウドゥン・レッグは続けた。

「いいかね。どこで、誰の子として生まれたかなんてのは、たいした問題じゃない。どうでもいいこった。それより大事なのはな、その人間が、どこで生きていくことを選び、何者になろうとしているかなんじゃ。わかるか？」

少年には、わからなかった。

七マイルも離れた「お隣」に住むボブ・ビセンティ、またの名を『話の長い男《ロング・トーカー》』は、ガタガタ道をポンコツのピックアップトラックに乗って訪ねてきては、外の木陰で祖父と話しこむのを楽しみにしていた。時おりトラックの機嫌が悪くなると、彼は、きっと悪い精霊がついたのだと言い張って、ウドゥン・レッグに半ば無理やりお祓《はら》いを頼んでいた。

「ことトラックの悪霊祓《あくりょうばら》いにかけちゃ、わしよりもジョージ・ネズのほうが適任じゃと思うがな」

とウドゥン・レッグはぼやいた。ジョージ・ネズは近くのチンリの町の修理工だった。

冬の夜、年寄りたちはホーガンの床に座り、火を囲んで少年に昔語りをしてくれた。ナヴァホの信じる創世の神話は、驚きと、神秘と、胸おどる冒険譚《たん》に満ちていた。

「今わしらがいるこの世界は、五番目の世界なんじゃよ」と、ロング・トーカーは言った。「ひとびとは地下で作られ、ひとつ世界を移り変わるごとにだんだんと上へのぼって、ようやく地上に出てきたわけじゃ。第一の世界は真っ暗で、そこには三つのものたちが住んでおった。すなわち、『最初の男』と『最初の女』、それにペテン師のコヨーテじゃ。ところが、第一の世界は狭すぎたもんで、彼らは第二の世界へのぼることにした。そこには太陽と月が住んでおった。この太陽が、『最初の女』を見るなり、ひと目惚《めぼ》れしちまったんじゃな。ついつい無理やりコトに及ぼうとして、」

「コトに及ぶってなに？」と少年は口をはさんだ。

「お前が男になりゃあわかる」と、ロング・トーカーは言った。「で、争いになったわけじゃ。さて、そこへ仲裁に入ったのはコヨーテよ。やつは、こういう問題が起きるのはここが狭すぎるせいだから、太陽と『最初の女』がお互いに遠くへ離れていられるように、いっそみんなで三番目の世界へのぼるべきだと決めたんじゃ。ところが、せっかくのぼった第三の世界では、コヨーテが悪さをして水の怪物を怒らせたもんで、洪水になってしまった。それでみんなはもっと上へ逃れることにした。まっすぐに立った葦《あし》の茎の中を通り抜けて、」

「細すぎると思うんだけどな」と少年は言った。

「でかい葦だったんじゃ」とロング・トーカーは言い張った。「とにかく中を通り抜けて、第四の世界へと逃げたのさ。しかしここで、困った問題が起こった。男どもと女どもが、大ゲンカを始めたのさ。女たちは、自分らのほうがえらいと言った。火をおこすのも、畑の世話をするのも、子供を産むのも自分らじゃとな。男たちも、自分らのほうがえらいと言った。狩りをするのも、最初に畑を切りひらいたのも、聖なる儀式を行うのも自分らじゃないかと。で、とうとう男と女は川の向こうとこっちに別れて暮らすことになったんじゃ。しかし、四年もたつと、女の側の土地は切りひらく者がおらんので荒れ果て、何も獲《と》れんようになってしまった。男の側の土地でも、畑の世話をする者がおらんので何も獲れんようになってしまった。おまけに、あっちのほうもえらく寂しいしの」

「あっちってどっち？」

「じゃから、そのうちわかると言うとろうに」とロング・トーカーは言った。「それでようやく、彼らはお互いが必要だとわかって仲直りしたわけじゃ。やがて、ひとびとが第五の世界、今いるこの世界へのぼってきた時のことよ。太陽が、空の一点で動かずに止まってしまったんじゃ。それ困った、これではあらゆるものがジリジリ焼かれて焦《こ》げてしまう。ひとびとは気づいた。太陽を動かすために必要なのは、人間の『死』じゃということにな。そこで、長《おさ》の妻が自分の命を差し出すことにした。彼女がそうすると、体の中を吹く風がだんだん弱くなり、やがては消えてしまった。……わかるかの？　わしらの体の中には、生きている限り風が吹いておる。その風が体に入った跡が、ほれ、お前の指の先にも残っておる、その渦巻きよ。ともあれ、この時をはじめとして、太陽がちゃんとめぐりめぐるためには、毎日地上のどこかで誰かが死ななければならんことが決まったのさ」

「じゃあ、僕の母さんも、それで死んじゃったの？　太陽を動かすために？」

「ああ。そうじゃよ」

ロング・トーカーは、痩《や》せて落ちくぼんだ目で少年をじっと見た。

「ひとびとはそれぞれの部族に分かれて、自らの生きる場所を選び取った。第四の世界で山に住んでいた者は、第五の世界でも山の部族に、平原に住んでいた者はやはり平原の部族になった。そうしてわしらナヴァホの祖先は、四つの山の中央を選んだ。それが、今も残る四つの聖なる山じゃ。『最初の男』と『最初の女』とコヨーテは、太陽と月だけでは世界を照らすのに充分ではないと考えて、星を作ることにした。天の頂きに『動かない星』をきめ、そのまわりに七つの星を置くことにきめた。赤い星も投げあげた。『最初の男』と『最初の女』が、地面に布をひろげて石ころを並べ、ほかの星の配置を考えておった時だ。気の短いココーテはまだるっこしいことが大嫌いなもんで、布の端をつかむなり、残りの石ころをみんな空へと投げあげてしまったんじゃ。石ころは空にはりついて、そこでぴかぴか輝くようになった。こうして、第五の世界、わしらの住んどるこの世界が完成したというわけさ」

「六番目はないの？」と少年は訊いた。「僕らはどこかへ行かないの？」

「ああ」ロング・トーカーは言った。「もう二度と、どこへも動かん。白人《ベラガナ》どもが何を言ってこようとな。ここが、わしらの土地さ」

大いなる精霊《グレート・スピリット》の教えについて。大自然の秘密について。

聖なる儀式について。祭りや、踊りや、祈りについて。

少年が、新しいことを覚えない日はなかった。

心を強く鍛《きた》えるだけでなく、体を良い状態に保つ術《すべ》も学んだ。ガラガラへビに出くわした時、どうすれば切り抜けられるか。不幸にして咬《か》まれてしまった時は、どう対処すれば命が助かるか。動物の足跡の見分け方や罠《わな》の仕掛け方、もちろん馬の乗り方も。

女たちからは、生活に役立つ技術を教わった。天気の読み方や羊の世話の仕方、トウモロコシのまき方。トウモロコシは、ひとつの穴に十二粒ずつまいていく。四粒は鳥に、四粒は土の中の虫に、そして四粒は生長してひとびと《ディネー》の口に入る。女たちはまた、どの草にさわるとかぶれ、どの草を口に入れると毒かも教えてくれた。その毒をどの程度用いれば病や傷を癒《いや》す薬になるのかは、祖父の領分だった。

く。

そしてついに、その日は来た。

小高い丘の岩棚に腰をおろして、少年と祖父は世界を見おろしていた。眼下に広がる乾きった荒野の彼方、荒々しく隆起した岩山を、流れる雲の落とす影がゆっくりと愛撫《あいぶ》してい
「羽根を持ってきたかね」と、祖父は言った。

母を埋葬したあの日、鷲から与えられた羽根は、今日まで大切に木箱にしまってあった。

少年がそれを手わたすと、祖父は、澄みわたった蒼穹《そうきゆう》を仰いだ。地面に片膝をつき、まっすぐに少年と目線を合わせる。

叡智《えいち》と力の宿るまなざしで、ウドゥン・レッグは孫を見つめた。低い声で祈りの言葉をつぶやきながら、トウモロコシの聖なる花粉をふりまき、羽根の先で少年の頭や肩や、胸、腕、背中、そして足の先までを順番に撫《な》でていく。

「大いなる精霊がいま、お前の新しい名前を教えてくれた」

別人のように厳《おごそ》かな口調で、老メディスンマンは言った。

「お前の中の善い心がますます強くなるようにと、精霊はこの名を与えてくれたのだ。自分の本当の名前を、いつも胸の奥底で大事に守っていなさい」

最後に、羽根を少年の心臓の上にあて、てのひらでぐっと押しつけるようにして言いわたした。

「今から、お前の名は、『鷲の心臓《イーグル・ハート》』だ」

「……イーグル・ハート」震える声で、少年はもう一度つぶやいた。「イーグル・ハート」

応《こた》えるかのように、遠くで雷が鳴った。まるで川底を石が転がっていくのにも似た、優しい音だった。

褐色の羽根を少年の手に返して、祖父は言った。

「やっと雨が来るぞ」

「こんなに晴れてるのに？」

「そうとも」祖父は再び微笑んだ。「どうやら雷神《イエビチャイ》は、お前を気にいったようじゃな」

9

時速七十マイルを保って走る車の両側には、視界の限りにトウモロコシ畑がひろがっている。コバルトブルーの空と、湧《わ》きあがる雲を背景に、ありとあらゆる色調の緑に塗り分けられた大地が横たわる。車の中は冷房がきいていたが、窓からさしこむ日ざしの強さは、午後三時を過ぎてもいっこうに衰える気配がなかった。

4WDの白いダッジには、五人分の沈黙が満ちていた。その重さを支えるように、低いエンジン音だけがとぎれることなく続いていく。

後部座席に、ティムを膝にのせた真冬、その隣にラリーの弟のマイケル、助手席には父親のリチャード。運転しているのはサングラスをかけた大柄な男だ。マイケルによれば、彼はサンダーソン牧場の牧童で名をブルースといい、先週ニューヨークまでリチャードを乗せてきたのも彼だということだった。

昨日の朝、アリゾナを目指して出発してから、もう何百マイル走っただろう。

背もたれに身を沈め、真冬はぼんやりトンボを見つめていた。右側の窓の外にひっかかったトンボの死骸《しがい》は、強い風圧にはためきながらも不思議な頑固さでそこに居座っている。細長い羽はすりきれて薄くなり、端はギザギザにちぎれていたが、葉脈に似た模様の向こうに空の青や畑の緑が透《す》けて見える様《さま》は、ミニチュアのステンドグラスのようで美しかった。

「疲れてるみたいだね」

隣からマイケルがのぞきこんできた。何かとこうして思いやりを示してくれる彼に感謝しながら、

「そうね、少しだけ」

真冬は微笑を作った。膝の上からおりようとしないティムを抱きかかえなおす。脚はしびれかけていたし、本当はもうくたくただった。

「きみにはやっぱり、おふくろたちと先に行ってもらうべきだったかもしれないな」すまなそうにマイケルは言った。「ずっと車に乗ってるのも、けっこう重労働だろう?」

そうは言ってみても、マイケルとしてはこのほうが飛行機代が浮いてありがたかったに違いない。すでに牧場の経営にも加わっている彼は、経済観念がなかなか発達していて、レストランでの食事は言うに及ばず、ガソリンスタンドでミネラルウォーターを買った時でさえ、レジでレシートを受け取るのを忘れなかった。

「でもほら、この子もいることだし」と、真冬は言った。「小さい頃は私、飛行機に乗ると耳が痛くなってよく泣いたわ。あんな目にあわせるのはかわいそうだもの」

頭を撫でてやると、ティムはほっぺたがへこむほど強く親指を吸いながら、真冬の顔を黒い瞳《ひとみ》でじっと見あげてきた。

血だまりに横たわるラリーをまのあたりにしてから後、指をしゃぶる癖はまたぶり返してしまっている。父親が死んだということがまだわかっていないらしく、ときどきだが真冬に向かって、「ダディは？」と訊く。ダディはもう戻ってこないのよ、とはっきり口にすることが、真冬にはできなかった。それを認めたくないのは、ティムよりも、彼女自身だったのだ。

あの事件から、一週間が過ぎようとしていた。犯人たちは捕まっていない。あれほど派手な襲撃にもかかわらず、現場にはろくな手がかりが残されていなかった。

ラリーの遺体は、警察での検死ののちに遺族に返され、すでに葬儀社を介してアリゾナへ送られていた。葬儀の日まで地元の支社で完璧《かんぺき》に保存される手はずになっている。

日本のように焼いたお骨《こつ》を郷里へ持ち帰るのでなく、内臓を抜いた遺体そのものに防腐処理を施《ほどこ》して移送し本葬までもたせるという発想は、真冬にとっては正直なところつらいものだった。死者の尊厳をないがしろにしているような思いがしてたまらなかったが、もちろんそんな感傷は自分の中の日本人的な部分が生むものだとわかっていたし、ラリーの両親が望む以上、黙っているよりほかなかった。

どんな形で弔《とむら》われようと、ラリー自身はもう気にしないはずだわ……と、真冬は自分に言い聞かせた。あとは、どうすれば遺《のこ》された者が慰められ、彼の死を受容できるかという問題でしかないのだろう。

ひと足先に、母親のクレアと妹のイライザが戻って準備を整えることになった。参列者の人数やリチャードの健康状態なども考え合わせると、葬儀は少なくとも二週間は先になりそうだ。

リチャードの持病にいちばん良くないのは、生活のペースが乱れることだった。疲れがたまると、免疫力がてきめんに低下するという。来る時はブルースと二人だったが、あんな事件の後だけに心臓も心配され、帰りは念のためこうしてマイケルが付き添ったのだ。

彼らと一緒に車で行くほうを選んだのは、真冬自身だった。ティムのためというよりも、じつを言えば自分のためだった。結婚式を前にしてさえ、サンダーソン家の女たちからは冷ややかな拒絶しか感じられなかったのだ。ラリーが死んだ今、彼女たちと行動を共にするのは、たとえわずかな間でも苦痛に感じられた。

昨日は暗くなるまで走り続け、インディアナ州リッチモンドの高級ホテルに泊まった。今朝から引き続きハイウェイを西へ西へとひた走り、ミズーリ州セントルイスで下りて昼食をとり……。

車は二時間ほど前にオクラホマの州境を越え、道路の端に立つ標識は、そろそろオクラホマシティが近いことを示していた。今夜はそのへんで泊まることになりそうだ。他の者はともかく、リチャードに無理はさせられない。

いま彼は、助手席でがっくりと首をうなだれて眠っている。頑固な西部の男らしく、目覚めているうちは弱みを見せまいとまっすぐ背筋を伸ばしているのだが、眠っている間までは意地も張れない。光のかげんで時おりサイドミラーに映るリチャードの顔は、ここ数日で見る影もなくやつれ、真冬が初めて会った時の印象にくらべると、体つきもひとまわり小さくなったようだった。ふさふさとした真っ白な髪が、いまは痛々しくさえみえる。

真冬は後ろから彼を見つめながら、ラリーも年を取ればこんな白髪になったのだろうかと考えた。ブロンドはハゲるなんてルーシィは言っていたけれど、こんなにきれいな白髪になるんだったら悪くない。おじいさんになってもきっと、ブルーのシャツがよく似合ったことだろう。

胸の奥からせり上がってきたものをこらえるために、彼女は、奥歯をつぶれるほどかみしめた。

むなしい想像はやめよう。ラリーは逝《い》ってしまったのだ。もう、決して年を取ることはない。

彼が死んでしまっても自分がこうして息をしているのが、真冬には不思議でならなかった。それが、とても理不尽《りふじん》なことのように思えた。

いつか自分は――やがてはティムも――ラリーの年齢を追い越してしまうのだろう。そしてその後も、人生はかわりばえもしないまま続いていくのだろう。ラリーを襲ったような突然の災難に見舞われない限りは、いま走っているこの道のように延々と、淡々と。

運転席のブルースが、ふと右手をのばしてバックミラーの位置を直した。

肩より長い黒髪を、彼は、背中でひとつに束ねていた。年はマイケルや真冬と同じくらいか、もう少し上だろうか。真冬の席からは、彼の浅黒く日灼《ひや》けした横顔やバックミラーに映る顔の上半分がよく観察できたが、強い日ざしよけに常にサングラスをかけているので、正面からの顔はいまだに印象が薄かった。

昨日からずっと、彼が一人でハンドルを握り続けている。運転手としてではあっても、こうして同行させられるところをみると、リチャードの信頼が篤《あつ》いのだろう。

実際、腕組みをして立っているだけで用心棒がつとまりそうな雰囲気の男だった。腕の筋肉など今にもTシャツの生地を内側から引き破りそうだし、肩幅の広さや胸板の厚さもたいしたものだ。しかしそれらは、ボディビルなどで不自然に作りあげられた筋肉とはまったく別ものだった。日々の労働と、そしておそらく持って生まれた資質とが合わさった結果として、ごく自然にできあがったものだった。逆三角形の上半身に比べると、ほっそりとした下半身が不釣り合いなほど華奢《きやしや》に見える。

真冬は、ブルースがいつ目の前に現れたのかまるで覚えていない。ラリーの死によるショックで、いまだに事件直後の記憶があちこち穴だらけのせいもあるだろうが、ブルースの立ち居ふるまいによるところも大きい気がした。

今見ればこれほど存在感のある男なのに、サンダーソン一家につき従って立ち働く彼は、まるで影のように静かだった。そればかりか、昨日からの旅でも、食事をしに車を降りるたびにどこかへ姿を消してしまう。あたりに店が一軒しかない時だけは一緒に入り、リチャードから勧められれば同じテーブルにもつくものの、口をきこうとはしなかった。

一人でいるのがよほど好きなのだろうか、と、初めのうち真冬は思っていた。それとも、単に無口なだけだろうか。たまに後ろの席から話しかけてもろくに返事をしてもらえないので、内心不思議に思っていると、今朝だったかマイケルが言った。

「じつは、彼はインディアンの部族の出身でね。僕たちとは違う言葉を話すのさ。ただし、こっちの言う意味はよくわかってるから、うかつに悪口なんか言わないほうがいいと思うよ」

「マイケル」

やや強い口調でリチャードがたしなめ、真冬は車の中の空気が微妙に張りつめたのを感じ取ったが、バックミラーの中のブルースはただ、唇の片端を皮肉っぽく引き上げただけだった。


ティムと一緒に入るお湯は当然ぬるいし、自分の体さえ洗うひまがない。ゆっくり温まって疲れをほぐすなど論外だ。世の中の母親たちみんなが、こういう手間や慌ただしさからくるストレスに耐えているのだとすると、尊敬しないではいられない。

ふだんと違う生活に興奮していたとみえて、ようやくティムが寝入ってくれた頃には十一時をまわっていた。隣で添い寝している真冬が身動きすると、彼は何か寝言を言いながらぎゅうっとしがみついてきた。

体の奥底から、叫び出したいほどのせつなさが突き上げてきた。身をよじりそうになるのをぐっとこらえる。ラリーを失った今、自分が生きているのは、この子をこれ以上不幸にしないというただそれだけのためだと思った。本当に、心の底からそう思った。この子が哀《あわ》れだからとか、預かった以上は責任があるとか、ラリーの忘れ形見だからとか、それらは、今となってはどれもささいな理由のひとつに過ぎない。真冬にとってティムはいつしか、共通の戦場をくぐり抜けてきた戦友のような存在になっていた。どちらも母親からうとまれて育ち、人を愛するための方法を危うく見失いそうになり、ようやくそれを取り戻しかけたかと思えば、一番大切な人に置いて行かれたのだ。

　ふと、ニューヨークを発《た》つ朝、ルーシィがまじめな顔で言った言葉が思い起こされた。アパートメントの前にドングやサンドラと一緒に見送りに出てくれたルーシィは、真冬が預けた猫のスノーブーツを胸に抱いてこう言ったのだった。

「ねえマフィ、覚えておいて。あんたの人生はこれで終わったわけじゃないんだよ。あんたがそんなふうに思ってるとしたら、あたしたちはすごく悲しい。今はきっと、目の前が真っ暗で何も考えられないだろうけど、お願い、これだけは忘れないで。あたしたち三人がここで、あんたを待ってるってこと。夏休みじゅう向こうでゆっくり静養してくるならそれでもいい。でも、あんたが帰ってくるところはここなんだからね」

　そして、抱いていた猫をまるで砂袋を渡すようにドングに押しつけると、真冬の首っ玉に腕をまわした。

「もしもおじいちゃんたちがティムを引き取るって言ったら、変に意地はるんじゃないのよ。

あの子にとっても、そのほうが幸せかもしれないんだから」

真冬は、胸に抱きつくようにして眠っているティムの寝顔をのぞきこんだ。黒い髪に、赤銅色《しゃくどういろ》の肌。もう二十年ほどたてば、この子もブルースのような寡黙《かもく》で屈強な若者に育つのだろうか。とても想像できない。

ティムの頭のてっぺんにうず巻く小さなつむじに、真冬はそっとキスをした。

だしぬけに、記憶の一部がよみがえった。

ラリーの死んだあの日の夜……。確か自分も、ちょうど今のティムと同じように、隣にいる誰かにしがみついて眠りに落ちたのだ。あれは――あれは、マイケルだった。

頬が火照《ほて》って、心臓があばれだす。

マイケルは家族とともに警察へ駆けつけ（そういえばあの場にブルースの姿もあったような気がする）、事情聴取が終わったあとは、取り乱している母親や妹を父のもとに残してまで、彼女を送り届けてくれた。家ではなく、ラリーの部屋にしてほしいと彼女は頼んだ。ティムはすでにルーシィたちが迎えに来て、警察からチェルシーの家へ連れて帰ってくれていたのだが、あの時はどうしてもそこへ帰りたくなかった。一人になりたかったのだ。

ラリーのアパートメントに着くと、マイケルは、真冬が血のついたドレスを脱いでシャワーを浴び終わるまで待っていてくれた。そして、出てきた彼女に水の入ったグラスと睡眠薬の錠剤をさしだした。飲みたくないと言っても許してくれなかった。

強引にベッドに押し込まれ、やがて訪れた浅い眠りの淵《ふち》から真冬が叫び声を上げて飛び起きようとすると、驚いたことに彼はまだそばにいて、暗闇《くらやみ》の中であやすように何かつぶやきながら抱きしめてくれた。おかげで真冬は、まるで父親の膝に抱かれた昔のように安らいで、もう一度眠りに落ちることができたのだった。

ラリーに抱きしめられている夢を見た。再びの眠りはあまりにも安らかで深く、長かった。翌朝遅く一人で目覚めた時、彼女は悲しみよりも、自己嫌悪とラリーへの申し訳なさのために泣いたほどだった。

——どうしてこんな大事なことを忘れていたのだろう。抜け落ちた記憶は徐々に戻るものだよ、とジャクソン医師は言っていたけれど、もしかすると他にももっと重大な何かを忘れてしまったまま、忘れたことにも気づかずにいるのではないだろうか。

マイケルにはまだあの時のお礼も言っていない。恩知らずな女だと思われているかもしれない。

真冬はティムの手を注意深くふとんの中に入れ、そろそろとベッドから抜け出した。スタンドの豆電球だけを残して他を消すと、寝室を出てドアを静かに閉めた。

大きく息をつき、居間のソファに腰をおろす。ようやくゆっくりと部屋を見まわす余裕ができた。

オクラホマシティで最も高いホテルであることは、まず間違いなかった。南側の窓一面をおおうシックな花柄のカーテンは電動開閉式で、ソファもクッションも、それに天蓋《てんがい》つきベッドのスプレッドやヘッドボードに至るまで、すべて同じ柄で統一されている。毛足の長いカーペットにはシミひとつなく、大きなテレビはチーク材のキャビネットにおさめられており、暖炉をかたどった大理石のコンソールの上に白いカサブランカ・リリーがたっぷりと生けられて、ソファの前のガラステーブルにも美しい花や品のいい写真集が置かれていた。ティムを風呂《ふろ》にいれてやったあと真冬がはおったバスローブは、タオル類と同じく、金の糸でホテルの紋章が縫いとられた上質のものだった。

ゆうべも今夜も、来る途中にもっと安いモーテルはいくらでもあったのだ。チェーン展開しているホリディ・インなどは、ここの十分の一の値段で、普通のホテルと変わらないほど小ぎれいな部屋を提供してくれる。しかし、真冬以外の誰も、締まり屋のマイケルでさえも、その手の建物には見向きもしないのだった。問題外というわけだ。

真冬は手を伸ばし、ウェルカム・フルーツの盛られたカゴからオレンジをひとつ取った。果物なら何とかのどを通りそうだった。

あいかわらず食欲だけは旺盛《おうせい》なティムと違って、彼女のほうは夕食をほとんど残してしまった。無理をしてでももっと食べるようにとリチャードは言ってくれたが、そういう彼自身もあらかた残しているので、あまり説得力はなかった。

オレンジの艶《つや》やかな皮に爪《つめ》を立てたと同時に、みずみずしい香りがほとばしって鼻腔《びこう》を刺激する。ひと房を口に入れ、舌の根にゆきわたる痛いような甘酸っぱさに眉《まゆ》を寄せながら、向かい側のソファをぼんやり眺めた。フロントで部屋を申し込んだ時のちょっとした出来事が、頭の隅にまだ引っかかっていた。

客室係と話したのはマイケルだった。彼は少しだけ迷ったものの、真冬とティムのためにスイートを選び、父親と自分にはキングサイズのベッドのツインルームを申し込んで、以上だと言った。そこへ、横からリチャードが口をはさんだのだ。もうひとつ、シングルでいいから部屋を頼む、と。

マイケルは父親に向き直って文句を言おうとしたが、その後ろに立っていた真冬と視線があったとたんに思いとどまったらしく、憮然《ぶぜん》とした表情で黙ってしまった。

もしあの場でリチャードが口を出さなかったら？　と真冬は考えた。ブルースはどこに泊まることになっていたのだろう。それこそホリディ・インか、あるいはもっと安いところだったに違いない。でも、なぜ？　使用人まで一流ホテルに泊めてやる必要はないと考えたのだろうか。それとも、牧場の上下関係とは、本来そんなふうに厳しく区別されているものなのだろうか。

一番考えたくないのは、マイケルが、白人でないブルースを差別しているという可能性だった。

マイケルの口から聞かされるまで、真冬はブルースがネイティヴ・アメリカンだということに気がつかなかった。何せサングラスばかりしているので顔だちはよくわからないし、赤銅色をした肌にしても、外で働く仕事だけあってずいぶん日に灼けているなと思っただけだったのだ。しかしなるほど、そのつもりで横顔をよく見れば、高い頬骨やがっしりと張ったあごなどが特徴的といえる気もした。

ブルースという男からは、一種特別な荒々しさや激しさが発散されているように感じられた。けれどそれが、実際に彼がそう感じさせる何かを内に秘めているからなのか、それともただ自分が無意識に西部劇のインディアン像に影響されているせいなのか、真冬にはどちらともわからなかった。どちらにしても、積極的に親しくなりたい人物ではないというのが正直なところだった。もちろん、彼の肌の色には関係なく。

オレンジをまるまる一個食べ終わると、思ったより空腹だったことに気づいた。真冬はカゴから洋梨を取って立ち上がり、冷蔵庫の上にあった果物ナイフを持ってバスルームへ向かった。物音でティムを起こさないようにバスルームのドアを閉めると、梨をていねいに洗ってから皮をむき始めた。とろりと柔らかく熟した果肉をナイフでこそぎ取って、口いっぱいに頬ばる。

と、鏡に映った自分の姿が目に入った。

甘い果汁が唇をぬらし、手からも滴《したた》っている。

その姿を、しらじらとした天井灯が照らしている。

真冬はナイフをそこへ投げ出し、かけらを吐き出して口をゆすいだ。洗面ボウルの底にとぐろを巻いていた皮と一緒に、残った梨をごみ箱に捨て、ナイフを洗う。その間じゅうずっと、彼女は唇が白くなるほどかみしめていた。

急に空腹でなくなったわけではない。リチャードたちの前では食欲がないと言っておきながら、無意識のうちにこうして後から必要なぶんを補っている自分に吐き気がしただけだ。

ラリーの後を追ってすぐにでも死ぬつもりがないのなら、出された夕食くらいきちんと食べればいいのだ。それを、夜中に一人になってから、ネズミのようにコソコソと果物なんかかじっているなんて。

手当たりしだいにそのへんの物を投げつけたいという衝動を、真冬はかろうじてこらえた。何度かゆっくりと深呼吸をして気をとり直し、バスタブに熱い湯を落とし始める。洗い終わったナイフをハンドタオルでぬぐい、ついでにそのタオルでみるみる曇っていく鏡を拭《ふ》きながら、できるだけ手早く薄化粧を落とした。

バスローブを脱いでドアの内側のフックにかけ、裸で便器に腰かけた、その時だった。前ぶれもなしに、どっと涙があふれた。

まずいと思った時にはもう手遅れで、真冬は嗚咽《おえつ》をこらえることもできずに声をあげて泣き出した。かたわらのロールペーパーを引きちぎって鼻をかみ、かんではまた泣く。

水を流して立ち上がり、いじめられた子供のようにおぅおぅ泣きながらバスタブをまたぐと、すでに半ばまでたまっていたお湯の栓を抜き、シャワーの水の蛇口だけをひねって顔面に浴びた。足を浸しているお湯が全部流れ出てしまった後は、ふり注《そそ》ぐ水のあまりの冷たさに全身にぶつぶつと鳥肌が立ち、やがて歯の根が合わなくなり、心臓がちぢむほど凍えて、おかげで泣いているどころではなくなった。

なおもしばらくそうしていた後、ようやく涙を封じ込めることに成功すると、真冬はいったんバスタブを出て、再び熱い湯を満たした。凍るような足の先から入り、今度こそゆっくりと浸かる。萎縮《いしゅく》しきった細胞が、じわじわと生き返るのがわかった。

バスタブのふちに頭をもたせかけて、目を閉じる。

あんなに冷やしてやったというのに、まぶたの裏はまだひどく熱かった。あふれることを禁じられた溶岩が、奥底で沸騰しているかのように。

10

テキサスを過ぎ、午後になってニューメキシコ州に入ったあたりから、風景ががらりと変わった。視界はさらにひらけたかわりに、緑がめっきり少なくなった。

砂ぼこりの舞う赤い荒野の果てに、テーブル状の岩山がうっそりと姿を現す。長い時間と距離を走ったのちに、その岩山が後方へ去っていくと、またしてもよく似た岩山が見えてくる。それらの光景のはるか彼方にゆっくりと見え隠れするのは、アメリカ大陸の背骨・ロッキー山脈の稜線《りょうせん》だ。万年雪をいただく尾根は霞《かすみ》にけぶって、時おり雲の峰と区別がつかなくなる。

今までの人生で、真冬は、これほど大きな風景の中に身を置いた経験がなかった。

『人の目は顔の前面についている、ゆえに対象物との距離を測ることができる』——生物学の授業でそんなふうに聞かされた覚えがある。だが、その常識が通用するのは、都会のような閉ざされた空間に限られるのではないかと彼女は思った。あたりがこうまで茫漠《ぼうばく》とひらけきっていると、人の持つ既成の物差しなどどこかへ消し飛んでしまう。右も左も上も下も、どちらがどちらかわからなくなり、遠くに見えているはずの岩山がふいに手の届くほど近くに感じられたかと思えば、自分自身がぽっかりと岩山の上に浮かんでいるようにさえ錯覚する。これほどの広がりの中にあって、砂粒ひとつほどにちっぽけな人間。そんな人間の中の、いったい何を基準にして、何を測れるというのだろう。海の水を耳かきでかい出そうとするようなものだ。

真冬はうつむいて、こめかみの両側をもんだ。

「頭痛かい？」とマイケルが言った。「風邪でもひいたかな」

「そうじゃないの。地平線を見ていたら、めまいがしてきただけ」真冬は、ふう、とため息をついた。「驚いたわ。あなたやラリーは、小さい頃からこういう風景を見て育ってきたのね」

「きみは、こっちのほうに来るのは初めて？」

「ええ。……ねえマイケル、なんだか不思議だと思わない？　育ってきた環境がこんなに違っても、私たちは似たようなことを考えたり、同じように感じたりするのね」

「そうか。そうだね。嬉《うれ》しければ笑って、悲しければ泣くもんな」

「………」

「どうした?」

「あ、ううん。何でもないのよ」

なるほど、人は嬉しければ笑って、悲しければ泣く。世界広しといえども、この反応が逆の民族はたぶんいない。

けれど、と真冬は思った。これからの自分はどうだろう。この先ちょっとやそっと悲しいことがあっても、もう泣くことはできないような気がする。心臓のまわりが象の皮膚のような分厚く硬いものでおおわれて、痛みを感じるすべての神経が鈍麻してしまったように思えた。ラリーを思い出してなら、まだいくらでも泣ける。だが、その涙を封印すると決めた以上、同じかそれ以上に悲しいことが起こらない限り、泣けるはずがない。ましてや、いつか再び心から笑える日が来るなど、想像もつかなかった。

かたわらのバッグからティッシュを出し、膝枕で眠っているティムのよだれを拭いてやる。彼はまた何か意味不明の寝言を言って、すぐに夢の中へ戻っていった。

と、その時、バサッという音が真冬のシートの右下あたりで聞こえた。

「いまの何?」

「紙袋でも轢《ひ》いたんじゃないか?」とマイケル。

「そうかしら……あ、ほらまた」

バサッ……ボクッ……バコッ……と、今度は断続して聞こえ始めた。

ブルースがゆっくりとブレーキを踏みこみ、スピードメーターがみるみる時速五十マイルに、さらには四十マイルに下がっていく。

ガタン！　と車体が揺れてマイケルがわっと叫び、その声に助手席のリチャードが目を覚ました。車はぐらぐら尻を振り始めた。膝の上のティムが寝ぼけまなこで真冬にしがみつき、大きく揺れた勢いでマイケルが真冬たちの上にのしかかりそうになって慌てて窓ガラスに手をつく。ブルースは舌打ちをしてハンドルを切り、ブレーキを踏みこんだ。けたたましいクラクションがクレッシェンドしながら後ろから迫ってくる。真冬はとっさにティムの耳を手でふさいだ。すぐ脇をロングボディのトレーラーが轟音《ごうおん》とともにすり抜けていく。風圧にあおられ、ダッジは路側帯のガードレールに右腹をこすりつけそうになり、真冬がティムを抱えこんで目をつぶる寸前、ブルースが大きくハンドルを切って間一髪切り抜けた。

なおも二、三度よろめいた末に、どうにか立ち直った。スピードをようやく落としきった頃には、全員が冷や汗にまみれていた。

右後ろのタイヤからは、路面に落ちた砂利の感触までガタガタと伝わってくる。

しがみついたままのティムに、真冬は低くささやいた。

「大丈夫よ、ティム」

彼が泣き声をもらす。

「よしよし、大丈夫。ほら、お外見てごらん。何ともないでしょう？」

なだめるように言い聞かせて、胸に抱きしめる。自分も震えているのを気づかれまいと、彼女はティムを揺するようにしてあやした。

後ろから来る車に何度もクラクションを鳴らされる中、ブルースは、一番右側の車線の路肩にゆっくりダッジを寄せていき、ハザードランプを点滅させながらガードレールぎりぎりに停《と》めた。ギアを押し込んでサイドブレーキを引くと、ハンドルにぐったりと覆いかぶさった。フーッと長い息を吐く。紺のTシャツの背中や脇に汗がしみこんで、大きなしみを作っていた。

「あの……」真冬は後ろから声をかけた。「ありがとう」

ブルースはいぶかしげな顔でふり向いた。また黙殺されるのかと思うほどの間があった後、怒ったような口調で短く言った。

「なぜ」

思いがけない返答に鼻白《はなじろ》みながらも、真冬は何とかサングラスの奥を見つめ返した。

「だって、助かったのはあなたのおかげだもの」

「…………」

何の反応も示さないまま、ブルースは前に向き直った。石像なみの無表情さだ。サイドミラーを確認してからドアを開け、彼は外に降り立って車の後方へまわっていった。パンクしたタイヤを調べ、後ろを開けてジャッキとスペアタイヤを取り出している。

「マイケル」真冬はおずおずと言った。「私たち、手伝わなくていいの？」

「ほっとけばいいさ」

「でも……」

「出発前にもっとしっかり点検しておけば、十中八九、未然に防げたはずなんだ。礼なんか言ってやることはないのに、マフィ。このこと自体あいつの責任だよ」

真冬は口をつぐんだ。マイケルという人がよくわからなくなってしまった。家族に対しても、そして彼女やティムにまでもじつに細やかで優しい心づかいを示してくれるのに、ブルースへの、この見下すような態度はどういうわけだろう。

運転席に戻ってきたブルースが、キーを回してエンジンを切った。静かになったとたんに、脇を通り過ぎていく他の車の音が急に大きく聞こえる。

「わしらも降りようか？」

と訊いたリチャードに、低い声がぼそりと答えた。

「ノー」

しばらくシートの下で金属音がしていたかと思うと、やがて、右に傾いていた車体がギッギッと持ち上がり始めた。

「マイケル」リチャードがふり返った時、真冬は次の言葉をはっきり予測した。「降りて、手伝ってやれ」

「だけど、」

「パンクは彼のせいだと、このわしにまで言うつもりか？」

「…………」

父親に聞こえないほど小さく舌打ちをして、マイケルは、後続車の来ない時を見計らって降りていった。

　真冬はリアウィンドウ越しに後ろを眺めやった。ずっと後方の道路の上に、まるで動物の死体のように、ちぎれたタイヤの黒い残骸《ざんがい》が転がっているのが見える。へたをすれば今ごろはみんな死んでいたかもしれないのだ。自分のせいだと思いこむな、とラリーは言い遺してくれたが、それはとても難しい注文だった。

　と、リチャードが激しく咳《せ》きこんだ。

「苦しいんですか？」

　思わず身をのりだして聞くと、彼は違うというふうに手をふった。

「お水、飲まれます？」

　なおも咳きこみながらうなずいている。

　真冬が膝からおろそうとしたとたん、ティムは案の定しがみついてきた。

「ティム、お願い。おじいちゃん《グランパ》にお水あげなきゃ！」

　せっぱつまった声に驚いたように、ティムは手をはなした。彼を隣に座らせておいて、真冬は足もとに置いてあるクーラーボックスのふたを開け、氷を詰めたビニール袋をかきわけてミネラルウォーターのプラスチックボトルを取り出した。濡れたままシールをねじ切り、台所洗剤と同じ作りの注ぎ口を引き上げてリチャードにさしだす。

「いま、拭くものを」

　咳《せき》のあいまに、「いや、いい」と答え、彼はボトルに口をつけて飲んだ。少しむせ、飲みにくかったのか、キャップごとはずす。再び口をつけて何度かのどを鳴らし、やがて大きく息をついた。

真冬はペーパータオルをわたした。

「ああ、すまないな」

彼は口もとをぬぐい、ボトルから滴るしずくと手を拭いた。

右側の窓の外では、スパナを持ったブルースが立ったり座ったりしている。かがみこんで作業をする彼の後ろに立って、マイケルは苛々《いらいら》とそれを見ていた。後ろから来る車のほとんどが、近づくとスピードを落とし、何事かと好奇の目でのぞきこんでいく。車高の高いダッジは、風にあおられて時おりゆさゆさと揺れた。

「えらい目にあったもんだ」とリチャードは言った。「明日には着くというところまで来てな」

「心臓のほうは、苦しくありませんか？」

「止まる寸前までいったよ」

「えっ」

青くなった真冬を見て、リチャードは目もとをなごませた。

「お前さんだってそうだったろう？」

真冬は一瞬ぽかんとし、それから気が抜けたあまりにがっくりと肩を落とした。

「いやだわ、もう。おどかさないで下さい」

リチャードは、疲れたように笑った。元どおりにキャップをはめたボトルを彼が返そうとすると、ティムがシートからすべりおりて手をのばした。

「お前も飲むのか?」

こくんとうなずく。

リチャードはキャップを引き上げてティムに手渡してやり、孫がおそるおそるボトルを傾けて飲むのを眺めながらつぶやいた。

「グランパ、か」

「あ。ごめんなさい、お気にさわったのなら、」

「いや、そうじゃない」とリチャードは言った。「むしろ、その反対だよ」

ようやくボトルから口をはなして息を荒くしているティムの頭に、リチャードは分厚くて大きな手をおいた。

「なあ、マフィ」

「はい?」

「気を悪くせんで聞いてくれ」

真冬は、膝の上で両手をそろえた。「はい」

「お前さん、あいつから――ラリーのやつから、前の女房のことはどの程度まで聞かされていた?」

「……たぶん、だいたいのことは」

「いま彼女が、どこでどうしているか知っているかね？」

「たしかフロリダに住んでいると聞きましたけれど」

「駆け落ちした男と一緒にか？」

「さあ、そこまではちょっと」

「ふむ」リチャードはため息をついた。「おおかたこれも聞かされていたと思うが……ラリーは、前の女房に逃げられてからというもの、わしらのところには寄りつかんかった。小さい子をかかえて苦労もしたろうにな」

真冬は、黙ってうつむいていた。ラジエーターの冷えていく音がカチッ……カチッ……と響き、それがだんだんと間遠《まどお》になる。

「わしらがそうさせてしまったのさ」と、リチャードは続けた。「ラリーもあれでなかなか強情なやつだが、わしらがもし最初からイヴリンをもっと温かく迎えてやっていたら、あいつも後であれほど意地を張らないですんだだろうよ」

「でも、ミスター……」

「リチャードでいい」

「リチャード」真冬は目を上げて言った。「あのひとは、あなたがたを悪く言ったことなんてありませんでしたわ。ときどき、家族のことや自分の育った牧場のことを話して聞かせてくれましたけど、そんな時の彼はいつもリラックスしていて、聞いている私まで懐かしいような、せつないような気持ちになりました。私、彼から、幸せな思い出しか話してもらってません」

義父は微笑した。

「あんたは優しい人だな、マフィ」

「本当のことをお話ししただけです」

「それに、気丈だ」

「…………」

「西部育ちのじゃじゃ馬でも、なかなかそうはいかん」

真冬は微笑を返した。

「もう、一生ぶん泣いてしまいましたもの。涙なんてとっくに涸《か》れて、一滴も残っていませんよ」

「あきらめることはないさ。いつかまた笑えるようになれば、涙も蓄《たくわ》えられていくものだよ」

まるで、さっきまで考えていたことを見透かされたかのようだ。

「そんな日が来るんでしょうか」

「来るさ。時間はかかるだろうが、きっと来る」

「でも……。とてもそうは思えないんです」

「信じなさい、マフィ。わしは、愛する者を失うことには慣れてるんだ」

ブルースがタイヤをはずそうとしているところだった。マイケルが仏頂面《ぶっちょうづら》で手を貸している。

「わしの人生は、失うことの連続だったと言ってもいい」窓の外の二人を見つめながらリチャードは言った。「そのわしが言うんだから、間違いないよ。……あー、ところで、そんなに飲ませていいのかね？」

ティムがボトルの水をあらかた飲みほそうとしているのにようやく気づいて、真冬は慌ててそれを押し止めた。

「あららららら、ティーム。そんなに飲むと、せっせとおしっこに通わなきゃならないわよ。ほら、かして。あとでまたのどが渇いたら、いつでも出してあげるから。ね？」

受け取ってキャップを押し込み、クーラーボックスにしまう。顔を上げると、リチャードのブルーアイズに出合った。

「その子がそんなふうなのは、いつからだね」

そんなふう、というのが何のことかはすぐにわかった。食事に入るといつも、ティムは皿の上のものをありったけ口に詰めこんだうえで、ジュースを最後の一滴まですすり、真冬が残したパンまでもこっそりポケットに入れようとする。その様子をいぶかしげに見ながらも、今までは誰もが遠慮して、詳しく訊こうとしなかったのだ。

真冬がためらっていると、リチャードは言った。

「イヴリンに関係のあることか？」

真冬はびっくりした。

「どうしてそれを」

「ただの勘さ。だが、やはりそうなんだね？」

「私……彼女を悪く言いたくなくて」

「わかっているよ。わしはただ、事実を知りたいだけだ」

風で吹きつけられた砂が車にあたって、チリチリと小さな金属音をたてている。

スペアのタイヤがはめこまれ、ナットがひとつひとつ入念に締められていくのを聞きながら、真冬はことのいきさつを手短に話した。感情的に聞こえかねない言葉はできるだけ避け、事実だけを客観的に述べるようにつとめた。イヴリンだけでなく、アンドリュー・ビスティの一件をも話すと、リチャードの眉根に深いしわが刻まれた。

「いまだに、その男に教えられたことをしてみせる時があるんです」と、真冬は言った。「たいていの場合は、大人の機嫌を取ろうとして」

「そういう時はどう対処してるね？」

「叱《しか》らないようにしています。なるべく無視するように。ラリーは言うん……言ったんです。無理にやめさせようとしてへたに叱ると、今度は性を悪いものとして考えるようになっても困るから、そっとしておこうって」

「なるほど。まあ正しいだろうな」

「虐待されて育った子供が食べ物に執着するのは、お乳を吸っていた赤ん坊の頃の記憶と関係があるんだそうです」と、彼女は説明した。「赤ん坊はお乳を飲むことによって満たされますし、それがそのまま、親から愛される満足感にもつながっています。つまり、親を信じられなくなった子供は、手に入らない愛情のかわりに、食べ物を口に入れることで心を満たそうとするんです。……そのへんはぜんぶ本からの受け売りですけれど、当たっていると思いますわ。食べ物はいつでも満足を約束してくれますし、人間のように裏切ったりしませんもの」

「つまり、この子もそうだと？」

「ええ、たぶん」

「あんたがこんなに世話してやっても、まだ愛情に飢えていると言うのかね？」

真冬は、持って来たおもちゃをシートの上で散らかしているティムを見やった。

「きっと、まだまだ足りないんでしょう。私では力不足なのかもしれません。それなのに、とうとう父親までいなくなってしまって……」

「ふむ。ところで、もしイヴリンがその子を返してほしいと言ってきたら、あんたはどうするね？」

真冬は、眉をひそめて義父をふり返った。

「ご冗談でしょう？　離婚したイヴリンにそんな権利が……」

「権利は、ある」とリチャードは言った。「ラリーとは別れても、イヴリンがティムの母親であることには変わりがないのだからな。第一の親権《しんけん》は彼女にあるんだ」

真冬は茫然《ぼうぜん》とした。そんな可能性など、考えてもみなかった。

ラリーが死んでしまった今となっては、イヴリンがティムを虐待していた事実を直接知っている人間はいない。証拠ももちろんない。もしも向こうが親権を申し立て、話し合いがつかずに裁判にでもなれば……ティムを手放さなければならないのはこちらのほうかもしれない。

真冬はティムに手を伸ばし、その細い肩を抱き寄せた。

「イヴリンに……確かめてごらんになるおつもりですか?」

それには答えようとせず、リチャードは言った。

「あんたとしては、その子をどうしたいんだ?」

彼女が答えようとする前に、車体がスーッと下がってジャッキがはずされた。ブルースがダッジの後ろを開け、取りはずしたタイヤを積み込む。タイヤは、路面と接触する部分だけがドーナツ状にちぎれ飛んでしまっていた。

マイケルが隣に戻ってきた。真冬は、彼と、後ろを閉めて運転席に乗り込んだブルースとに水で濡らしたペーパータオルを渡したが、礼を言ったのはもちろんマイケルだけだった。

「どこかで、タイヤを普通のに履き替えたほうがよさそうだな」

と、汚れた手を拭きながらマイケルは言った。

「普通のって?」

「今つけたスペアはほら、ひとまわり小さいやつだから」

「まだ先は長いぞ」とリチャード。「替えておいたほうがいい。何かあったら、今度こそ身動きが取れなくなる」

「だから、替えるって言ってるだろ」

と、不機嫌そうにマイケルは言った。

結局ブルースは、インターステイトを下りてすぐの整備工場に車を乗り入れた。従業員がタイヤを新しいものと交換している間に、マイケルは主任にかけ合い、相手の顔がこれ以上はないほど渋くなるまで値切った。

背もたれのない椅子がいくつか置かれただけの休憩所で、マイケルはセルフサービスの薄いコーヒーを入れた紙コップを真冬に手わたした。壁は古びて汚れていたが、冷房だけはきりきりと効《き》いている。

午後四時にして、外はまだ真昼のように暑い。夏のこの時期、陽《ひ》が落ちてあたりが暗くなり始めるのは夜九時も近くなってからだ。

ブルースは作業場の向こうの隅で腕組みをし、相変わらず黙りこくって整備員の仕事ぶりを眺めている。リチャードは、ティムの手を引いて前庭を散歩していた。こうして見る限り、どこにでもいるおじいちゃんと孫との幸福な風景だった。

「牧場の財政は、あなたが預かっているの？」と、真冬は訊いてみた。

「すべてを一任されてるってわけじゃないさ。僕は信用がないから」

「まさか」

「いや、そうなんだ、実際」マイケルはちらりと複雑な笑いを浮かべた。「昔は、親父の弟が……つまり僕の叔父が、経営や経理を一手に引き受けていた。親父のほうは何せ、自分で体を動かすほうが好きな人間だからね。地面を歩いてるより馬の背中にいるほうが長いような人生さ。大ざっぱっていうか、帳面の上での一桁《けた》や二桁の違いには興味がないんだよ。でも、叔父が亡くなって、その後すぐに親父もあんな体になってしまっただろ？　それで僕が、せめて経営面のほうだけでも引き継ぐことになったってわけさ。ああ、そういえば確かきみも、経営学をやってるんだっけ？」

「ええ」

「じゃ、いろいろ教えてもらわなきゃな」

「いい考えだわ。牧場をつぶしたいのなら」

　マイケルは笑った。「まあ今のところ、困った時には兄貴が相談に乗ってくれてるし」

「……え？」

「あ」

　気まずそうに目をそらせて、マイケルは舌打ちをした。

「ったく、何を言ってるんだろうな、僕は。ごめん」

「ううん。気にしないで」

　真冬はコーヒーを飲むふりをして、まつげを伏せた。

「じつを言うとね、マフィ」彼の声はいつもより低かった。「僕にはまだ、兄貴が死んだってことがうまく納得できないんだ。あの部屋に電話をかけさえすれば今でも、ひょっこり受話器を取ってくれそうな気がする」

「よくわかるわ」

「きみもそう?」

「ええ。ぼんやりしていると、何かの拍子にふりむいて、『ねえラリー?』って言ってしまいそうになるの。寸前でハッと気がつくたびに、ばかねえ、あのひとはもういないのよって自分に言い聞かせるんだけど、しばらくするとまた同じことしそうになる。ぜんぜんだめ。慣れないわ」

「まだ、十日にもならないもんな」マイケルはくすりと鼻を鳴らし、真冬の手から紙コップを取った。「いいよ、こんなまずいの無理して飲まなくて」

目のやり場を奪われ、真冬は困って、ガラスの外を見やった。一瞬、向こうに立っているブルースがこちらを見ていたような気がしたが、彼はすぐに整備員のほうに向き直ってしまった。

「もしかするとさ」つぶやくように、マイケルは言った。「葬式ってやつは、こういう気持ちにふんぎりをつけるためにあるのかもしれないな」

「……そうね」

そうかもしれない、と真冬も思った。

黒い服に身を包んで、お祈りを聞いて、人々のすすり泣きに耳を傾けて——。あの儀式をすませれば、ラリーの死を受け止められるようになるのかもしれない。

棺《ひつぎ》のふたが閉められ、穴に降ろされるのをこの目で見てまで、納得しないわけにはいかないだろうから。

11

夢からさめると、ベッドの枕元に座ったティムが、真冬の肩を揺すっていた。何かあったのかとびっくりしたが、そうではなさそうだ。窓の外はもう朝で、今日も雲ひとつ見えなかった。

「どうしたの?」

寝起きのせいで声がかすれる。おなかでもすいたの? と続けそうになり、言葉をのみ込んだ。昨日の夜、リチャードに言われたばかりだった。ティムが自分からあまりしゃべろうとしないのは、まわりの大人がおせっかいな助け船ばかり出すせいではないか。惜しみなく愛情を注ぐことと過保護とは違うぞ、と。

真冬はひじをついて上半身を起こし、

「ん? どしたのかな?」

と、ティムの目をのぞきこんだ。

彼は小さな声で言った。

「マフィ、ないてた」

はっとなって顔にさわってみる。頬も目尻《めじり》も濡れていない。が、胸の奥にはたしかに、しめつけられるような痛みの名残りがあった。たった今まで見ていた夢のせいだろうか。よく思い出せないが、追いかけても追いかけても求める何かに手が届かない、そんな夢だった。

「それで起こしてくれたの？」

ティムは、ためらいがちにうなずいた。起こしたりしていいものかどうか、一人でずいぶん迷ったに違いない。

「あのね」真冬は彼の手をとった。「とっても怖い夢を見てたの」

「……おばけのゆめ？」

「そうよ。ありがとうね、ティム。怖いおばけから助けてくれて」

真冬が微笑《ほほえ》むと、彼はようやく安心したように笑った。

追われるように出発しないでいい朝は四日ぶりだった。ゆうべのうちにアルバカーキまでたどり着いたので、アリゾナとの州境まではあと一息だ。ホテルを十一時ごろ発《た》てば明るいうちに家に着くことができるだろうから、ゆっくり休むようにと、ゆうべリチャードは言ってくれた。彼自身、疲れがたまって限界に来ていたのかもしれないが、真冬にとってもありがたい休息だった。

夕方にはクレアやイライザの出迎えが待っている。何を言われても気に病まずに受け流す

ために は、結構な体力が必要になりそうだ。夫は無しで、姑《しゅうとめ》と小姑《こじゅうと》だけ有りだなんて、と彼女はため息をついた。ちょっとあんまりだわ。

食欲はなくても、ティムには食べさせなければならない。とりあえず眠気ざましに熱いシャワーを浴び、ティムにも椅子を踏み台にして自分で顔を洗わせ、それから二人で下のレストランへ行ってみた。たいした混雑だった。学校がいっせいに夏期休暇に入り、しかも、考えてみると今日は土曜日だ。

「しばらくお待ち頂くことになりますが」

と店員は言った。

「それじゃ、もう少し後で来てみるわ」

引き返そうとした時、ティムが、つないだ手を引っぱった。

「なあに？」

「………」

「どうしたの？」

「おなか、すいた」

真冬は困って立ち止まった。

部屋に戻ってルームサーヴィスでも頼むより他ないのだろうか。しかし、こういうホテルのそれは、あきれるほど高いに違いない。部屋代を払ってもらっているのに、そこまでは甘えたくなかった。リチャードは気にもとめないだろうが、マイケルはどうだかわからない。

かといって、自分で支払うのも痛い。

真冬は腕時計をのぞいて少し考え、ロビーから外を眺めやった。エントランスの斜め向かいに、ブルーの日よけテントが見えた。白い塗り壁とのコントラストが清潔な印象の、小さなカフェテリアだった。

「じゃあ、外に食べに行こっか」

「ん！」

ティムは喜んでぴょんぴょん飛びはねた。

道路を渡って店のドアを押し開けた真冬は、けれど、がっかりした。ここも同じように混んでいて、すぐに座れる席はなさそうだったからだ。

と、ティムがぱっと手をふりほどいて奥へ駆け込んだ。

「あ、待って！」

店員にぶつかりそうになって謝り、走って行くティムを慌てて追いかけると、彼は窓際のテーブルで新聞を読んでいる客のところでつんのめるように立ち止まった。

「だめでしょ、ティム」追いついた真冬は彼の両肩を押さえて客に向きなおった。「ごめんなさい、失礼しまし……。あら」

広げた新聞の向こうから見返していたのは、ブルースだった。とっさにわからなかったのは、サングラスをはずしていたせいだ。背にした窓の半ばまで降ろされたブラインドの隙間《すきま》から、強い光がさしこんで、白いテーブルクロスと彼の広げた新聞の上に縞《しま》模様を作っていた。

ウェイトレスが来て、

「お連れさま？」

とブルースに訊いた。彼が答えようとする前に、

「あの……ご一緒してもいいかしら」と真冬は言った。「他に席がないみたいなの」

ブルースは、あごで向かいの椅子を示した。座りたければ勝手に座ればいいだろうと言わんばかりの仕草だ。

「どうもありがとう」

それでも丁寧に礼を言い、ティムを座らせるために椅子を引こうとした時だ。まだ真冬が手を触れてもいないのに、椅子がひとりでにスス ッと動いた。ティムがびっくりして飛びのき、目を真ん丸に見ひらく。

真冬はちらっとブルースを見やった。彼はそしらぬ顔で新聞に目を落としたが、彼女が再び手をかけようとすると、椅子はまたスススと動いた。

「どうしよう、ティム」と真冬は言った。「この椅子、生きてるわ」

真冬と椅子とを見比べていたティムの表情が、急に電気がともったように明るくなり、彼はテーブルクロスの下にもぐりこんで叫んだ。

「みぃつけた！」顔を出して、人さし指でブルースをさす。「マフィ、このひとがおしてたんだよ。いすがいきてるんじゃないよ」

ブルースがニヤリと笑うと、ティムも声をたてて笑った。

意外だった。ティムがまとまったセンテンスを、しかも自分から話したことはもちろんだが、何より真冬は、ブルースにそんな茶目っ気があったことに驚いていた。

ティムを抱き上げて座らせ、自分も隣の椅子に座って、ウェイトレスにモーニングセットを二つ注文する。その間じゅうずっと、ブルースは小さくたたんだ新聞を読んで黙りこくっていた。向かい側の真冬からは、欄外に『ナヴァホ・タイムズ』とあるのだけがかろうじて読める。そんな新聞があるということさえ、彼女は知らなかった。本文は何語で書かれているのだろう。彼もナヴァホ族の出身なのだろうか。

よっぽど、この子もナヴァホの血筋なのよ、と話しかけてみようかと思ったが、やはり思いとどまった。ニューヨークでの経験から、彼女は、相手とよほど親しくならないかぎり人種に関する話題は持ち出すべきでないという教訓を学んでいた。特にブルースが英語をうまく話せない以上、シリアスな話題は避けたほうが無難というものだ。

彼を前に緊張している自分に気づいて、真冬は少し腹立たしく思った。きっと、いつものサングラスがないせいだ。無防備な素顔をさらしている彼は、まるでいま初めて会う相手のようだった。

決してハンサムとは言えない。が、醜男《ぶおとこ》というのとも違って、むしろ、荒削りというのに近い。鋭いノミで輪郭を刻んだ後、仕上げにヤスリをかけるのを省《はぶ》いた彫刻のようだ。

黒髪を無造作にかきあげた額は広く、頬骨が目立って高い。鼻のつけ根の骨が少し盛り上がっていて、全体はやや鷲鼻《わしばな》ぎみだった。しっかりとえらの張った頑丈そうなあごの真ん中で、薄い唇が一直線に結ばれている。そのすべてを支える首は、顔の幅と同じくらいに太かった。

こんな猛々《たけだけ》しい顔つきの人間と向かい合ったのは初めてだった。まだら馬にまたがってトマホークをふりまわす戦士の役が似合いそうだなどと、つい思ってしまってから、真冬は反省した。この手の思考回路が、やはり自分の中にも潜《ひそ》んでいたかと思うと情けなかった。インディアン……いや、ネイティヴ・アメリカンたちのほとんどはもう、頭に羽根飾りもつけていなければ、テントや伝統の住居に住んでもいない。もちろん顔に模様を描きもしないし、裸で馬に乗って雄叫《おたけ》びをあげたりもしていない。居留地全体としては貧しいにしろ、暮らしの形式はもう白人たちと変わらない。――それくらいのことは常識として充分知っているはずなのに、実際にブルースを前にすると、どうしてこんなくだらない連想しかできないのだろう。

どうにも落ち着かなくて、真冬は、ティムのシャツの襟を直してやるふりをしたり、乱れてもいない髪をとかしつけてやったりした。何をしようが、ブルースはまったく知らん顔だった。

新聞を持つ彼の手首には、幅広の銀の腕輪がはまっている。色合いの異なるトルコ石がいくつかあしらわれた凝《こ》った細工ものだ。真冬は、前に入ったことのある、五番街のインディアン・ジュエリーの店を思い出した。あそこでだったら、きっと数百ドルはするだろう。店の女性は確か、トルコ石には魔除《まよ》けの意味があるのだと言っていた。彼の赤銅色の肌に、鮮やかな青い石はよく似合っていた。

　他にすることもなくなると、真冬は、テーブルの真ん中に気まずさの塊がのっているような気がし始めた。キッチンが忙しいのか、料理はまだ運ばれてこない。まわりのテーブルの人々がにぎやかに談笑しているだけに、よけいに沈黙に耐えきれなくなって、彼女はとうとう口をひらいた。

「あの……」

　ブルースはちらっと目を上げたが、彼女が、

「今日も暑くなりそうね」

と続けたとたん、案の定、いつものように肩をすくめただけで新聞に戻ってしまった。

なによ、と真冬は思った。確かに、どうでもいいようなことを持ち出した私もばかだったわよ。だけど、言ってることが理解できるなら、せめて相づちくらい打ってくれてもいいじゃないの、へるもんじゃなし。

　もしかするとこの男は、とんでもなく傲岸不遜《ごうがんふそん》なタイプなのかもしれない。こんなことなら相席なんて頼まなければよかった、そう思い始めた頃、ブルースの注文したセットが先に来た。

　ウェイトレスが、彼の前にベーコンエッグの皿を置こうとした時だ。

「ああ、その子に先にやってくれ」

真冬は、あっけにとられてブルースを凝視した。

「それから、何かフレッシュジュースも頼む」

訛《なま》りのかけらもない、なめらかな英語。発音やイントネーションは、完全にネイティヴ・スピーカーのものだ。

制服の胸に『バーバラ』と名札をつけた赤毛のウェイトレスは、クリームスープのカップをティムの前に置きながら、ブルースに向かってにっこりした。

「オレンジジュースはどうかしら？」

「ああ、いいね」

「オーケー」最後にサラダを置き、「はい坊や、たくさん召し上がれ」真冬にも微笑みかけて、バーバラは立ち去った。

真冬は、着ていたコットンのカーディガンを脱いでたたみ、ティムの尻の下にはさんで高くしてやった。紙ナプキンをティムの襟元にはさんで、ベーコンを小さく切り分けてやる。そうしながら、できるだけおだやかに言った。

「英語、話せるんじゃない」

一瞬けげんな顔をした後、彼は、鼻先で笑った。

「あんた、マイケルの言ったことを真に受けてたのか？　今の今まで？」

普通に話しているのにずいぶん声が低い。わずかにかすれて響くその声は、なぜか真冬の神経を苛《いら》立《だ》たせた。

「だって、疑うような理由がある?」

「俺たちを何だと思ってるんだ。未開の原始人か?」ばかにしたような口調で、彼は言った。「今どきのインディアンなら、よほどの年寄りでもない限りみんな英語をしゃべる。部族語を話せない若者はいても、英語が話せないなんてのは稀《まれ》さ。そのくらいのことは誰でも知ってると思ったがな」

「そのくらいのことなら、私だって知ってるわ」と、彼女は言い返した。「ただ、マイケルがわざわざあんなふうに言ったから……あなたには何か事情でもあるのかと思って信じてしまっただけよ」

「事情、ね」と、ブルースは言った。「貧しくて学校にも行けなかったとか? とんでもない僻地《へきち》で育ったとか?」

「誰もそんなこと言ってないじゃない。だいたい、あの時あなただって否定しなかったし、私と話をするどころか返事も……」

もっと言いつのろうとしたものの、ふいに、初めての会話で口論をしていることがばかばかしくなって、真冬はため息をついた。ティムは、二人などそっちのけで、一心にベーコンを口に運んでいる。椅子の上に立ち上がらんばかりの勢いだ。

「どうしてマイケルはあんなことを言ったのかしら」

「さあな。気のきいた冗談のつもりだったんだろうよ」ブルースは背もたれに寄りかかって太い腕を組んだ。「でなきゃ、あんたがよっぽどだましやすそうなお人好《ひとよ》しに見えたかのどっちかだな」

「そうかもしれないわね」真冬は、初めて真正面からブルースをにらんだ。「だけど、お人好しなのは罪かしら？　あなたこそ、どうしてそんなにつっかかるの？」

彼の瞳は、よく見ると黒ではなかった。光に背を向けているために黒っぽく見えるのだが、何色なのかはっきりしない。その目で真冬を見据えて、彼は言った。

「つっかかってるのはあんただぜ」

「最初はあなたが始めたのよ」

「そうだったかな」

「ねえ、私、何かあなたの気にさわるようなこと言った？」

「……べつに」

ブルースはそれきり押し黙ってしまった。

やがて運ばれてきたものを驚くべき速さでたいらげると、彼は席を立ち、ティムの頭をぽんとたたいて出ていった。真冬が自分で払うと言っているのに、勘定書きを無理やりむしり取って。

取り残された彼女は、何とか気を落ち着けて、油とソースで汚れたティムの口のまわりをふいてやった。

（つっかかってるのはあんただぜ）

認めるのも腹が立つが、彼の言うことにも一理はある。それでなくても食欲がわかないのに……と、何度目かのため息をつく。今朝ときたらもう、最悪だ。

「ゆっくりお食べなさいな、ティム」疲れた声で、真冬は言った。「あのおじさんみたいにガツガツ食べたりしたら、体に悪いんだからね」

「じゃあ、マフィは？」

まるで女の子のような可愛《かわい》らしい声で、ティムは言った。

「なに？」

「いそいで、たべたよ」

「私が？　私は食べてなんか……」

ふと自分の皿に目を落として、ぎょっとした。皿の上のものは、いつのまにかあらかた消えてなくなっていた。

一瞬、他の誰かが食べたのかと思った。しかし、よく考えてみれば確かに覚えがある。カリリと焦げたベーコンの歯ごたえも、やや塩味のきつすぎるスクランブルドエッグも、これでもかとばかりに甘いデニッシュも……。そうだ。全部、自分で口に入れたのだ。ブルースの態度にカッとしてうわの空だったせいか、食べている最中のことはろくに覚えていない。が、いずれにしても、ラリーが死んでからというもの、出されたものをきちんと食べたのはこれが初めてだった。

ここ数日の間に小さく縮んでしまっていた胃袋が、急な満腹感に驚いてシクシク痛む。真冬は、顔をしかめて椅子の背によりかかった。

確かにこれは、体に悪い。

12

外はまだ日が高かったが、ウォルト・マッキベンの寝室の窓には分厚いカーテンが引かれていた。後ろめたい情事にふさわしい薄暗さだ。

クレア・サンダーソンは、寝返りを打って壁のほうを向いた。

彼女の背中の側で横たわるウォルトは、あおむけになって荒い息を整えていた。けだるい満足感はあったが、いつも以上にやましさも感じていた。今日はこうなるつもりではなかったのだ。しかし、ラリーの死によって派生する諸問題を話し合っている最中にクレアがすすり泣き始め、抱きしめて慰めているうちに、結局いつものごとく、なるようになってしまっていた。今日じゅうにリチャードたちが戻ってくると聞かされたせいもあったかもしれない。

ウォルト・マッキベンはサンダーソン家の顧問弁護士で、小太りの体と、猟犬のような悲しげな顔の持ち主だった。リチャード・サンダーソンとは従兄弟《いとこ》どうしだったので、いわば生まれた時からの古いつきあいだ。そして、彼の妻のクレアとこういう関係になってから、すでに五年がたとうとしている。

ウォルトは、隣で背を向けているクレアのほうを向いた。

長年彼がひそかに想《おも》い続けてきたクレアの体は、五十代半ばにさしかかってもほとんど張りを失っていない。脇腹のたるみも目立たず、背中にそばかすも浮いていない。四十代の初めと言っても通りそうなほどだ。日頃からフィットネスで鍛《きた》え、週に一度はフェニックスで最も贅沢《ぜいたく》なサロンに通って、爪の先までしっかりと磨きをかけているせいだろう。

なめらかな肩が震えているのに気づいて、ウォルトは腕をのばし、自分のほうを向かせた。クレアはまたしても、声をたてずに泣いていた。涙が、わずかに皺《しわ》の刻まれた目尻からこめかみをつたわって、蜂蜜色《はちみついろ》の髪の中へ流れこんでいく。

ラリーの死を悼《いた》んで泣いているだけではないことが、ウォルトにはわかっていた。彼女は、後悔しているのだ。息子の葬儀さえまだ済ませていないのに、こうしてベッドを――しかも夫以外の男と――共にしてしまったことを。いや、もしかすると彼女が悔やんでいるのは、五年前、ついに彼と関係を結んでしまったことそのものかもしれなかった。

昔、といってもつい最近のように思えるが、ウォルトは志願兵としてヴェトナムへ行き、やがて片方の視力を失って本国へ送り返された。味方の兵士の一人がヴェトコンの仕掛けたブービー・トラップを踏み、そばにいたウォルトまでが顔の右半面に爆風と破片を浴びたのだ。傷が癒《い》えた頃にはすでに、解放戦線側のテト攻勢によってサイゴンのアメリカ大使館は占拠され、ケサン基地のアメリカ軍は一掃されていた。

ウォルトが失ったのは右目だけではなかった。

正義と信じたもののために命がけで戦って戻った本国では、折しも反戦運動が異様な盛りあがりを見せていた。各地で大規模な反戦集会やデモが行われ、その模様が連日のようにテレビで放送されて、学者や各界の知識人は口々にアメリカのヴェトナム介入の合法性について討議していた。

ニューヨーク・タイムズが国防総省《ペンタゴン》の作成した秘密報告書をすっぱ抜いたのは七一年の半ばだったが、その頃にはもう、ウォルトの裡《うち》であれほど絶対だったはずの国への誇りや信頼感は、むなしく消え失せてしまっていた。無敵のアメリカが、初めて敗北しようとしていた。

二度と国を信じたりするものかと彼は思った。堕《お》ちた理想など、犬に食わせてしまうがいい。どうせ一度は終わったも同じ人生なのだ。残りは付録だと思えば、好き勝手に使い切って死んでも惜しくない。他人に使われてたまるか、こっちこそ他人を使って生きのびてやる。

一念発起して大学の法学部に通い直し、弁護士の資格までは取ったものの、現実はそう甘くなかった。独立するめども立たないまま、故郷ユタの小さな事務所で、ゴミのような訴訟を扱うだけの鬱々《うつうつ》とした日々を送っていた彼を誘ったのは、十歳年上の従兄リチャード・サンダーソンだった。

リチャードはウォルトをアリゾナへ呼び寄せ、低金利で開業資金を貸しつけてもらえるよう銀行を説得し、保証人にまでなってくれた。お陰で彼はフラッグスタッフにそれなりの事務所を構えることができ、さらに数年後にはサンダーソン牧場の新しい顧問弁護士の地位も得た。かわりにクビになった老練の弁護士との間には一悶着《ひともんちゃく》あったらしいが、リチャードは、何も心配ないと言っただけだった。彼は明らかに、父親から引き継いだ牧場の古い体質を変えていきたいと考えているようだった。

ウォルト・マッキベンは、シニカルではあるが恩知らずな男ではなかった。裏切りや嫉妬《しっと》や羨望《せんぼう》とは無縁だと自負してもいた。だがそれは、残された左目でクレア・サンダーソンを見るまでの話だった。

アリゾナへ呼ばれてきたウォルトが初めてクレアを紹介された当時、彼女はリチャードとの結婚十一年目を迎えたところで、末の息子のマイケルはよちよち歩きを始めたばかりだった。二十歳そこそこで長男ロレンスを産んだクレアはそのころ三十歳、三人の子供の母親とは思えないほど美しく、腰などまるで女王蜂のようにくびれて魅惑的だった。粗野な牧童たちが彼女を卑猥《ひわい》な冗談の対象にしないのは、リチャードが睨《にら》みをきかせているからでもあったろうが、そういったまなざしを許さないだけのある種のきつさが、クレア自身に備わっているからでもあった。若くして、彼女は名実ともにサンダーソン牧場の女主人だったのだ。

しかしウォルトは、一瞥《いちべつ》してクレアが幸福でないことを見てとった。リチャードが過去に他の女性と問題を起こしたという話は、親同士の電話などから漏れ聞いて知っていたものの、クレアの不幸はそれが直接の原因ではないようだった。いや、そもそもの原因はそれだったのが、時がたつうちに微妙に変化してきたというべきかもしれない。

クレアは年の離れた夫を愛していたが、裏切られた時の痛みがいまだに尾を引いているのと、生来のプライドの高さと意地とで、どうしても素直になれずにいた。クリスマスや復活祭にせっかくの団欒《だんらん》を迎えても、夫が楽しそうにしているのは子供たちといるからだ、自分と二人だったらきっとこうはいかないと考えて顔を曇らせてしまう。仕事で旅をした夫が帰りに土産でも買ってくれれば、また新しい女ができて一緒に出かけたのではないか、それをごまかすためにこんなものを自分にあてがったのではないかと勘ぐって、言わなくてもいい皮肉や厭《いや》みをぶつけてしまう。すべては本心と裏腹な、夫の心を求めればこその態度だったが、リチャードの目には、過去の過《あやま》ちへの非難としか映らなかったらしい。彼はますます妻と距離を置くようになり、そんな悪循環の中で、二人はほとんど会話のない夫婦になってしまっていた。

どこの庭先にもごろごろ転がっているような話だが、若き日のウォルト・マッキベンにとっては特殊な事態だった。ひと目クレアを見た瞬間、激しい恋心を抱いてしまったからだ。年は幾つも違わないのに、ウォルトにとっての彼女は女神のごとく冒《おか》すべからざる存在だった。たとえ彼女がリチャードの妻でなく独り身だったとしても、彼女のほうから声をかけてくれない限りは遠巻きにして崇《あが》めているより他なかったろう。

クレアは、リチャードと言い争いをした後などは必ず、ウォルトに泣きついたり、無理に遊びに誘ったりして憂《う》さ晴《ば》らしをしようとした。彼女は、ウォルトの恋心を見抜いていたが、力ずくの行為に出られる人間でないこともお見通しだった。

いいように利用されながら、それでもウォルトは嬉しかった。他の女性との結婚は一度も考えなかった。クレアが弱みを見せるのは自分にだけだと思うと、それだけで満足できた。いや、満足だと思いこもうとした。彼は、恩のある従兄を憎みたくなかったのだ。

ウォルトがクレアを腕に抱けるのは、夜毎《よごと》の妄想の中だけだった。彼はありとあらゆる方法でクレアを穢《けが》すさまを想像したが、まさか二十年もたってその夢が現実になろうとは思いもしなかった。

きっかけを作ったのはクレアだった。

あれは、ラリーがイヴリンと結婚すると言ってきた時だ。相手がナヴァホ出身の女性だと聞いて猛反対したクレアと、一人前の男のすることに口を出すなというリチャードとは口論になり、そのうちに攻撃の矛先《ほこさき》が互い自身の問題へと向けられたらしい。彼女は真夜中に車で家を飛び出し、半狂乱でウォルトのアパートメントに来ると、みずから服を脱ぎ捨てた。

初めウォルトは、クレアがついに家を出て自分のものになるつもりなのかと思って有頂天になった。

そうではなかった。翌日になると彼女は、ゆうべは女友達のところに泊まったことにすると言い、ウォルトにキスをして、あなたには感謝していると目を伏せた。たぶん、一度だけで終わりにするつもりだったのだろう。

しかし、彼女にも予測できなかったことがあった。リチャードとの間に夫婦のことがなくなって以来、数年ぶりに激しいセックスを味わって、彼女の中の乾ききっていた「女」が再び呼び覚まされてしまったのだ。

彼女はまるで、夫に復讐《ふくしゅう》するかのように貪欲《どんよく》にウォルトを求めるようになった。

罪の匂《にお》いは、情事のスパイスにはなる。だが、幾たび体を重ねても、ウォルトは一度として、彼女を手に入れたと感じたためしがなかった。彼と汗だくでもつれあっている時でさえ、クレアの心はリチャードに向けられていた。たとえそれが、憎しみという形であるにしても。

「私……」クレアが静かに言った。「地獄に堕ちるわね」

ウォルトの腕枕に頬をあてて、クレアは彼のうすい胸毛を指に巻きつけていた。もう泣いてはいない。シルヴァー・グレーの目は何かを見つめているように動かなかったが、少なくともそれは目に見えるものではなかった。

「堕ちやしないよ」

「いいえ、堕ちるわよ。私に天国の狭き門がくぐれたら、切り裂きジャックだって天使になれるでしょうよ」

「クレア……ほら、よく言うじゃないか。天国と地獄は両方ともこの地上にあるって」ウォルトは彼女の髪を撫でながら言った。「天国の愉悦《ゆえつ》にしろ、地獄の苦悩にしろ、味わえるのは生きているうちだけさ。だいいち、本当に地獄を味わうべきは、きみを苦しめ続けているリチャードのほうだよ。きみじゃない」

そうさ、きみじゃない、とウォルト・マッキベンは思った。

そして、自分でもない。

13

アメリカ合衆国の各州《ステイト》には、それぞれ愛称がつけられている。たとえばフロリダはサンシャイン・ステイト、アラスカはラスト・フロンティア、そしてニューヨークならエンパイア（帝国）・ステイト、という具合にだ。

真冬たちは昼前にアルバカーキを出発して、数時間で最後の州境を越えた。道路際に大きな標示板が立てられていた。

『ようこそ　グランドキャニオン・ステイト　アリゾナへ』

真冬は、写真や映像でしか見たことのないグランドキャニオンを思い浮かべた。あの壮大な峡谷がこの州にあるのかと思うだけでも不思議な気分だったが、わずか半月ほど前はラリーとの結婚式に関するあれこれで頭がいっぱいだったことを考えると、自分が今こんなところにいるのが信じられない思いだった。

「もうすぐだ。このぶんなら、そう遅くならずに着きそうだぞ」

リチャードが、膝にのせたティムの顔をのぞきこんで言った。

長旅に退屈しきったティムが前の席に行きたがって駄々をこねた時、真冬は義父の体を心配して止めたのだが、当人は笑ってそれを退《しりぞ》けた。望むとおりにさせてやれ、と彼が言うと、マイケルが後ろから、望んでるのはほんとは父さんのほうじゃないのかい、と彼が言うと、

そんなわけでティムは今、上機嫌で隣のブルースの運転をまねて遊んでいた。

ニュースを聴くためにつけたラジオから、チョコレート・バーのCMが流れている。音楽は底抜けに明るかったが、真冬の気持ちは晴れなかった。牧場に近づけば近づくほど、気の重さが増していく。

あれは、ニューヨークを発つ前日だった。リチャードが真冬に向かって、葬儀までと言わず、その後もしばらくアリゾナの牧場で休養してはどうかと提案した時、妻のクレアはあの醒《さ》めた笑みを浮かべて言ったものだ。

「そうね、お望みならそうなさるといいわ。あなたが私たちのところに滞在なさってリラックスできるとはあまり思えませんけど、どうぞ好きなだけいて下さってかまいませんのよ」

言葉つきは丁寧だったが、歓迎されているようには聞こえなかった。真綿にくるまれた針のように、彼女の言葉は時おり思いがけない鋭さで真冬を刺した。それが愛する息子を失ったショックによる一時的なものなのかどうかは判断がつきかねた。

葬儀が終わったら、できるだけ早くティムを連れてニューヨークへ帰ろうと真冬は思った。終わってからせいぜい一週間ほども牧場に滞在した後ならば、帰ると言い出しても、かどは立たないだろう。

と、ラジオのCMソング（レンジでチン！　豪華なディナー、パパ・ママ・ボクも大喜び

……〉が途中からスーッと弱く、小さくなっていった。雑音が混じる。電波の届く圏内から出ようとしているのだ。入れかわりに、何か奇妙な歌声がだんだん大きく、はっきり聞こえ始めた。地元の放送局らしい。

〈……アイヤーエイノヤハー……ヘイヤーヘイ……〉

しわがれた老人の声だった。歌というよりは、呪文《じゅもん》か祈りのように聞こえる。

〈ヘイエイワー……アワエイヤーウェノハー……〉

ティムが面白がって、でたらめにまねし始めた。ブルースがめずらしくクックッと笑いだし、低い声で正しくラジオに唱和し始めたとたん、

「局を替えろよ！」

びくっとしたティムがマイケルをふり返って、親指を口に入れた。マイケルがいまいましそうに窓の外を向く。

しわがれた歌声が沈黙の隙間を縫っていく。真冬が息を詰めていると、ブルースはべつだん異も唱えずに、手をのばしてラジオの操作ボタンを押した。デジタルの数字がぱらぱらと動いて止まったのはカントリー＆ウェスタンの局で、ゆったりとしたギターやヴァイオリンの間奏の後から、若い男の歌声が流れだした。

〈きみほど僕を愛してくれた女はいやしない　僕ほどきみを愛した男も　だけどわかってくれ　僕は旅立つしかなかったんだ　永遠にきみのもとを離れて　永遠にきみ一人を残して……〉

真冬が両手で耳をふさぎたくなった時、ブルースがもう一度手をのばし、スイッチを切った。

見渡すかぎりはるか彼方まで、ゆるやかに起伏する牧草地が広がっている。長いあいだ雨が降らないために草の葉先は茶色っぽくなっていたが、それでも、赤茶けた荒野を見続けてきた真冬の目にはまるでオアシスのように映った。

彼女は度胆《どぎも》を抜かれていた。ラリーは、ここまで大きな牧場だとは教えてくれなかった。

『サンダーソン牧畜会社《キャトル・カンパニー》』と鉄の文字が打ちつけられた石造りのゲートをくぐってから、牧草地の間を抜ける舗装された道路をずいぶん長く走っていくうちに、二十軒ほどの家々がたちならぶ集落にさしかかった。

「敷地の中に、村があるんですか?」

と訊くと、リチャードは笑った。

「村ではないよ。牧場で働く連中の家さ」

花の乱れ咲く前庭を、ティムくらいの年頃の子供たちが駆けまわり、犬やニワトリが放し飼いにされ、それぞれの軒先《のきさき》には暖炉にくべる薪《まき》が積み上げられている。どの家の正面にも、小さいなりにポーチがめぐらせてあって、ベンチとクッションが置かれていたり二人乗りのブランコが揺れていたりした。

「あの……牛たちはどこに?」

「もう少し北の谷間にある夏用の牧草地に放してあるんだよ。今の時季は、そこのほうが草がみずみずしくて豊富なのでね。もう二か月ほどたつと、そいつらをまとめてこっちの牧草地へ追ってくる。牧童たちの腕の見せ所というわけだ」

さらに十分以上も走り続けていくと、ようやくフロントガラス越しに、丘の上の大きな建物が見えてきた。リチャードがふり返って、誇らしげに言った。

「曾祖父《そうそふ》の代に建てられた家なんだ」

真冬はあっけにとられて口を開けながら、あれは家とは言わないわ、と思った。ああいうのはもう、お屋敷とか邸宅と呼ぶべきだ。

「竣工《しゅんこう》が一九〇二年だから、まあ、おおかた百年前だな。今となっては年じゅうどこか修理していなければならん有様だが、壊して建てかえる気にはなれなくてね。わしが生きている間は、このままにしておくつもりさ。息子たちの……息子の代になったら、どうなるかはわからんが」

ブルースがぐっとアクセルを踏み込み、車は最後の坂道を勢いよく登った。

車が近づいてくる音に、家の中で最初に気づいたのはイライザだった。

彼女は二階の自分の部屋にいてその音を聞いた。格子窓《こうしまど》にかけ寄って見おろすと、牧草地の真ん中を抜けるなだらかな坂道を白いダッジが上がってくるところだった。助手席に座った父は思ったより元気そうにみえる。運転しているブルースが玄関前のロータリーをまわろうとしてハンドルを切ると、フロントガラスの表面に夕陽が反射してギラリと光った。

イライザはブラウスの襟元をかき合わせ、栗色《くりいろ》の髪のほつれを鏡に向かって直してから部屋を出た。母親の寝室の前を通りぎわ、ドアをノックして声をかける。

「母さん、そこにいるの？　父さんたちが着いたわよ」

返事は聞こえなかったが、かまわず階段を走りおり、玄関の重いドアを押し開けた。


長旅の疲れがどっと出て、真冬は、車が表玄関の前につけられてもしばらくは動けなかった。何度か自分自身を鞭打《むちう》ってやらなければ、背もたれから体を起こす気力さえわいてこない。

マイケルが降り、リチャードが助手席のドアを開けるに至って、彼女はやっとのことでドアのレバーに手をかけようとした、その時、外からドアが引き開けられた。

マイケルだとばかり思ったのに、見るとブルースだった。

彼は黙りこくったまま長身を二つに折って中をのぞきこみ、真冬の膝からティムを抱き取って先に降ろしてくれた。

「……ありがとう」

マイケルがまた不機嫌になるのを気にした彼女が小さい声でそう言うと、予想どおり、ブルースは皮肉っぽく肩をすくめた。真冬はもう気にしなかった。それが彼の癖だとわかっていたからだ。

イライザが板張りの広いポーチへ出たとき、父と弟はもう降り立っていて、迎えに出た彼女に気づいて手をふった。おざなりに手をふり返したものの、イライザの視線は車のほうに釘付《くぎづ》けになっていた。

ブルースが、日本人の女のために後部座席のドアを押さえてやっているところだった。

――あのブルースが。

広大な屋敷の大屋根を見上げて、真冬は感嘆のため息をもらした。

建物自体は木と漆喰《しっくい》と石とで造られており、切妻《きりづま》の三角屋根は複雑に組み合わさって四方を向き、向かって左のほうには石造りの煙突が突き出している。何度か改築もされたのだろう、古い家にしては窓が大きく、そのうちのいくつかは上品な無彩色のステンドグラスだった。

柱や石段や、あたりにめぐらされた黄色っぽい石垣はどれも、一世紀という歳月を経て味わい深く古び、建物の両脇には名も知らぬ大木がどっしりと根を下ろして涼しげな木陰を作っている。石畳に囲まれた前庭は、見事に手入れが行き届いていた。コニファー類の生け垣に、藤《ふじ》やスイカズラのアーチ。バラのつるが外壁を這《は》いのぼって二階のベランダの柵《さく》にまでからみつき、ロータリーの中央に敷きつめられた芝はゴルフ場のそれのようにびっしりと目が詰まっている。雨の少ないこの地方で植物をここまでいきいきと育てるには、いったいどれだけの水と人手が必要とされるのだろう。まさかクレアやイライザが這いつくばって庭の草取りをするとは思えないから、もちろん専門の庭師がいるに違いない。

ポーチにイライザが立っていることに初めて気づいて、真冬が目顔で挨拶《あいさつ》すると、相手は何の反応も示さずにマイケルや父親のほうへ視線をそらせた。

気にするまいと思いながら、真冬は車に向き直り、ブルースが残りのトランクやバッグを降ろすのを手伝おうとした。

「いいんだよきみは、そんなことしなくて」

マイケルが真冬の手を押さえた。

「でも……」

「荷物はあとで部屋まで運ばせる。それより、中を案内しよう」

背中に手をあてでうながされ、彼女は心を残しながらもティムの手を取った。

「イライザ、母さんは？」

ポーチへの石段を上がりながらマイケルが訊くと、彼女はちらりとあきれたような目つきで弟を見て答えた。

「ただいま、くらい言えないの？　心配しなくたって、中にいるわよ」

ティムの歩調に合わせてゆっくり石段を上がっていった真冬は、見えてきたポーチがまるでリヴィングのように広いことと、そこに配置された籐《とう》家具の美しさにびっくりした。ベージュのダマスク織りのクッションやテーブルクロスが、日陰になったポーチ全体を明るくくみせている。

「こんにちは」

声をかけた真冬を、イライザは頭から足の先まで眺めまわしてからようやく口をひらいた。

「いらっしゃい」

とにもかくにも無視はされなかったことに、真冬はほっとした。

マイケルがオーク材のがっしりとしたドアを引き開け、女性二人を先に通した。屋敷の中は、外の暑さがうそのようにひんやりとしていた。冷房のせいではない。壁が分厚いために、外気の熱を通さないのだ。テラコッタ・タイルの床も空気を冷やすのに一役かっているようだった。

玄関ホールの天井は吹き抜けになっていて、湾曲した階段が二階へ続き、磨き上げられた手すりを支える柵の隙間から、細長い廊下と、それに面したいくつかの部屋のドアが見えた。

「母さん、気がついてないいんじゃないかな」

「さっき、声はかけたのよ」

イライザは階段を上がっていった。

マイケルは真冬をふり返り、ついておいで、というように首を傾けた。

彼の後から、ティムの手を引いてアーチ状の壁をくぐっていくと、廊下の奥の左側が広いリヴィングだった。大きな石造りの暖炉がしつらえられ、その両側の天井まで届く窓から、夕陽の最後の光がさしこんでいる。中央に敷かれたメキシコ風のラグの上にマホガニー材の低いテーブルが置かれ、まわりを茶色い革張りのソファが取り囲んでいた。

「座って待っててくれ。いま、冷たいものでも持ってこさせるから」

マイケルが部屋から出ていくのを見送ってから、真冬はソファに腰をおろした。あまりにも大きな空間に、かえって落ち着かない。ホテルのロビーにでもいるような気がする。

隣にティムがよじのぼって向きをかえ、真冬と並んでストンと足を投げ出し、はーあ、と大人のようなため息をついた。

「くたびれた？」

真冬が顔をのぞきこむと、ティムは首をかしげた。

「くらびてたって、なに？」

真冬は微笑んだ。「くたくたってことよ。なんにもする元気がないってこと」

「げんきだよ、ぼく」

生活の変化のせいか、それとも真冬やリチャードがわざといろいろ質問したり、答えると大げさにほめちぎったりするせいか、昨日あたりからティムの口数はどんどんふえてきた。笑う回数も増したようだ。

「よかった」

しみじみと、真冬は言った。

「マフィは？」

「ん？」

「くらびてた?」

「ええ、ちょっとね。あなたの元気を分けてほしいわ」

ふいにティムがソファの上に立ち上がり、彼女のジーンズの膝をまたいで向かい合わせに立った。肩に両手を置き、おでこを真冬の額にくっつけて、じっと目の中をのぞきこんでくる。

「何してるの?」

戸惑って訊いた真冬に、ティムは真剣な顔で言った。

「わけてんの」

「え?」

「げんき、わけてんの」

そう言われて真冬は思い出した。以前ティムが風邪で熱を出した時、ラリーが額をくっつけてこんなふうにしてやっていた。――ダディの元気をわけてやるから、早くよくなるんだぞ。

真冬は、目を閉じてティムをぎゅっと抱きしめ、頬と頬をこすり合わせた。

「マフィ、げんき、もういらないの?」

「ううん。もっと欲しいわ。ほっぺから分けて」

「ん」

ティムが一生懸命に頬を押しつけてくる。

この、温かくてしっとりした、すっぱい匂いのする柔らかな生きもの。

真冬は、鼻の奥に生まれたじぃんと灼けつくような痛みをこらえた。気持ちが泣きたがって暴れだし、彼女はそれを抑えこもうと、無理に目をみひらいて上を見上げた。

向かい側の壁は、丸太と丸太の間を漆喰で塗りこめてあり、その一番高い梁《はり》から大きなラグが吊《つ》り下げられていた。生成《きな》りとグレーと、さまざまな茶色に染め分けられた太めの毛糸で、ジグザグや凸凹《でこぼこ》など、迷路のように複雑な幾何学模様が織りこんである。

「ナヴァホの手織りラグだよ」

はっとして見ると、すぐ脇にリチャードが立っていた。

真冬の正面のソファに座る時、彼はももに手をついて支えるようにしながらゆっくり腰をかがめ、どさりと後ろへ倒れ込んだ。

「近ごろ、どうも神経痛がひどくてね」彼は苦笑まじりに言い訳をした。「若い時分、ロデオの暴れ牛に踏まれた膝が、今頃になって痛んでかなわんのだ。もう、馬にもろくに乗れやせんだろうな。こんな調子では、馬どもにナメられる」

老いを見られていたと気づかせる前に、よそを向いているふりをすればよかった、そう悔やみながら、真冬はティムを膝に座らせ、話をそらせようとした。

「あの……あのラグは、本当にナヴァホ族の人が織ったんですか？」

義父は腕を組んで、何もかもお見通しのように彼女を眺めた。

「ああ、そうとも。一枚織るのに、これくらい大きなものだと数年はかかる。彼らのラグは手間がかかっているだけに高価でね。色や柄の細かさによっては数万ドルをこえるものもあるんだ」

「数万ドル！」

「たいしたものだろう？　織るのは昔から女の仕事と決まっていて、技術も道具も、母親から娘へと受け継がれるんだよ」

「あんな複雑な模様を、全部手で織るんですか？」

「そうさ。ひとつひとつの模様には、それぞれ意味がある。祝福に至る道を表したり、水や、力や、生命を象徴したりという具合にね。手作業なのは織る段階だけじゃない、そこまでのすべてがそうなんだ。自分らで飼っている羊の毛を刈って、何度も櫛《くし》で梳《す》いてゴミを取り除く。それを、機械も使わずに指でより合わせて、毛糸をつむいでは、草木や泥を煮出した染料で染める。それから縦型の簡単な機《はた》を地面に立てて、いちいち手で横糸をくぐらせたり櫛で寄せたりしながら、少しずつ織っていくんだよ」

「高価なはずだわ」真冬は感心して言った。「それにしても、ずいぶんナヴァホに詳しくていらっしゃるんですね」

「そりゃあそうさ」
フ、と、ほんの短くリチャードは笑った。
「どうしてです？」

「何がだね？」

「どうして、『そりゃあそう』なんですか?」

「それは……うちの店でもラグを扱っているからだよ」

「まあ、お店も経営なさってるんですか?」

「五軒ほどな。第一、ナヴァホの居留地はこのすぐそばだ。このへんの連中なら、今わしが話したことくらいは誰でも知っているよ」

そこへ、背の低い太った女性がトレイにアイスティーのグラスをいくつものせて入ってきた。

「ああ、紹介しておこう。ハリエット・ロマテワだ。この家のこまごましたことをみんなやってくれている」

赤みを帯びた浅黒い肌に、頬骨の張った顔。ひと目見ただけで、真冬にも彼女がネイティヴだということはわかった。

「ハリエット、この人が、お前の大好きだったラリーのワイフだよ。マフィ……マフユ・サンダーソンだ」

真冬は思わずリチャードを見やった。義父は見つめ返してきた。どうかしたかね? というように白い眉の片方を上げる。

彼女はハリエットに目を戻し、ティムを抱いたまま立ち上がると、右手を差し出した。

「お会いできて嬉しいですわ、ミズ・ロマテワ。私、マフィ・サンダーソンです」

誰よりも自分自身に向かって確かめるように言った。

ハリエットはトレイをテーブルに置いた。再び真冬に向き直った時には、黒い瞳に涙の膜が張りつめていた。彼女は両手で真冬の手を包みこんで自分の豊かすぎる胸に抱くようにし、

「ハリエットと呼んで下さっていいんですよ」ぽろりと涙をこぼしながら微笑みかけた。

「ラリー坊ちゃんたら、まあ、こんなに可愛らしい奥さんを置いて逝くなんて、どんなにか心残りでしたろう」

つられてうっかり涙ぐみそうになった真冬は、急いでティムを揺すった。

「ほらティム、ご挨拶は？」

「……こんちは」

ハリエットの顔をもの珍しそうにじろじろ見ながら、ティムは言った。

「あれ、まあ、大きくなって」ハリエットは、くぼんだ目をみはった。「うんとちっちゃな時にいっぺんだけお会いしたけど、覚えてないでしょうねえ」

ティムが親指をくわえてかぶりをふる。

「まあまあ、こんなに小さなお子まで置いて……」

「すまんが、ハリエット」と、リチャードが言った。「わしには熱いコーヒーを持ってきてくれんか。このところ冷たいものばかり飲みすぎたせいか、体がだるくてかなわん」

うなずいて部屋を出て行きかけたハリエットは、入ってこようとしたマイケルと正面からぶつかった。マイケルは彼女の太った体にはじき飛ばされてよろめいたくせに、

「ごめんよエッタ、大丈夫だったかい？」

精一杯男らしいところを見せてそう尋ねた。

真冬は再び腰をおろしながら、ハリエットの姿が見えなくなるのを待って、リチャードに訊いた。

「あの方もナヴァホのご出身ですの？」

「いや、彼女はホピ族だよ。なぜだね？」

「いいえ。……優しい方ですわね」

「僕が子供の頃からこの家で働いてるんだよ」真冬の隣に座ったマイケルが言った。「彼女は僕ら家族の世話を、彼女の夫は僕らの牛の世話をしてくれてる。もう、家族も同然だな」

やっぱり、と真冬は思った。マイケルは、相手がネイティヴなら誰でも差別をするというわけではないのだ。彼がブルースに対してだけあんなに敵愾心《てきがいしん》をむき出しにするのは、ただ個人的に馬が合わないだけなのかもしれない。そう考えると、わずかだが気持ちが楽になった。ラリーがなぜか会わせたいとまで言っていたマイケルが、肌の色や生まれで人を差別するような人間だとは信じたくなかったからだ。

「クレアはどうした？」と、リチャードが言った。「イライザは？」

「母さんは、さっきまで頭が痛くて休んでたそうだよ」マイケルは心配げに言った。「でも、二人とももうすぐ下りて来ると思う」

「大丈夫なのかしら」真冬はティムを抱きかかえ直しながら言った。「もし私に気をつかって下りてみえるんだったらそのまま休んでて下さるようにって、マイケル、あなたから、」

「その必要はないわ」

声とともにクレアが入ってきた。黒いジョーゼットのブラウスに、同じく黒のタイトスカート。金髪を後ろの低い位置でシニョンに結って、そこにも黒い髪どめをしている。見るからに喪に服しているといった服装の義母を前にして、真冬はたちまち落ち着かなくなった。どうせティムがしゃぶった指でつかんで汚してしまうので、今日もジーンズの上に、ラリーが休みの日によく着ていたデニムの半袖《はんそで》シャツで来てしまったのだ。もちろんリチャードやマイケルも同じような服装だったから気にせずにいたのだが、せめて今日だけはもう少しましな格好をしてくればよかった。今ごろ悔やんでももう遅い。

「旅はどうでした？」入口の近くに立ったまま、クレアは言った。「疲れたでしょう？　だからあなたも私たちと一緒にいらっしゃればよかったのに」

「ありがとうございます。でも、いい経験でしたわ。何しろ今までは、ニューヨークとボストン以外まったく知りませんでしたから」

姑たちを避けていたことを少しやましく思いながら、真冬はあえて明るく言った。

「それより、お体は大丈夫ですの？」

「ええ、ええ」クレアはわずらわしそうに頭を振った。「だって、病気じゃないのよ。精神的に参っているだけのことですもの。いいわね、若い方は。立ち直りが早くてうらやましいわ」

真冬が思わず身構えたのと同時に、リチャードが、

「クレア」

とたしなめた。

「そういう言い方はないだろう」

「あら、何も皮肉で言ったんじゃありませんよ。心が強いというのはいいことだわ」

言いながらクレアは、廊下をそっと行き過ぎようとした娘を見とがめてふり向いた。

「どこへ行くの、イライザ。あなたもいらっしゃい」

「どうせ夕食の時に会うじゃない」

真冬の位置からは、イライザのひるがえしたスカートが見えただけだった。

「しょうのないひと」

ため息をついたクレアがようやく夫の隣に座った時、玄関のドアがバタンと閉まる音が響いた。リヴィングの入口に顔をのぞかせたのはブルースだった。

「彼女の荷物だが」あごの先で真冬をさして、ブルースは言った。「どこへ運べばいいんだ?」

言いながら、視線はクレアにすえられている。

雇い主の夫人にまで横柄な口のきき方をする彼を、真冬は息をつめて見つめた。自分で運ぶと言い出せる雰囲気ですらなかった。クレアがぴしゃりと彼を叱りつけるのではないかと思うと、骨がきしむような思いがした。心も体も芯《しん》まで疲れきっていて、これ以上、人が言い争ったりいがみあったりするのを見るのは耐えられなかったのだ。

しかしクレアは、ブルースの態度を意に介するふうもなかった。

「西棟の客間に運んでちょうだい。あそこが一番眺めがいいわ」

返事もせずに出て行きかけたブルースを、

「ああ、ちょっと待って」

呼びとめると、クレアは立ち上がってそばの小机の引き出しを開け、中に入っていた札入れから何枚か抜き出しながら唐突に言った。「そうだわ、今夜はやっと、家族全員で食卓を囲めるわね。これでロレンスさえここにいてくれたら、どんなにか……。ねえ、マフィ？」

「えっ？　あ、ええ」

一瞬言葉に詰まった真冬が何か答えようとした時には、クレアはもう目をそらした後だった。ドアのところにいるブルースに近づき、彼女は優雅な仕草で札を差し出した。

「長旅、ご苦労だったわね。今夜はあなたも、これで何かおいしいものでも食べて来なさいな」

しかしブルースは、受け取ろうとしなかった。口をまっすぐに結んでクレアを見つめている。

「さあ」と彼女は言い、札を持った手を軽くふった。「どうしたの？　遠慮しないでいいのよ」

ブルースの唇が、いつかと同じように片端だけ上がった。ひったくるようにクレアの手から札を取ると、彼は、くるりと背を向けて部屋から出ていった。

「なんてやつだ」と、聞こえよがしにマイケルが言った。「ったく、いつだって人を小馬鹿にしたような笑い方しやがって。あんな礼儀知らずに、よけいな金なんかやることないよ、母さん。給料はちゃんと払ってるんだから」

玄関のドアが閉まる音に、真冬はびくっとなった。

今のやりとりが聞こえていたのか、ハリエットがさっきよりおどおどした様子で入ってくると、コーヒーを全員の前に置いただけでそそくさと出ていった。

真冬は、そっとリチャードを見やった。

義父は、自分が頼んだというのにコーヒーに手をのばしもせず、ソファの背もたれに体を沈めて目を閉じていた。まるで古傷の痛みでもこらえているかのように、かすかに眉をひそめながら。

14

本葬は、翌々週、八月半ばの水曜に予定されていた。

ラリーの遺体は今ごろ、葬儀社の冷蔵室かどこかで、万全の態勢で保管されているのだろう。彼が一人で凍えているのかと思うと、真冬は、すぐにでも毛布を持って駆けつけてやりたかった。ラリーはあんなに寒がりだったのに。

サンダーソン家の女たちとの間にひと揉《も》めあったのは、牧場に着いた翌週、リチャードとマイケルが仕事で出かけている留守中だった。

発端となったのは、喪服だ。フォーマルの場で着られる黒のドレスを真冬は持っておらず、ルーシィから借りて持ってきたのだが、その服はクレアのチェックをパスできなかった。義母の基準からいくと、ルーシィのドレスは「安っぽくて品性を疑われる」のだった。

「頼むから、イライザから何か別のを借りて着てちょうだい」とクレアは言った。「曲がりなりにもロレンスの妻ともあろう人が、そんな水商売の女みたいな格好で人前に出るなんて、私は許しませんよ」

イライザに頼みごとをするのは気が重かったが、真冬は義母を立てて、おとなしく服を借りようとした。

ところが、実際に試着させてもらってみると、肩まわりやウエストのサイズがあまりに違いすぎた。このところ食が細くなっていたからなおさらだが、安全ピンやベルトでごまかせる範囲の問題ではなかった。

イライザが気分を害したことは、何か言う前から空気でわかった。

「私が太ってるなんて思わないでちょうだい。これでも服のサイズで困ったことなんてないんだから」

真冬の脱いだスカートと自分のそれのウエストを重ねて比べ、彼女はあきれたように首を振った。

「この国では私が普通で、あなたが発育不良なのよ」クローゼットの扉によりかかり、腕組みをして真冬をじろじろ眺める。「そんな折れそうな腰じゃ、兄さんに跡継ぎなんか産んでやれなかったわね、きっと」

真冬は目の端で、イライザのベッドのすそに腰かけているティムがいたずらしたりしていないか確かめた。ベッドスプレッドもカーテンも、およそファブリックはすべてローラ・アシュレイの花柄で、真冬は最初に部屋に入った時、この七つ年上の義妹の意外な少女趣味に驚いたものだ。

大きすぎたドレスを足から抜き取りながら、真冬は静かに言った。

「跡継ぎというなら、この子がいますから」

イライザは、ばかにしたように笑った。

「この子が？」ティムのほうに片手を振りたてて、彼女は言った。「こんなおつむの足りない子が、サンダーソン家の跡継ぎ？　ふざけないでよ。こちらが何を訊いたって、ろくに答えられもしないじゃないの」

「怖がらせたりしない限り、ちゃんと答えられます」思わずキッとなって真冬は言った。

「ティムは賢い子です。黙ってたって、全部わかってるんです。それに、跡継ぎと言ってもサンダーソン家のではなくて、あくまでもラリーのだわ。彼にはこの牧場を継ぐ意思はなかったんですもの」

イライザはふん、と鼻を鳴らした。

「生意気《なまいき》なこと言うのね。だけど、この子が本当にラリーの子かどうかなんてどうしてわかるの？　髪も瞳も、ごらんなさいよ、母親にばっかり似て、石炭みたいに真っ黒。これじゃ父親がラリーかどうかなんてわかりゃしないじゃない」

ふいにイライザはもたれかかっていた扉から離れ、ティムの目の前に顔を寄せると猫なで声で言った。「ねえ、教えてよ。あんたのお父さんは、ほんとはだあれ？」

「やめて」

真冬がティムにのばそうとした手を、彼女は振り払った。

「答えさせなさいよ。怖がらせなければ答えるんでしょ？　ねえ、だあれ？」

ティムは、おずおずとつぶやいた。「……ダディ」

「だから、そのダディが誰なんだって訊いてるんじゃない。やっぱりあんた、馬鹿だわ」

しかしティムはおかまいなしに言った。

「マフィ、ダディは？」

ぐっと詰まった真冬を見上げてくり返す。「ダディ、いつかえってくる？」

イライザは頭をのけぞらせて笑いだしたが、途中からその笑い声にはすすり泣きのような奇妙な響きが混じった。

「ダディはねえ、あんたのダディは、死んじゃったのよ」と彼女は言った。「もう二度と帰ってきやしないわよ。そんなこともわからないの？」

そして真冬に向き直った。

「ああ、イライラする。こんな子、もう見るのもまっぴら。連れてこなければよかったのよ。顔だって、ラリーとはどっこも似てないじゃないの。おおかたお人好しのラリーが、あのあばずれのイヴリンにだまされて別の男の子供を押しつけられただけなんだわ」

それを完全に否定できる根拠など何もないと知りながら、

「いいえ」真冬はきっぱりと言った。「ティムは、ラリーの実の息子よ。あなたの言ってることは、この子に対してだけじゃなくてラリーに対する侮辱《ぶじょく》です。それ以上言うと、いくらあなたが彼の妹でも許さないわ」

イライザの目尻が吊り上がった。

「何なの、それ」栗色の髪を後ろへふりやり、真冬をにらみつける。「どの口でそんなえらそうなことが言えるの？　あなたいったい、自分を何様だと思ってるのよ。ラリーと結婚したからって、この家の一員になれたなんて思ったら大間違いなんだから」

真冬が黙っていると、イライザは勝ち誇ったように言いつのった。

「教えてあげましょうか。父さんたちがあなたをこの家に連れてきたのはね、あなたを認めたからじゃない。結婚したはずの妻の姿が葬儀の時にどこにも見えないんじゃ世間体が悪いから、ただそれだけよ。事件があんなにでかでかと新聞に載《の》ったせいで、あなたの存在はみんなが知ってるわ。サンダーソン家の長男が、インディアンの次はジャップと結婚したっていうだけでも大した噂《うわさ》の種なのに、その新妻にまで逃げられたみたいに思われたら恥の上塗りもいいとこでしょう、違う？　覚えておくのね。はっきり言わせてもらうけど、この家の誰も、あなたとその薄ぼんやりの子供のことなんか歓迎してやいないし、信用もしてないのよ。いくらおとなしそうな顔してたって、日本人なんか本心では何考えてるんだか、油断も隙もならないんだから。わかった？　わかったら、葬儀が終わり次第、その子を連れてとっととニューヨークへでも日本へでも帰っ……」

言葉がとぎれ、イライザの顔色がさっと変わった。

真冬がふり返ると、戸口にクレアが険《けわ》しい顔で立っていた。彼女はつかつかと部屋に入ってくると、娘の正面に立った。

「いいかげんにしなさい、イライザ。聞き苦しいったらないわ」

イライザは反抗的にあごを上げた。「だって、みんなほんとのことじゃないの」

「お黙りなさい。その年にもなって、あなたは、言っていいことと悪いことの区別もつかないの？」

イライザは母親から目をそらし、きまり悪そうにそっぽをむきかけたが、急にその口がO《オー》の形に開かれた。

「やめて、さわんないでよ馬鹿！」

いつのまにか枕の上に座っていたティムが、おびえた顔でふり返った。手に持っているのは、木彫りの奇妙な人形だった。鳥人間が翼をひろげて踊っている。大人のてのひらほどの大きさの裸の体は、原色の絵の具で彩色されているが、あちこちはげて地肌がのぞいていた。

頭や手足にくっついた白い羽毛もずいぶんくたびれている。

「返して！」

大股《おおまた》にベッドに近づいたイライザは、ティムの腕をひねりあげるようにして人形をひったくり、それを彼の手の届かないチェストの上に置くと真冬をふり返った。

「いったいどういう教育してるの!?」

「ごめんなさい。その子、色のきれいなものが大好きだから……ほんとにごめんなさい。目を離したのがいけなかったわ」

「イライザ」とクレアが横からたしなめた。「何も、子供相手にそこまで怒ることないじゃないの。そんな古ぼけたカチナぐらい、彼にやったらどう？」

「いやよ、これは……」言いかけて、イライザは首を振った。「とにかくいや」

「どうして」

「どうしても！」

イライザはティムに目を戻し、

「いつまでひとの枕にのってんのよ！」

彼の半ズボンの後ろをつかんで、ベッドの脇のほうへ引っぱり降ろした。

ウエストがゴムのズボンが半分脱げかかり、小さいお尻がぺろりと丸出しになった、そのとたん――イライザは息をのんで手をひっこめた。

「ちょっと……何なのこれ」

声が変わっていた。

彼女が凝視しているのは、ティムのお尻にひろがる痣《あざ》だった。灼けたような肌の色の下に、青黒い色素が沈んでいる。

「なんてこと……」つぶやいたのは義母だった。「マフィ、どういうことなの？　あなたが叩いたの？」

「違います！」びっくりして真冬は言った。「その痣は前からあるんです。打ち身ではないの。よくはわかりませんけど、たぶん生まれつきのものだと思います。日本人の赤ちゃんなんて、みんなそういう痣があるくらいですし」

女二人の表情が、いっぺんに疑わしそうに変わった。

「みんな、ですって？」片方の眉をつり上げてイライザは言った。「それじゃ、あなたにも同じ痣があるってわけ？」

「まさか。いえ……つまり、成長とともに消えていくんです。だから私にはもうないわ。あるのは子供のうちだけなの」相手が二人とも信じてくれていないことを感じて、真冬はうろたえた。「ほんとよ」

「でも、それはこの際、関係のないことでしょう？」とクレアが言った。「この子は日本人ではないわ。半分インディアンなだけですよ」

「そうですけど……」

「じゃどうしてこんなひどい痣があるのよ？」とイライザ。「いくら尻餅《しりもち》をついたって、こんな上のほうに痣はできないわよ。どう見たって叩かれた跡じゃないの。あなたがやったんじゃないなら、誰がやったのよ。ラリーのせいにしようなんてしたら、ただじゃおかないわよ」

ドアの外の廊下を、ハリエットが気づかわしげにこちらを見ながらうろうろしている。何か言いたそうにしてはためらっているようだったが、イライザに「何か用？」ときつく訊かれると、慌てて首をふって引っ込んでしまった。

「ねえ、マフィ」ことさらになだめるような口調で、クレアが言った。「何もここであなたを糾弾《きゅうだん》しようというのではないのよ。あなたの気持ちだって、わからないわけじゃないわ。実際、頼りのロレンスを失って、血もつながらない子を育てなければならなくなって、どれほどストレスがたまるか想像はつきますよ。あなたに限らず、若い親が子供にこういうことをするケースはこのごろよく聞くし、でもね、」

「ちょっと待って下さい、私はそんな……」

「でも、だからって見過ごしにするわけにはいかないの。あなただって法律は知っているでしょう？　子供の虐待に気がついたらすぐに通報を、」

「虐待なんかしてません！」と真冬は叫んだ。「どうして信じて下さらないの？」

顔から血の気が引くのを感じながらも、真冬はまっすぐ二人を見つめ返した。震える声で、ひとことずつはっきりと言った。

「私は、絶対に、この子をぶったりしてません。絶対に」

クレアが長いため息をついた。

「困ったわ」イライザを、そしてティムを見やる。「どうしましょうねえ」

「いいかげんにして！」真冬はとうとう大声を出した。「私がそんなことをしてるかどうか、その子に直接訊いてみればいいでしょう？」

当のティムは、尻をむきだしにしたままぺたんとベッドに座って、途方に暮れたように大人たちを見上げている。

「ほうら、すぐそうやってかんしゃくを起こすじゃない」とイライザが言った。「子供の言うことなんて当てになるもんですか。どうせ怖がってしまって正直に言うわけないんだから。ねえクレア、こういうことは私たちだけじゃだめよ。リチャードが帰ってきたら相談して、一応ちゃんと届けたほうがいいんじゃない？　私だって彼女を信じてあげたいけど、お互いのためにもはっきりさせといたほうがいいわよ。ほんとに何もしてないのなら、すぐにでも無実が証明してもらえるはずだもの」

「そうは言ってもねえ……」クレアは、真冬から目をそらしてためらった。「不名誉なことはなるべく避けたいし」

真冬は両手を握りしめた。そうしていないと二人につかみかかってしまいそうだった。

どうしたら信じてもらえるのだろう。いや、それより、どうしてこんな屈辱的な思いをさせられなければならないのだろう。一方的に濡《ぬ》れ衣《ぎぬ》を着せられて、話もろくに聞いてもらえないなんて。ああ、こんな時こそ、ラリーがいてくれたら……。心細さと怒りとで歯がガチがち鳴る。

と、ティムのほうを見ていたクレアの表情が、みるみる引きつって歪《ゆが》んだ。真冬は目をやり、そして、気分が悪くなった。

ティムが、下を向いて自分の小さな性器をいじっていた。ひょいと顔を上げ、大人たちを見まわして曖昧《あいまい》に笑ってみせる。

イライザが地を這うような声で言った。「こんなことまで教えたの？」

「違うわ、違います！ 話せば長いことですけど……」真冬は喘《あえ》いで、口を覆った。「リチャードには話しました。この子、ベビーシッターの男友達からいたずらされたことがあるんです。警察の取り調べを受けて、専門医にも相談を……どうせこの話だって、信じて頂けないんでしょうけど！」

ココン、と音がした。

開けっぱなしになっていたドアの内側をノックした彼を、真冬は思わず、すがりつきそうな目で見てしまった。

「お取り込み中、失礼」

大きな体で戸口をふさいだブルースは、からかうように言って三人をぐるりと眺めまわした。その視線が、何かに気づいてふっと戻りかけたとたんに、動いたのはイライザだった。彼女はチェストの上に置いたさっきの鳥人形に飛びつくようにして背中に隠したが、ブルースは心底意外そうな顔でまじまじと彼女を見た。イライザが、唇をかみしめて顔を背《そむ》ける。

「何の用なの、ブルース」クレアがきつい口調で言った。「勝手に家の中をうろうろしないでちょうだい」

「ハリエットに頼まれて、キッチンの棚を直してやってるんだ」

「ここはキッチンじゃないわ」

「そりゃ、見ればわかるさ。だが、こっちにも助けが必要なんじゃないかと思ってね」

サングラスをしていないブルースの顔に、窓からの光があたっていて、真冬は初めて彼の瞳が濃い藍色《あいいろ》であることを知った。

「助け？」クレアは眉をひそめた。「さては、ハリエットが気をまわして、あなたを仲裁によこしたのね？」

「彼女はただ、生ゴミ処理機《ディスポーザー》の調子も見といてくれと言っただけだぜ」

ブルースは、ベッドの上のティムに目をやって苦笑を浮かべた。

「おい」と、真冬にあごをしゃくる。「早くパンツをはかせてやれよ」

それでようやく金縛りがとけて、真冬は動くことができた。足がかくかく震えるのをこらえながらベッドに近づき、膝小僧《ひざこぞう》のあたりで丸まっていたパンツと半ズボンをはかせてやると、ティムは両手をさしのべて抱きついてきた。かかえ上げて、よしよし……とささやきながら抱きしめる。

「本当に彼女に虐待されてたら、あんなふうに抱きつくと思うか？」と、ブルースが言った。

「見ればわかりそうなもんだ」

「可愛がってもらいたければ、子供は何でもしますよ」とクレア。「いいこと、ブルース。引っ込んでてちょうだい。ここはあなたの出る幕じゃないわ」

彼は、目を細めるようにしてクレアを見おろした。「そうは思わないな。あんたがたはインディアンのことなんかろくに知らないじゃないか」

「だから何だというの」

「その子のケツの痣さ。どうせ、蒙古斑《もうこはん》を見るのも初めてなんだろ？」

「……モウコハン？」

「モンゴロイドのケツに、生まれた時からある痣のことだ」

クレアが青ざめた。「でも……この子は、日本人ではなくてインディアンだわ」

「そうとも、インディアンさ。俺と同じ、な」

クレアの頬がピクッとひきつる。

「つまり、あんたたちは二人とも、インディアンが日本人と同じモンゴロイドだってことを知らなかったわけだ」

いちばん驚いたのは真冬だったかもしれない。

「なんだ？　あんたも知らなかったのか？」ブルースはあきれ返って真冬を見た。「俺のケツにも、昔は同じ痣があったさ。今もあれば、ぜひとも皆様にお目にかけたいところだが、あいにくだったな」薄い唇の端が持ち上がる。

「も……問題はそれだけじゃないのよ」とクレア。

「ああ、そうだろうさ。かわいそうに、その子が危うく変態男の餌食《えじき》にされそうになった件は、俺もラリーから電話で聞いたよ」

真冬は重ねてびっくりした。ラリーが、どうしてブルースに？　二人は親しかったのだろうか？

「ま、俺はそれを言いに来ただけだ。ああ、お節介ついでに言わせてもらうが……あんまり、新入りをいびるもんじゃないぜ」

ブルースが戸口から離れ、階段を下りる足音が消えて行ってしまっても、しばらくは誰も口をきかなかった。

イライザのほうは、思いきり気まずそうに視線を泳がせている。目を伏せたクレアの顔も厳しくこわばって、口もとには深い皺が刻まれていた。

真冬の体の震えは、ようやくおさまってきた。

抱いていたティムを再びそっとベッドの上におろし、腕をほどくと、彼女はその前にしゃがんだ。

「ティム」と優しく話しかける。「お姉さんに謝らなくちゃね」

イライザがぎょっと見た。

「あなたさっき、お姉さんのお人形さわったでしょ？」

ティムがこっくりうなずく。

「勝手に人のものをさわっちゃいけないのよ」

「どして?」

「うんと大事なものかもしれないでしょ? もしかして壊しちゃったりしたら、あなたには直せないでしょ?」

「……ん」

「だから、勝手にさわっちゃう前に、『さわってもいい?』って訊かないと。……ね?」

「ん」

「じゃあ、お姉さんにごめんなさいって」

「もういいったら」とイライザが言った。「私も、まあ、大人げ無かったわよ」

「ティム?」と真冬。

「……ごめんなしゃい」

ティムがつぶやくと、イライザはふいっと横を向いた。手に握ったままだった人形をチェストの上に戻し、黙って母親の横をすり抜けて、逃げるように部屋を出ていく。

真冬はティムを抱き寄せ、いい子ね、とささやいた。

ベッドの反対側が、ギシ……ときしんで沈んだ。腰かけたクレアが、

「マフィ……」

と呼ぶ。

真冬は目を上げなかった。

「ごめんなさいね、マフィ。どうか許してちょうだい」本心から悔いているらしく、彼女の

声は沈んでいた。「あなたが違うと言っているのに、つい頭に血がのぼって、あんな決めつけるような物言いをして。自分が情けないわ」

「いいんです、もう」と、真冬は言った。「済んだことですから」

「いいえ、まだ済んでませんよ。このままではあなたに、いいえ、ロレンスにも顔向けできないわ」

クレアが片手で髪をかきあげる気配がした。ふうっとため息まじりに自分を笑う。

「恥ずかしいけれど、正直なところを言ってしまうとね、マフィ。私、今の今まであなたをロレンスの妻だなんて認めていなかったのよ。気の優しいあの子が、また情にほだされて、ろくでもない女に引っかかってしまったとばかり思っていたの。リチャードやマイケルがあなたのことを、そんな子じゃないと言ってかばうたびに、どうして男どもはこう、目が曇りやすいのかしらと思ったくらい。腹立たしくてならなかったわ」

真冬は黙ってティムを抱きかかえていた。

「でもね。たった今、そういう考えはきれいさっぱり消し去りましたよ。目が曇っていたのは、私のほうだったの。ああしてブルースから間違いを指摘されたのに、私もイライザも、すぐには謝れずにいたわ。つまらないプライドが邪魔をしたのよ。でも、あなたは違った。あれほどさんざんひどいことを言った私たちを、自分から歩み寄ることで助けようとしてくれたわね」

「そんな……」

「誰にでもできることじゃありませんよ」

クレアの手がためらいがちにのびてきて、ティムの頭にさわった。ティムは一瞬びくっとしたが、クレアにゆっくりと髪を撫でられると体の力を抜いた。

「この子ったら……」クレアがフフッと笑った。「横顔が、ロレンスの小さい頃にそっくり」

驚いて見上げた真冬に、クレアはうっすらと涙のたまった目を向けた。

「抱かせてもらってもいいかしら？」

真冬は微笑んだ。「もちろんですわ。見ためより重いんですけれど、この子」

立ち上がってティムを抱きあげ、クレアの側にまわって膝にのせてやる。ティムは、クレアの胸に小さな頭をもたせかけて親指を口に入れた。

義母は、寂しいのかもしれない――と、真冬は思った。息子の妻として認めまいとしたのも、冷たく当たろうとしたのも、最愛の長男を奪われるように思ったからかもしれない。しかし、そのラリーには先立たれてしまった。イライザやマイケルはすでに成人し、夫のリチャードとも仲むつまじいとは言いかねる。結局残されたのは、わずかに息子の面影を感じさせる小さな孫だけだ。

何度もティムの頭を撫でてやっていたクレアは、やがて口をひらいた。

「この子にも、きちんとした格好をさせてやらなければね」

「え？」

「お葬式ですよ。何を着せるつもりなの？」

「白いシャツと、グレーの半ズボンは用意してきたんですけれど」

ティムの持っている服の中ではそれが一張羅《いっちょうら》だった。

「ブレザーは？」

「持ってないんです。それに、夏ですし」

「薄手の麻のを着せればいいじゃないの。ネクタイは？　革靴はある？」

「いいえ。あの……必要でしょうか」

「もちろんですよ」とクレアは言った。「サンダーソン家の直系に、みっともない格好はさせられないわ。そうよ、あなたにも急いで上品なドレスを探さなくてはね」


そうしてクレアは、翌日、真冬とティムを連れてなんとフェニックスまで買い物に出かけたのだった。真冬はもちろん辞退したのだが、一度言い出したら聞くような義母ではなかった。牧場からフェニックスまでは、直線距離にして百五十マイルもある。またしても車に何時間も揺られなければならないのかと思いきや、

「セスナで飛べばすぐよ」

とクレアは言った。いちばん近いフラッグスタッフの町にはろくなブティックがないので、彼女もイライザも、服を買う時は必ずフェニックスまで出かけるのだという。

牧場の一角には小さな飛行場と滑走路まであり、自家用セスナが一機とヘリコプターが二機並んで、ぎらつく太陽をはね返していた。

クレアが乗り込み、耳栓をさせたティムを真冬から抱き取って引っ張りあげる。ひとまわりも年の離れたリチャードと比べるからよけいにそう感じるのかもしれないが、それにしても、この義母の身ごなしはきびきびと若々しかった。

操縦席に、黒髪を後ろで束ねた男が座っていた。後ろ姿が一瞬ブルースに見えた。ドキリとした真冬は、そんな自分をいぶかしく思うと同時に少し後ろめたくも感じ、そしてさらには後ろめたく感じたことそのものが後ろめたくなるに至って、意識してその考えを頭から追いはらった。

コックピットの中にはすさまじい熱気がこもっていたが、上空で機首が水平になる頃には、窓から流れこんでくる風にすっかり冷やされていた。

世にも荒々しい風景の上を、セスナは飛んだ。低い茂みがぽつぽつと生えるだけのだだっ広い荒野が続くかと思えば、いきなり大地が恐竜の背骨のように隆起して、切り立った岩山をかたちづくる。岩は、地層の質と、光や影の具合によって、黄色や灰色、赤褐色などさまざまな色彩へと変化した。地球がひび割れたかのような深い峡谷の底を、プラチナに輝く川がくねくねと折れ曲がって流れていく。

あたりの風景のあまりの大きさに、真冬には飛行機が空中で停止しているように感じられたが、窓の下を見おろすと機の影は確かに、風化した岩々や皺の寄った台地の上を、そろりそろりと這いのぼったり這いおりたりして移動しているのだった。

15

ラリー――ロレンス・エドワード・サンダーソン――の葬儀が行われた昼下がり、太陽は容赦なく参列者たちの上に照りつけていた。地元の名士であるサンダーソン家の、しかも長男の葬儀ということで、州知事の代理、上院議員や市長までもが顔を見せており、墓地に集まった人々は牧場の人間も含めると二百人以上にのぼった。

ニューヨークからは、大学の関係者が数名と、ジャクソン医師夫妻をはじめラリーと特に親しかった友人たちが何人か駆けつけてくれていた。

しかし、真冬は寂しかった。ラリーもきっと寂しがっているに違いないと思った。せめて仮の葬儀だけでもニューヨークで行われていれば、彼を直接知る友人や生徒たちがたくさん集まってくれていただろう。誰もがみんな本当にラリーの死を悼み、惜しんでくれる人ばかりだったろう。

棺《ひつぎ》のふたの上にはいくつもの白い花環《はなわ》がのせられており、あたりにはユリの花の甘ったるい匂いが漂っていた。首をうなだれて司祭の祈りに耳を傾ける人々の間を、ほんの時おり風が吹きぬけては、砂ぼこりを巻き上げ、喪服のすそをはためかせていく。

どう見ても白人にはみえないティムと、どう見ても東洋人にしかみえない真冬の組み合わせは、詳しい事情を知らない参列者たちの好奇の視線を浴びていた。彼女がこちらに来てから初めて会った黒人が、ニューヨークからこのために飛んで来たジャクソン夫妻だったほどだから、アリゾナではネイティヴとヒスパニック系以外の有色人種はかなり珍しいのだ。けれど、誰からどれほど無遠慮に見つめられても、真冬は目をそらすまいとした。毅然《きぜん》として胸を張り、まっすぐ顔をあげていようと思った。

自分は、マフィ・サンダーソンなのだ。結婚生活そのものがたった一時間で終わってしまったからといって、何もひけめに思う必要はない。式の時に誰もが誓うあの誓いを、ラリーは最後まで守ってくれた。文字どおり、「死が二人を分かつまで」変わらずに愛し続けてくれたのだ。そう……決して悲しませたりしないという約束だけは破ったにしろ。

真冬はティムと手をつなぎ、棺が穴の底に降ろされるのを見守った。リチャードが土くれの最初のひと握りをつかんで棺のふたの上にぱらぱらとかけた時、イライザとハリエットは声をあげて泣きだし、クレアはハンカチで口もとを覆った。真冬だけが、涙をこぼさなかった。

それが人々の目にどんなふうに映るか考えなかったわけではない。だが、無理やり歯を食いしばってこらえていたのでもなかった。そんなに努力をしなくても淡々と落ち着いていることができた、というよりは、どんなに努力しても取り乱すことができなかったというほうがあたっている。ラリーの死から三週間が過ぎ、その間じゅうひたすら、泣くまい、泣くまいと自分の感情を麻痺《まひ》させ続けているうちに、とうとう本当に泣き方を忘れてしまったような具合だった。閉じこめられた鳥が、飛び方を忘れてしまうのと同じように。

　式の終わった後、お悔やみを述べに近づいてくる人たちのほとんどは知らない人ばかりで、真冬はティムと一緒に家族の一歩後ろに下がっていた。

　おろしたばかりの黒いドレスは太陽の熱を吸収し、汗の粒が、背筋をつたわって流れていくのがわかった。


　夕方、真冬は初めて一人きりでポーチへ出た。アリゾナへ来てから初めての、自分だけの時間だった。

　ティムはさすがに疲れたらしく、今はリヴィングのソファで眠っている。西棟の部屋まで抱いて運ぼうとした真冬を止めたのはリチャードだった。

「ここに寝かせておけば、目が覚めた時には誰かがいる。あんたの姿が見えなくても泣かんで済むだろう。マフィ、あんたも少しはゆっくりしなさい。ずっとこの子につきっきりで、休む暇もないじゃないか」

　目の前にひろがる牧草地を風が渡っていく。そのたびに、草のおもてはひとつの大きな生き物が呼吸するようにゆったりと動き、またもとに戻る。

　喪服はもう脱いでしまっていた。今は普段着のワンピースを着ているが、それは、クレアが喪服と同じフェニックスのブティックで、非礼の詫《わ》びにと言って買ってくれたものだった。

白黒の細かいギンガムチェックは、離れて見ると優しいグレーにみえる。コットンと麻が半分ずつ混ざった生地が肌にさらりとしていて、丸い襟ぐりや広がった裾《すそ》から風が入るたびに帆のようにふくらむのが心地よかった。

ポーチの籐椅子に腰をおろし、彼女は、膝の上にルーシィたちからの手紙をひろげて読み返した。ジャクソン医師が、預かってきたと言って手渡してくれたのだ。便箋《びんせん》は大学の紋章が透けてみえるレポート用紙だった。最初はルーシィの筆跡から始まっていた。小学生のような丸文字だから、ひと目でわかる。

『ハーイ、マフィ。元気でやってる?

お葬式に行けなくてごめんね。私たち三人ともしがないバイトの身だし、アリゾナまで往復するのはお金と時間の両方の面でとても無理だったの。けど、ちゃんと同じ日の同じ時間に、みんな集まってお祈りすることにしました。おお無慈悲なる神よ、くたばっちまえ、アーメン、って。

ねえマフィ、早くこっちへ帰っておいでよ。あんたがいないと調子狂っちゃう。朝食の当番だって早くまわってきちゃうしさ。おかげで私もけっこう料理がうまくなりました。帰ってきたら、特別に腕をふるって、スカンジナビア料理のフルコースをごちそうしてあげようね。

愛をこめて　ルー』

『親愛なるマフィへ
少しは落ち着きましたか？

大家さんのミセス・ローゼンシュタインが、あなたのことをとても心配してました。早く帰って、元気な顔を見せてあげて下さい。

リトル・ティムはどうしてる？　もし連れて帰ってくるなら、私たちも協力を惜しみません。彼のために、一番いい道を選んであげて。

つらいだろうけれど、時間はあなたの味方よ。もちろん、私たちもね。会えなくて寂しいわ。

サンドラより』

『ハロー、マフィ。こちらはみんな、このとおり元気でやってます。

ちゃんと食べてるかい？　それ以上ガリガリになったりしたら、逆さにして庭を掃いちまうぞ。

例のビジネスのほうは、順調に準備が進んでいます。みんなもう、すっかりきみに協力してもらう気でいるよ。帰ってきたら、学校と両方で忙しくなるだろうから、今のうちにゆっくり休んで、体力をたくわえといて下さい。

きみがいないと、この家は何だか静かです。きみ自身はいつもおとなしくしてたはずなのに、どうしてだろうね。たぶん、僕ら三人だけじゃあんまり騒ぐ気がおきないからかもしれない。

早く会いたいよ。

P.S.　ルーのスカンジナビア料理は、何というか、大変なものだぜ。覚悟しておいたほうがいいと思います』

ドング

ドングの追伸に向かって矢印がのびていて、再びルーシィの大きな字で、『こいつは味オンチ！』と走り書きがしてあった。

その下に、猫の足跡が梅の花型のスタンプのように押され、今度はドングの字でこう書き込まれていた。『すっかりデブ猫になりました。ルーが食事を作るたびに、みんなの残り物をたらふく食えるせいです。スノーブーツ』

さらにその下には、サンドラの流れるような筆跡でこうあった。

『ルーシィがまた何か仕返しを書きたがってるけど、きりがないから取り上げたわ。とにかく、体にだけは気をつけて。じゃあね』

真冬は何度も初めから読み返し、彼らの字やスノーブーツの足跡を指でそっとなぞった。

「大切な手紙のようだね」

板張りの床を踏む足音に気がついていたので、真冬は驚かなかった。

「ええ」

答えて顔を上げると、リチャードが目を細めて見おろしていた。

「ニューヨークで家をシェアしている友人たちがくれたんです」

「ああ、結婚式の時に来ていた……」リチャードはすぐそばのベンチにゆっくりと腰をおろした。「あのユニークな若者たちだね」

「覚えてらっしゃったんですか」

「忘れるわけがないよ。彼らを見ただけで、あんたが愛されているということも、ラリーがどうしてあんたを愛したかも、よーくわかった」

真冬は、苦労して微笑んでみせた。

「お読みになります?」

リチャードは手をさしだして便箋を受け取ると、顔から遠く離すようにしてじっくり読み、最後のところではフッと笑って、真冬に返した。

「ホームシックになったんじゃないかね」

彼女は便箋をたたみながら答えた。「そうですね。少し」

「だが、すぐに帰るなどとは言わんでくれるだろう? あんたとは、まだいろいろ話したいことがある。見せてやりたいものもな。東のほうとはまったく違うが、西部は美しいところだよ。ラリーのやつは大学に入るまでここで育ったんだ。馬に乗るのなんぞ、マイケルよりよほど達者だったものさ」

真冬は、義父の横顔を見つめた。陽は建物の西側に隠れた後で、夕暮れの青みがかった空気は、彼の瞳のブルーをいちだんと深くしていた。

「あなたとラリーは、よく似てらっしゃいますね」と、真冬は言った。「優しくて、思いやりとユーモアがあって、頼りがいも……」

「おだてたって何も出てきやせんよ」とリチャードが笑う。

「だって、本当なんですもの」

「いや……。あいつこそ一番わしに似とらんさ。あいつは確かに優しいやつだった。責任感が強くて、人を裏切らなかった」

それは、リチャードは誰かを裏切ったことがあるという意味なのだろうか。

「いいえ。ラリーだって裏切ったわ」真冬はつぶやいた。「こうして私たちを置いていってしまった……」

ラリーにそっくりのまなざしが、真冬を見つめる。

「あいつを、愛してくれていたんだね」

そう――ただの一度も口に出して伝えることはできなかったけれど、と彼女は思った。考えてみれば、相手はもうすでに死んでしまっているのだから、何を口にしようが今より悪いことは起こりようがない。皮肉な話だが、そう考えると不思議な安堵感《あんどかん》があった。

「ええ」と、彼女はささやいた。「ええ、愛していました。とても」

ふいにリチャードが、ぐっとのどを詰まらせた。

真冬は思わず腰を浮かせかけたが、彼は苦しがっているのではなかった。ズボンの上に大きな滴《しずく》が続けざまに落ち、濃い色のシミをいくつも作っていく。

大の男がすすり泣くのを見るのは、生まれて初めてだった。

真冬はやがて、そっと椅子から立ち上がり、ベンチの隣に座って、義父の左腕に手を置いた。皺だらけの右手がのびてきて彼女の手を包み、ゆっくり、優しく握りしめる。

リチャードは何かを言いかけては、また口をつぐむことを何度かくり返した。

落ち着きを取り戻すまでに、そんなに長くはかからなかった。両手で顔をごしごしとこすり、洟《はな》をすすり上げ、真冬を見やってきまり悪そうな照れ笑いを浮かべる。

そうして彼は、低くかすれた声でつぶやいた。

「――わしもだったよ」

16

クレアが寝起きしているのは、屋敷の南へ向かって張り出した棟の二階の部屋だった。広々として昼間は明るく、東側の窓からは玄関やポーチ、屋敷の前のロータリー、そしてその向こうに広がる牧草地がよく見わたせる。

夫のリチャードと寝室を別々にしてから、もう何年になるだろう。確か末のマイケルがハイスクールに上がるより前だったから、少なくとも十年はたっている。

その十年の間には、自分からリチャードの寝室を訪れようかと迷った夜も数えきれないほどあった。夫婦生活がこんなふうになってしまったそもそもの理由を考えて眠れない夜は、もっとたくさんあった。

夫は、彼女とウォルトとの関係には気づいていないはずだ。

だが、ずっとこのままなのだろうか、とクレアは思った。自分の一生は、夫で満たされないものを他の男に求め、結局そこでも満たされないままで終わっていくのだろうか。

息子の葬儀の済んだ夕方、窓辺に立って何気なく下を見おろし、リチャードが真冬の前で泣き出すのを見たとき……彼女は自分の目を疑った。

最初に浮かんだのは、信じられないという思いだった。それはすぐに、信じたくない、に変わった。

結婚して三十五年、リチャードが泣くのを見たことはただの一度もなかったのだ。彼は決して、自分の弱味を人目にさらさなかった。心の奥を見せることは、相手に付け入る隙を与えることにもつながりかねない。リチャードはよく息子たちに言っていた。「蟻《あり》の穴からでもダムは決壊する」。この広大な牧場や数々の不動産を管理運営していくには、当主たる者はどこまでも強く、時には非情でなければならないというのが彼の考えだった。

娘時代からジョン・ウェイン――デューク――のファンだったクレアにとって、リチャード・サンダーソンは限りなく理想に近い男だった。容姿や雰囲気が似ているというだけでなく、彼は、デュークが映画を通して体現してみせたアメリカの魂、男のあるべき姿といったものを、良くも悪くも受け継いでいるようにみえた。統率力に優《すぐ》れ、勇敢で、己《おの》れの信条のためなら戦うことも辞さない。武骨だが茶目っ気もあり、男の友情に篤《あつ》く、女性には不器用で優しい——。そう、スクリーンの中のデュークは案外、女に弱かった。だが、どんな妖艶《ようえん》な美女に愛をささやかれても、妻や恋人を裏切るようなまねはしなかった。まさにそれこそが、リチャードがデュークと違っていた点だった。

手放しですすり泣く夫の姿を、二階の窓辺に立ちつくして茫然と見おろしながら、クレアはようやく思いあたった。この数十年、自分が彼に求め続けていたのは何だったのかということに。

彼女が理想としていたのは、死んでも弱音を吐かない男のはずだった。リチャードがそうあってくれることは、妻としての誇りでもあると信じていた。

にもかかわらず、いざ彼が弱味をさらけ出す場面を目にしてみると、わきあがってきたのは意外にも幻滅ではなく、真冬への猛烈な嫉妬だった。あのリチャードが初めて人前で涙を流すなら、そのとき隣に座っているのは自分でなければならないのに……夫の苦しみを共有し、慰め、癒《いや》す役割を許される人間は、本来ならばただ一人、妻である自分だけのはずなのに。

しかし、リチャードはその苦しみを吐き出す相手として、死んだ息子の嫁を——会ってからひと月にも満たないあの日本人を選んだのだった。三十五年間をともにしてきたクレアではなく。

ポーチでの二人を見ていた人物は、他にもいた。彼のほうは、見ただけでなく話の内容も聞いていた。

「きみが一人でどうしてるかと心配になってさ」白いフォードのセダンを運転しながら、マイケルは言った。「それで様子を見に行ったら、あの愁嘆場《しゅうたんば》だろ？　出るに出られなかったよ」

「出るに出られなくても、引っこんでしまうことはできたんじゃない？」

冗談めかして真冬がそう咎《とが》めると、

「……ごめん」

彼は気まずそうな顔をした。軽い口調の中に隠された本音に気づいたらしい。

「きみの言うとおりだな。でも……もし僕がもう一度あの場におかれたとしても、やっぱり立ち去るのは難しいと思うよ。きみは知らないだろうけど、あの親父が泣くなんて、僕にとっては山が動くくらいあり得ない出来事だったんだから」

葬儀の日から、三日がたっていた。二人は今、牧場から乗ってきたセスナを降りて、グランドキャニオンへと向かうところだった。

マイケルが連れて行ってあげようと言った時、真冬はもちろん、とてもそんな気分になれないと断った。だが、彼の言い分はこうだった。

「グランドキャニオンを見ないで帰るなんて、ニューヨーク見物に行ってエンパイアステイト・ビルに上らないようなものだよ」

そういう人だってたくさんいると思うし、だいいち私は見物に来たわけじゃないわ、と言い返したのに、とにかく閉じこもっているのは体に悪いからと、強引にセスナの後部座席に押し込まれてしまったのだ。

あまり期待はしていなかった。西部の、いや、アメリカのシンボルともいうべき大峡谷の風景には、写真や映像でいやというほどお目にかかっている。いまさら実物を前にしたところでそう感動するはずもないし、ああテレビで見たのと同じだなと思うくらいが関の山だろう。どうせ展望台には、世界中から集まってきた観光客が押し合いへし合いして、「わあ」だの「まあ」だの言っているのだろうし。

それでも、久しぶりにこうして緑の多い場所に来てみると、それなりの効用はあるものだ。山の中を抜ける道はゆるやかな上り坂で、両側には森林が広がり、時おり遠くに鹿の姿も見える。

「なんだか、不思議」

フロントガラス越しに、針葉樹林の上に広がる空を見上げながら、真冬はつぶやいた。

「何が不思議？」

「こういうことでも、癒されるものなんだなあと思って」

　マイケルは、横目で真冬を見た。

「きみはこのところずっと、見てて痛々しいほど肩に力が入ってた。何にも考えずに、外でぼんやりする時間が必要だったんだよ」

「そうは言うけど、肩に力でも入れていないと、立ってることもできなかったのよ。事件から三週間以上たって、いくらかましにはなってきたけれど」

「兄貴が、恋しい？」

「あんまりあたりまえのこと訊かないで」真冬はため息をついた。「恋しいにきまってるじゃないの。寂しくて寂しくて、気が狂いそう。本当だったら今ごろは熱々《あつあつ》の新婚さんよ。この夏休みの間に、どこかもっと広い部屋を探そうなんて計画してたのよ。なのに、あの人はもうどこにもいない……。胸の奥が痛くてたまらないの。その痛みをつい、ラリーのせいにして恨みたくなってしまうくらい」

　マイケルはしばらく黙っていたが、やがて前を見たまま言った。

「マフィ。もしきみさえよければ、ずっとこっちにいていいんだぜ」

　真冬は、びっくりしてマイケルを見た。

「つまり、そういう選択肢もあるってことさ。もちろんきみはまだ若いんだし、この先ずっとサンダーソンの名前を引きずることはない。全部忘れてやり直すほうがいいんだろうとは僕も思うけど、もし寂しくてどうしようもないんだったら、いつまででも僕らと一緒に暮らせばいい。きっと、そのうちには元気になるよ」

兄より少し明るい金髪の下で、灰色の瞳が木漏れ日をはじいている。まるで水銀のようだ。事件の夜、彼が抱いていてくれたおかげで眠れたことがふっと頭に浮かび、真冬は思わずその横顔から目をそらせた。

「ありがとう。でも私、もうしばらくしたら戻らなきゃ。ラリーを忘れるためじゃなくて、ずっと覚えているためによ」

「どういうこと？」

「私にとってのラリーは、あくまでもニューヨークの住人なの。あの街にいれば、いつも彼が見守ってくれてるような気持ちでいられると思うの。大学院もまだ残ってるし、あの人が応援してくれていたことまであきらめてしまいたくはないのよ。この先ティムをかかえてどこまでやれるかはわからないけど……」真冬は、時計をのぞいた。「ねえ、あの子、ちゃんとおとなしくしてるかしら」

ティムは今、牧童たちと一緒にいるはずだ。最初は連れてくるつもりだったのだが、セスナの乗り場まで向かう車で厩舎《きゅうしゃ》の横を通りかかった時、柵や羽目板《はめいた》の修繕をしていた男たちの中にブルースがいるのを見たマイケルは、真冬に相談もなしに、ティムを見ているよう彼に頼んだのだった。実際は頼んだというより命令したというのに近かったし、真冬はティムから目を離すのが心配でならなかったが、つい反対しそびれてしまった。ブルースを信用していないように受け取られるのがいやだったからだ。

ティム自身は、マイケルよりブルースによくなついていたので、真冬と離れて一人残ることを少しも嫌がらなかった。かえって彼女のほうが拍子抜けするほどだった。もっと正直に言えば、内心がっかりした。可愛がってくれる相手なら誰でもいいのね、と思わないでもなかったのだ。

だが、あの時のティムが一番心を惹《ひ》かれていたのは、どうやらブルース本人ではなく、彼の犬のようだった。右目のまわりに黒いぶちがあるので『殴られた顔《パンチド・フェイス》』、普段はパンチと呼ばれているその犬は、働いている牧童たちを邪魔するでもなければもちろん手伝うでもなく、彼らの足もとを黙ってうろうろしていた。色も体型もどこか狼《おおかみ》に似ていて、全体は灰色だが足の先が白っぽく、背中は逆に黒っぽい。

男たちの一人に、「おとなしいから撫でてみな」と言われたティムがおそるおそる手を伸ばし、頭をさわると、パンチは嬉しそうに目を細めた。撫でているうちに以前の癖が出たのか、ティムがいきなりグイと耳を引っ張った時も、真冬は咬《か》まれるかと思って悲鳴を上げたが、犬は我慢強く口を結んでいた。ブルースも何も言わなかった。

「きっと今ごろ、泥んこになって遊んでるさ」と、マイケルは言った。「離れてる時くらい、のんびりしなよ」

「してるわ。こんなにのんびりしたのは久しぶりよ」

「こうでもして引き離さなきゃ、きみはそのうち、あの子にふりまわされて過労死しちゃうんじゃないかと思ったんだ」

真冬は苦笑した。「リチャードにもちょっと言われたけど、そんなに私、ふりまわされてるように見えるの？」

「まあね。こう言っちゃ何だけど、ベビーシッターのバイトを始めたての高校生って感じかな。赤ん坊の時から育ててないからか、それとも自分の本当の子じゃないせいかわからないけど、何て言うのかな。慣れてないっていうか、こわごわ扱ってるだろ？　叱り方ひとつとってもさ。僕の従姉《いとこ》なんか、子供が悪さしたら髪の毛ひっつかんで怒鳴りつけてるよ。まあ、そこまでしろとは言わないけど」

しろと言われてもそんなわけにはいかないのだ。一度でも力で押さえつけようとすれば、今までかかってティムとの間に築いてきた信頼関係が一瞬で崩れてしまうだろう。

「こっちは、子供を育てるにはいいところだと思うよ」と、マイケルは言った。「特に、男の子にはね。何より遊び場がたくさんあるし」

「そうでしょうね」真冬は、高い雲に目をやった。「こういうところで育った男の子がどういう大人になるかは、身近に豊富な見本があるからよくわかるわ。強くて、それでいて傲慢《ごうまん》じゃない男の人って貴重よね」

「それはどうだかな」とマイケルは笑った。「少なくとも、サンダーソン家の男で傲慢じゃないやつなんかいないよ。ただ、それを人に気づかせない術《すべ》にたけているだけさ」

「意外と皮肉屋さんなのね」

「仕方ないだろ。末っ子は全員を観察しながら育つから、どうしてもこうなる」

「でも、あなたはラリーの自慢の弟だったみたい。前にも話したと思うけど、あのひと、式の日取りが決まったころ私に、弟を紹介するのが楽しみだって言ってたのよ。どんな人なのって訊いても、教えてくれないの。会ってからのお楽しみだって……」

マイケルは、しばらく答えなかった。

やがて口をひらいた時、その口調はひどく苦々しげなものに変わっていた。

「兄貴は、誰にでも優しかったんだよな。小さい頃から、兄貴は僕の憧《あこが》れだった。親父みたいに力で引っぱっていくタイプじゃなかったけど、頭が良くて、みんなから信頼されてた。だから、兄貴が家を継がずに学者になるなんて言い出した時の親父やおふくろの落胆ぶりといったらなかったよ。まるで自分らには息子が一人しかいないと思ってるみたいにね」

「そんなこと。二人とも、あなたを頼りにしてるじゃないの」

「そりゃ、だんだん体がきかなくなってきたからさ。でも、わかるんだよ。いつだって兄貴と比べられてるってことが。昔、兄貴が家を出た時は、これで比較されずに済むと思って内心ホッとしたもんだけど、結局何も変わらなかった。死んでしまった今でも、やっぱり変わってない。いつまでたっても、僕は親父やおふくろにとって、頼りない『末っ子のマイケル』でしかないんだ。で、何かっていうとまた、『ロレンスが生きていたらねえ』ってことになっちまうんだよ」

真冬は黙っていた。

「……つまんない悩みでごめん」彼は苦笑をもらした。「それにしても、いったい何で僕はこんな愚痴をこぼしてるんだろうな。マフィ、きみって何か特殊な能力でも持ってるんじゃないかい？　きみに対しては、つい本音を打ち明けたくなる。親父があんなふうに泣いたのも、今となっては不思議じゃないって気がしてきた」

「買いかぶりすぎよ」

マイケルはちらちらと彼女を見ながら言った。「きみは、あまり自分のこと話さないんだね」

「話すって、何を話すの？」

「ふだんはどんなこと考えてるか、とか、どういう人間か、とかさ」

「どういう人間かなんて、自分ではわからないもの」

「でも、しいて言えば？」

「うーん。そうね……しいて言えば、この土地では暮らしていけない人間だと思うわ」

「どうして？」マイケルは驚いたようだ。

「どうしてかしら。空気はきれいだし、広々してるし、こうしているだけで気持ちが癒される……環境は申し分ないはずなのにね。それでも、私にはたぶん暮らせない。たった二週間ちょっと離れていただけでも、もうあの街の刺激が恋しいのよ。もちろん、いやなこともいっぱいあるわ。人や車は多すぎるし、空気は汚い、犯罪だって……信じたくないけど、ラリーが巻き込まれた事件なんて、現実には毎日あの街のあちこちで起きているたくさんの事件のひとつでしかないのよ。犯人が捕まらないのも当然だわ。警察はいつだって、やる気がないか、やる気はあっても人手がないかのどっちかなんだもの」

「どうも、よくわからないな。それじゃまるで、兄貴はあの街に殺されたようなものじゃないか。なのに、そんな街のどこがいいわけ？」

「いいとか悪いとかじゃないの。そうじゃなくて、何ていうかこう……」真冬は説明しようとして言葉に詰まり、やがてあきらめた。「ごめんなさい、言葉ではうまく言えないわ。自分でもあんまりよくわかってないみたい」

「きっと、ただの思い込みだと思うな」とマイケルは言った。「住めば都っていうじゃないか。だってきみ、最初からニューヨークを気にいってた？」

「そういうわけじゃないけど」

「だろ？　五年も住んで、今は住み慣れたからそう思うだけだよ。人間なんて、その気になればどこででも暮らせるものさ。最初はそりゃ覚悟がいるだろうけど」

どこででも？　本当にそうだろうか？　自分も、その気になり、覚悟さえ決めれば、日本で暮らし続けることもできたのだろうか？

そうは思えなかった。

「それじゃマイケル、あなたは、ああいう街で暮らせる？」

「他にどうしようもなければね。それならそれで、けっこう楽しんで暮らすかもしれないな。わりと何にでもすぐ順応できるほうなんだ」

「そう。いいわね」と、彼女は言った。「でも、私はそれ、苦手なの」

すうっと日が陰った。わずかだが、雲が出始めていた。

しばらく走ると、彼はやがて、あたりを茂みに囲まれた何の変哲《へんてつ》もない駐車場で車を停めた。

「ここ？」

「そうだよ」

真冬はあたりを見まわした。観光バスや乗用車がたくさん停まっているが、あたりには灌《かん》木《ぼく》の林しか見えなかった。

「ここの、どこがグランドキャニオン？」

マイケルは微笑し、あごをしゃくった。

けげんに思いながらも、人の流れにしたがって茂みを抜けた真冬は、とつぜん顔に吹きつけてきた風にふらつき、その瞬間、目の前にひらけた眺望にあっと叫んだきり声を失った。

吸いこまれる！　と思った。

異様な光景がひろがっていた。異次元空間へ突き抜けたとしか思えない。

足もとからいきなり垂直に切れ落ちる断崖絶壁《だんがいぜっぺき》。

目の前には空。

眼下にはどこまでもただ赤茶けた岩、岩、岩が折り重なって皺寄り、荒れた地層をさらしている。川の流れと風雨とに削られた谷間は迷路のごとく入り組み、連なり、連なり、分かれ、合わさり、盛り上がり、屹立《きつりつ》し、ゆがみ、ひしゃげ、欠け落ち、裂け、えぐられ、連なり、連なり、とぎれ、また連なり、連なり、連なり、連なってゆき……右にも左にも、目路《めじ》の限り岩々は続き、地平線を無視するかのようにさらに続いて薄紫にぼうっとかすみ、それでもまだ続きに続いて、永遠に終わることがない。

そここに巨大な奇岩が立ち並ぶ。雲が切れて光がさすたびに、岩々は生き物のようにうっそりと身を起こし、互いが落としあう影は真っ黒になり、陽に照らされて燃えたち底光りする岩肌の上では、地層のひとすじひとすじがすべて異なる色を持って虹のように浮かび上がった。はるかな残丘《ざんきゅう》の隙間、一マイルも下の谷底には銀の糸のようにコロラド川が輝き流れ、時おり風向きが変わるとその轟《とどろ》きがかすかに耳に届く。空気が澄みきっているために遠くのものまで近くに迫って見え、視線を動かすとすぐには焦点があわずにめまいがした。

それは、むき出しの無限とでもいうべきものだった。

目にしているもののあまりの巨《おお》きさに押しつぶされて呼吸困難を起こしそうになり、真冬はきれぎれに浅い息を吐いた。自分が今見ているものは、ただの風景ではなく「時間」そのものだという気がした。まわりの観光客など、意識から消し飛んでしまって気にもならない。人間がいくら群れていようが蟻にしか感じられないほど、二億年の時の流れはひたすら彼女を圧倒していたのだ。

顔に吹きつける風が、大地の吐く息のように感じられる。

頭上から笛のような高くとがった鳴き声が響き、はっと見上げるとまためまいがしてよろめいた。

大きな鷲の腹が真上を通り過ぎていくところだった。鷲は幾たびか乾いた羽音で空を打ち、それから翼の先をぐ、ぐ、と伸ばして指のようにひろげると、ふいに彼だけに見える風をとらえて宙をすべり、なおも長く鳴き声を引きながら斜めに落ちるように谷底へ吸い込まれていった。

無限にひろがる光景の中で、動くものはその黒い点だけだった。ただそれだけが真冬に、時間が止まっているわけではないことを教えてくれていた。

谷底から吹き上げてきた一陣の風に押され、真冬は思わず、低い鉄の手すりとマイケルの腕にすがりついた。

「上空をセスナで飛ぶより、まずはここに立たせてあげたかったんだ」彼の声が妙に遠くから聞こえた。「ホピ族の言い伝えでは、ここが世界の中心で、人間はこの裂け目から産み落とされたんだそうだよ」

二人が牧場に戻った時には、夕方になっていた。

はるか遠くの岩山の上空に、灰色のオーロラのような薄い暗幕がたれさがり、カーテンを引くようにじりじりと動いている。時おりその中にピカッと稲妻が走って、山に突き刺さる。

「あそこだけ雨が降っているんだよ」と、マイケルは言った。「でも、こっちまでは来てくれそうにないな」

かすかに遠雷が轟く。マイケルは、車を厩舎に寄せて停めた。入口には、人が馬に乗ったまま入れるように、背の高いドアが取りつけられている。

中に入ってみたが、牧童たちの姿はなかった。外の匂いを連れてきた二人のほうへ向かって、ずらりと並んだ囲いから数十頭の馬たちが首を突き出して鼻の穴をひくつかせている。内部は隅々までていねいに掃除され、破れていた羽目板もすでに直っていた。

ティムのことを考えて心配そうな真冬に、マイケルは、自分の馬の囲いへ寄って愛馬の様子を見てやりながら言った。

「大丈夫だってば。どうしても面倒が見られなきゃ、誰かが母屋《おもや》へ連れて帰ってる。いくら何でも、そのへんに放り出したりはしないさ」

と、厩舎の向こう側の出口で何かが動いた。

開け放たれた戸口の四角い逆光の中に立ってこっちを見つめているのは、今朝の犬、パンチド・フェイスだった。離れて見るとずいぶん痩せてみえる。ふいっと視線をそらし、すたすたと戸口を横切って行ってしまう犬を、真冬は慌てて追いかけた。

「マフィ？」

「ごめんなさい、待ってて。ちょっと見てくるだけ」

犬の行く先に、ブルースもいるのではないかと思った。できれば面と向かって、ティムを見ていてくれた礼を言っておきたかった。それには、かえってマイケルがそばにいないほうがいい。

しかし、細長い厩舎の真ん中の通路を走り抜けて戸口から外へ出た時には、犬の姿はもうなかった。曇りとも晴れともつかない不思議な光が、乾いた土の上に鈍く照りつけているだけだ。遠くの雨のせいか、じっとりと蒸し暑い。

左手にはすでに見慣れた牧草地が広がっていたが、右手には白っぽい土をならした広場があり、長屋のようなプレハブの建物が建っていた。いくつかの窓に、洗ってもまだ汚い洗濯物がぶらさがっているところをみると、独り者の牧童たちの宿舎だろうか。真冬の見ている側が裏手らしく、古びたピックアップトラックやジープが何台か並べて停められている。

話し声が、そう遠くないところから聞こえた。いや、それは話し声ではなくて奇妙な歌のようだった。

真冬は声のするほうへ歩き出した。

建物を向こう側へまわってみると、そこも小さな広場になっていた。

あの犬がいた。昼間厩舎で働いていた牧童たちも三、四人集まり、地面や建物の壁ぎわに寄せた椅子に腰をおろして休んでいる。ブルースと、そしてティムの姿もあった。ブルースは立ったまま壁にもたれていて、ティムのほうは——真冬は眉をひそめた——椅子に腰かけた見知らぬ女性の膝に抱かれて親指をくわえていた。女性は、見たところ三十過ぎだろうか。日に灼けたような肌の色や、結い上げた黒い髪、そしてのっぺりした顔だちは、おそらくネイティヴだろう。

奇妙な歌は、牧童の中の一人が体を揺すりながら歌っているのだった。いつか車のラジオから流れてきたあの歌によく似ている。一様に若い男たちの中で、歌っている男だけは五十を過ぎているようにみえる。彼もまた、白人ではなかった。チェックのワークシャツとジーンズといった服装は他の者と変わらないが、顔だちはどう見ても、どこかの部族の出身だった。そして彼は歌いながらときどき、何か黄色い粉をふりまいてはティムの頭や体にそっとさわり、さわってはまた、彼に語りかけるように歌っているのだった。

「ばかばかしい！」

腹立たしげに言ったのは、いつのまにか真冬の横に来ていたマイケルだ。

「あれは、何をしているの？」戸惑いながら、真冬は言った。「あの粉は何？」

「トウモロコシの花粉さ。やつらが儀式の時に使うんだ。カーリーの奴は、メディスンマンなんだよ」

「メディスンマン？」

「もちろん自分で勝手にそう言ってるだけだが、つまり、まじない師さ。インディアンの部族には必ずそう呼ばれる連中がいて、そのへんの草や木の根っこなんかで病気を治したり、失《う》せ物《もの》を見つけたり、彼らの神からのお告げを聞いたりするんだ。予言をするとか、誰かに呪《のろ》いをかけるとかね。要するに、どれもインチキってことさ」

終わりまで聞かずに、真冬は走り出していた。彼らの輪の中へ駆けこみ、突然のことに驚いているの女の腕からティムを奪い返して、叫んだ。「やめて！」

とたんに、パンチド・フェイスがじりじり後ずさりしながら吠《ほ》え始めたが、ブルースが短く叱りつけると不服そうに黙った。

座がシンとした。注がれるいくつもの視線にひるんだものの、真冬はあえて自分を奮《ふる》い立たせ、カーリーという男とブルースを順ににらみつけた。

「この子に、何をしていたの？」

ブルースが黙っていると、カーリーが代わりに答えた。

「歌を歌ってやっただけさね」訛《なま》りの強い、聞き取りにくい英語だった。「正しいバランスを取り戻すための歌をな。この世のものはすべて、バランスこそが大事だというのに、その子の心はそれが崩れとる」

ギクリとしながらも、嫌悪のほうが先に立った。

「頼んでもいないのに、よけいなことしないで下さい！」

自分でもその声をヒステリックだと思ったが、止められなかった。頭の中には母親の顔が浮かんでいた。宗教にすがり、のめり込み、祈りの言葉を唱えては憎々しげに娘を遠ざけようとした母親の顔が。

「おまじないだの、お祓《はら》いだの、悪いけど私、そういうのは信じてないの」ブルースに向かって、真冬は言いつのった。「大嫌いなのよ。虫酸《むしず》が走ると言ってもいいくらい。私のいない間この子の面倒を見て下さったことには感謝するけど、それとこれとは別だわ。お願いだから二度と勝手にこんなことしないでちょうだい。いい？　二度とよ」

カーリーはブルースをちらりと見て、真冬にはわからない濁音だらけの言葉で何かつぶやいた。

「何て言ったの？」怒りと恐れが入り混じって、声が震えてしまう。「教えて。その人いま、何て言ったの」

　ブルースは、無表情に通訳した。

「『心のバランスを崩してるのは、子供よりもむしろ彼女のほうだ』と言った」

「…………」

　真冬は唇をかみしめ、カーリーに目を移した。

　小柄なメディスンマンが、ひょいと肩をすくめる。

　抱きしめる真冬の腕に思わず力が入ってしまい、ティムが体をよじって泣き声をもらしたとたん、ブルースの隣に立っていた黒髪の女が今にも駆け寄りたそうにした。

　真冬は、さっときびすを返した。

　女がまるで保護者のようなそぶりを見せたのがむしょうに腹立たしかった。

　そばまで来ていたマイケルの横を通り過ぎ、彼が呼び止めるのにも耳を貸さずに、もと来た厩舎のほうへ早足で歩いていく。その間じゅう、彼女は背中に、ブルースと女の視線を強く意識していた。

17

以前は、一人でいることをこんなに寂しいと思ったりしなかった。一人があたりまえで、誰かといるせつなさも面倒くささも、まだ知らなかったからだ。

ラリーの肌のぬくもりが恋しかった。ルーシィたちの陽気な騒がしさも懐かしい。

何とか、来週のうちには帰ろうと真冬は思った。

「マフィは、おっぱいでないの？」

おずおずと彼女の胸のふくらみをさわりながら、ティムが言った。昼間、牧童たちに乳牛の牛舎へ連れていかれ、乳を搾《しぼ》るところを見せてもらったらしい。もちろん今どきは機械で搾るのが普通だが、

「ぼくは、てでしぼったんだよ」

「すごいわねえ」膝の上のティムの顔をのぞきこんで、真冬は感心してみせた。「誰に教わったの？」

「えっとね、ブルース」

ティムが言うと、「ブルース」と「ブリューシュ」の中間くらいに聞こえる。その日の体

験がよほど楽しかったのだろう、彼は、真冬が何も質問しなくても自分からよくしゃべった。

葬儀の日以来、夕食の後はこうしてポーチに出て、一日の最後の光を惜しむのが日課になっている。リヴィングにいるより、ここのほうが気持ちが休まった。イライザはどうせすぐに部屋に戻ってしまうし、クレアが如才なく話しかけてくれるのはありがたいのだが、やはり長い時間一緒にいると息が詰まる。

砂漠の多いアリゾナでは、昼と夜との温度の差が激しい。陽が落ちてから吹く風は思いのほか冷たく、うっかりすると風邪をひきそうだった。真冬は暑いといやがるティムに無理やりカーディガンを着せていた。

「うまく搾れた？」

「うん、いっかいだけ。ぴゅーってでた」ティムは得意そうに小さなあごを上げた。「ねえってば、マフィはおっぱいでないの？」

「出ないわよ。私は牛さんじゃないもの」

「なんで？　マムはいっぱいでたっていってたよ」

一瞬、自分の頬がこわばるのがわかった。訊いているティムに他意はないのに、内心穏やかではいられない。

「あのね、ティム。牛さんもそうだけど人間の女の人もね、赤ちゃんを産んで、お母さんにならないと、おっぱいが出ないようにできてるの。わかる？」

「ふうん。なんで？」

「なんでって……神様がそうお決めになったから」

神様なんか信じていないくせに、と思ってみる。しかしティムは、とりあえず納得してくれたようだった。それなりに便利な答えではある。

「ねえ、ティム」少しためらったものの、真冬は結局、訊かずにいられなかった。「マムに会いたい？」

彼は即座に首を横にふった。

「どうして？」

「だって、いたいことするもん」

なま温かい悲しみが、真冬の胸に満ちた。答えは半ばわかっていたのに、ティムを試してしまったのだ。はっきりと手でさわれるような安心が欲しくて。

守っているつもりでいながら、じつは守られているのは自分のほうかもしれない。

「約束するわ、ティム」彼をそっと抱き寄せ、頭の上にあごをのせてささやく。「私は絶対、痛いことなんかしないからね」

「……ぜったい？」

とティムが訊いた時、向こうでドアノブの回される音がした。真冬がふり返ると、ティムも彼女の胸に手をついて体を起こした。玄関からリチャードが出てくるのを見て、真冬は小声で「ティム」と呼び、くるりと首を戻して見上げてきたティムに言った。

「ぜったい」

ティムは、はにかむように笑った。

「やっぱりここか」と、近づいてきながらリチャードが言った。「わしも仲間に入れてもらってかまわんかね」

「ティム、どうする？」

いたずらっぽく真冬が訊くと、ティムまでがわざと考えこむように小首をかしげ、ひょいと肩をすくめて、

「いいよ《シュア》」

と言った。その生意気な口調と身ぶりがあまりに愛らしくて、真冬はリチャードと顔を見合わせ、同時にふきだした。リチャードの太い笑い声に、自分の笑い声が重なって聞こえた、そのとたん――心臓に酢を注ぐような痛みが走って、彼女は唐突に笑いやんだ。

声をたてて笑うのは、結婚式の日以来だった。しかし真冬は、ラリーを失ってからわずか一か月足らずで自分が笑えるようになってしまったことにショックを覚えた。そんな日がもう一度来るものでしょうか、と目の前にいるリチャードに向かって訊いたのは、つい半月ほど前のことではなかったか。

笑いの揺り戻しのように、今度は泣きたくなる。

落ち着かなくちゃ。――彼女は深く息を吸い込んだ。

ふっつりと黙りこんでしまった真冬のそばに腰をおろし、リチャードは胸のポケットから煙草の箱を取り出した。

「一本どうだね？」

「いえ、私は……」ぼんやり答えてから、彼女は気づいた。「煙草なんて、前から吸ってらっしゃいました？」

「まあ、一年ばかり前まではな。いっぺん心臓で入院してからは、医者にとめられて、ずっとやめとった」

「なのに、どうしてまた？」

リチャードはてのひらでジッポーを囲い、火をつけた。カチリとふたを閉じ、遠くを見ながら煙を吸い込む。煙草の先が鮮やかに赤く光り、真冬はいつのまにかあたりがずいぶん暗くなっていたことを知った。

「これからというやつが死んで、こんな老いぼれがまだ生きている」ひとりごとのようにリチャードは言った。「人間、いつ何で死ぬかわからん。わしやあんたが明日の朝も生きている確率はきっかり五分五分《ごぶ》。目が覚めるか、息が止まっているかの、二つにひとつだ。あたりまえのことなのに、ふだんは誰も意識していない。本当に意識していたら、恐ろしくて生きてはおれんだろうからな。しかし——わしはもう、いやというほどそのことが骨身にしみた。だから、したいことを我慢して細々と生き永らえるような、そんな貧乏臭いことはやめにしたのさ」

「……おっしゃることは、よくわかります」真冬は静かに言った。「でも、リチャード。細々とだろうと、貧乏臭かろうと、私はとにかく一日でも長くあなたに生きていてほしいと思いますわ。もう、誰かを失うのはたくさんなんです」

南棟の二階の窓に灯《ひ》がともった。部屋の中の明かりを背にして、窓辺にクレアの黒い影が立った。真冬に続いて、リチャードが見上げたとたん、クレアはカーテンをさっと閉めてしまった。

沈黙が、急に気まずく感じられた。

リチャードはゆっくりと煙を吐き出し、おもむろに片足をもう一方の膝にのせると、その靴底にこすりつけるようにして煙草をもみ消した。

「ま、せいぜい一日数本にしておくかな。わしも、あんたに泣かれるのはつらい」

真冬が微笑もうとした時、

「ところでな、マフィ」ベンチの背もたれによりかかって、彼は両手を組み合わせた。「じつは、調べさせてみたんだよ」

「何をです?」

「イヴリンさ」

ぎくっとなった真冬を、膝の上のティムが不思議そうに見上げてきた。

「車の中で話したことを、覚えているかね?」

「ええ」

「気になってな。人を使って、居所を調べさせたんだ。案外簡単にわかったよ。彼女は今、フィラデルフィアの病院に入院している」

「フィラデルフィア？」真冬は眉を寄せた。「フロリダだとばかり」

「どうやら、ニューヨークへ戻りたがっていたようだな」

「入院って、何の病気です？　あの……悪いんですか？」

　リチャードは、口をへの字に曲げた。

「ドラッグ中毒だそうだ」

　真冬は、絶句した。

「最後に引っかかった男が悪かったんだろう。ラリーから持ち逃げした金も、自分で使いきったのか、男に貢《みつ》がされたのか……ともかく、とてもじゃないが子供を任せられるような状況ではないし、本人にその意思もない。というより、すでに、何かをまともに判断できるような精神状態じゃないんだよ」

　真冬は、ごくりとつばを飲みこんだ。

「つまり？」

「つまり、ラリーが死んだ今、親権はわしとクレアが引き継ぐということだ」

「それは……あなたがたで、この子を引き取りたいということですか？」

「そうだとしたら、どうする？」

　真冬はのろのろとうつむいた。

「どうすると言われても……法律には勝てませんもの。あなたがたが引き取るとおっしゃるなら、血のつながりのない私に言えることなんて何も……」

「ふむ」と、リチャードは言った。「ということは、何かかね？　あんたは、できるなら自分でこの子の面倒を見たいと言うのかね？」

「それは、もちろんそうですわ」

「あんたが今いみじくも言ったように、この子との間には血のつながりがない。あんたの夫であり、この子の父親であった男ももういない。さらに言えば、この子は難しい心の傷に加えて、何かと差別されがちな運命まで背負っている。マフィ、よく考えてごらん。一時の感情でではなく、冷静に考えるんだ。これから先、あんたの新しい人生が始まろうという時になって、この子が足手まといになりうるとは思わんのかね？」

頭の中に、ルーシィやサンドラの言葉がちらついた。

（おじいちゃんたちがティムを引き取るって言ったら、変に意地はるんじゃないのよ。あの子にとっても、そのほうが幸せかもしれないんだから）

（もし連れて帰ってくるなら、私たちも協力を惜しみません。彼のために、一番いい道を選んであげて）

真冬は、重たくなってきたティムをしっかりと抱き寄せた。そろそろ眠いのだろう、彼の親指はいつのまにかまた口の中に入れられている。

「新しい人生って、何なんでしょう」と、彼女は言った。「ラリーとの思い出が、私の中で色あせる日がくるとは思えません。あのひとと過ごした時間にしろ、これから先の時間にしろ、古いも新しいもないんです。過去も未来も、ひと続きの私の人生だわ。どこか途中から新しく始めようだなんて、そんなこと……私が息絶えて死ぬまではずっと続いていく、その道のりがぜんぶ私のものなんです。そうじゃありませんか？」

「なるほど。そしてティムが、あんたの背負うべき荷だと？」

「いいえ。私、むしろ、この子に手を引っぱってもらってるんです。彼にふりまわされているわけじゃありませんわ。はた目にはどう見えるかわかりませんけれど」

「ふむ」と、リチャードはくり返した。「ならばわしが、もし……もしだよ、あくまでも仮にだ。仮に、あんたを信頼して、この子を預けると言ったら——どうする？」

耳の奥がざくざくと脈打つ。

その音を聞きながら、真冬は答えた。

「あなたに抱きついて、キスするかもしれません」

「…………。ふむ」

前の二回とは少し違った「ふむ」だった。

「わかった。まあ、この話はひとまず置いておこう。とりあえず、イヴリンという線はなくなったと言っておきたかったんだ。安心しただろう？」

「ええ」真冬はにっこりした。「半分だけですけど」

リチャードは、そんな彼女をしげしげと眺めた。

「何ですの？」

「うん？　いや、こうして見ると、とても信じられんと思ってな。あんたが、牧童連中の集まる中へ怒鳴りこんだとは」

　真冬の顔から、みるみる微笑がすべり落ちた。

「マイケルにお聞きになったんですか？　それとも、ブルース？」

「ブルースのやつは、そういうことは言わん」

「……そうでしょうね。私もそう思います」

「だが、マイケルでもないよ」と、彼は言った。「あの場にいた牧童だ。彼らには一応、その日のことを上へ報告する義務があってね。話が牧童頭《がしら》に伝わり、そこからわしの耳に入ったわけだ」

「ここでは、隠し事なんてできそうにありませんね」

「前にあんたが言ったとおり、ここは小さな村のようなものだからね。噂はどんなものであれ、その日のうちにほぼ全員の耳に入る」

　真冬は黙っていた。ティムはいつのまにか、彼女の胸に額をもたせかけて寝息をたて始めていた。

「しかし、マフィ。いったいなぜ、メディスンマンのすることを目の敵《かたき》にするんだね？　聞いたところによれば、あんたはああいう祈りやまじないの類《たぐ》いを、大嫌いだと、虫酸が走るとまで言ったそうじゃないか」

「だって」真冬は小さな声で答えた。「インチキなんですもの」

　風が、青く暮れた牧草地の上を渡っていく。リチャードはしばらくその音を聴いていたが、やがて言った。

「あんたは、神を信じてるかね？」

面くらった彼女の顔を見て、リチャードは口の両端を上げてみせた。

「いつものわしなら、こんなことをぶしつけに訊いたりはしないさ。宗教というものは、年齢や、血の問題や性的な嗜好《しこう》と同じように、ごくプライヴェートな事柄だからね。だが、あんたにはぜひ訊いてみたいんだ」

「それは、キリスト教の神、という意味ですか？」

「どういう意味に受け取ってもらってもかまわない。あー、つまり、別の宗教の神なら信じているということかな？」

「いいえ」と、真冬は言った。「私は宗教を持っていません」

「ふむ。それは、何となく持たずにいるだけかね？　それとも、確固とした信念からかね？」

「たぶん、後のほうですわ。宗教なんて、人間の弱さが作り出した便宜的《べんぎてき》なものに過ぎないと思うんです」

リチャードは黙ってうなずいた。

「ならば、もうひとつ訊こう。あんたは、人間の力を超えたものが存在すると思うかね？」

「それは……」真冬は口ごもった。「ええ、そう思います。でも、誤解しないで頂きたいんですけど、べつに宗教とか超自然とかいった意味ではなくて……」

んだろう?」

「いや、わかるよ」とリチャードは言った。「もっとあたりまえのことだと、そう言いたい

——あたりまえのこと。

真冬はうなずいた。

「ええ。そうですね」

「だが、そのあたりまえのことを、わしらはよく見失ってしまう」

「………………」

「人間が一番偉いかのように勘違いしてしまうんだ。こんな大自然の真ん中に暮らしてきたわしでさえそうなのだから、ニューヨークのような大都会で、人の作り上げたものだけに囲まれて暮らしている連中なら、無理もないと思うよ」

ポーチの明かりがフッと弱まり、また元に戻った。小さな虫たちが狂ったようにそのまわりを飛びまわっている。

「しかしね」と、リチャードは続けた。「インディアンたちの世界のとらえ方というのは、まさにその『あたりまえのこと』を——人の上にも何か大きな力があるということを、朝から晩まで、そして一生を通じて忘れずにいるためのものなのだよ。それを指して彼らの宗教と呼ぶ者もいるが、そうではないと、わしは思う。あれが宗教だとしたら、彼らは宗教を生きていることになる。彼らにとって、大地と空が自分らの両親であるとか、生きとし生けるものはすべて兄弟だとかいうのは、単なる詩的な表現ではないんだ。彼らはそれを本気で信

じている。心の底から太陽に祈り、大地に祈り、空を飛ぶ鳥に祈る。神聖な儀式を重んじて、自らの肉体と精神を高いところに押し上げるために苦行《くぎょう》に耐える。そして今では、ひとつひとつに意味のあるそういった伝統のすべてを、何とか守り続けていこうとしているのさ。なあ、マフィ。あんたは、それさえもインチキだ、文明に逆行するたわごとだと思うかい？」

真冬がためらい、やがて首を横に振ると、リチャードは満足げにうなずいた。

「要するに、何がインチキで何がそうでないかなど、本当のところ、わしらに判断のつくものではないような気がするんだよ。この世は、本当にこの世のものだけで成り立っているんだろうか？　もしそうでないとしたら、わしらに何ほどのことがわかるだろう？」

この義父がそんな、まるでオカルトかニューエイジ系の雑誌に載っていそうなことをしゃべるなんて、と驚いたが、リチャードはしごくまじめな顔で、まっすぐに真冬を見据えていた。深いブルーの瞳には何の曇りも迷いもなかった。

「もちろん、すべてのインディアンがそういう精神生活を送っているわけではないさ」と彼は続けた。「いや、むしろ全体から見れば少ないだろうな。白人と同化しようとするあまり、仲間からまで揶揄《やゆ》を込めてアップルなどと呼ばれている者もいる。外の皮は赤いくせに中身は白いという意味だよ」

「私も、『バナナ』って呼ばれたことがありますわ」と、真冬は言った。「大学のクラスメイトからでしたけれど」

「ほう。どう思ったね？」

「うまいことを言うものだな、と」

「はっはあ」

「それに、言われてみれば、なるほどそうかもしれないとも思いました」

リチャードはけげんな顔になった。「あんたの中身は白人なのかい？」

「そういうわけでは。ただ、日本人でいるのがいやで」

「どうして」

真冬は答えなかった。

「まあ、いい」と、彼は言った。「話したくないことを無理に話す必要はないさ。ともかく、メディスンマンのことだ」

「……ええ」

「彼らの役割はな、マフィ。はるかな昔からインディアンが大切にしてきた考え方を、過去の世代から引き継ぎ、次の世代へと受け渡していくことさ。彼らは決して、怪しげな土俗宗教のまじない師じゃない。無知蒙昧《むちもうまい》な人々や、狂信者をあおるような教祖でもない。語《かた》り部《べ》であり、シャーマンであり、癒す者《ヒーラー》でもある、神聖でなおかつ身近な存在なんだ。昼間あんたが会ったカーリーはまあ、それほど地位の高いメディスンマンではないようだが、それでもインチキというのとはちょっと違っているんじゃないかとわしは思うね。今のこの国で、『アメリカ人』ではなく、ザ・ピープルであることを選ぼうとしている者たちにとって――メディスンマンはまさに、なくてはならない存在なんだ。いわば、魂の案内人なんだよ」

リチャードが黙り、真冬もまた黙っていると、キリギリスが鳴きだした。ポーチの石段の陰から聞こえる鳴き声は、軽やかな歯ぎしりのようだ。もう九時をまわっていたが、夏の夜は青の色が少しずつ濃くなっていくばかりで、なかなか完全な闇にならない。

真冬は、ティムを起こさないように抱き直した。眠ってしまうと、子供は倍ほど重くなる。彼の手足からはもう完全に力が抜け、口に入れていた親指も今は胸の上で乾いていた。

「ごめんなさい」と、彼女は言った。「私が間違ってたみたいですね。本当は、自分で考えても、どうしてあんなに過敏な反応をしてしまったのか不思議なほどなんです」

「わしでよかったら、話を聞くよ」

「そんな、たいしたことじゃありませんもの」

「たいしたことじゃなかったら、虫酸までは走らんだろう」

「いいえ、ほんとに。……ただ個人的に、信仰とかおまじないとかいったものにイヤな思い出があるだけです。そのせいでちょっと、宗教アレルギーみたいになってしまって。すみません。居合わせた皆さんにまで不愉快な思いをさせてしまったわ」

目を伏せていても、リチャードがさぐるように見つめているのがわかった。その視線から逃れたくて、真冬は言った。

「あの、ひとつお訊きしても？」

「何だね？」

「昼間、ブルースや皆さんと一緒にいた女性のことです。ご存じですか？　黒髪を後ろに結い上げた、ほっそりした人でしたけど」

「ああ、デリラだね。デリラ・ベゲイ。彼女はナヴァホ出身だよ。ブルースの従姉だ」

「あら」

「またの名を、シルヴァー・ウィードともいう。ナヴァホ語で何というかは知らんが」

「銀色の草《シルヴァー・ウイード》？　きれいな名前ですのね」

「普通の名前とは別にインディアン名を持つ者も多いんだ。デリラは一年ほど前からこの牧場に住んでる。夫がここで働くようになったのでな。で、彼女がどうかしたかね？」

「いえ……。せっかくティムを抱いていて下さったのに、失礼なことをしてしまったと思って」

　リチャードは、眠りこけている孫に目を向けた。

「デリラは、今までに二人産んだ子を二人とも亡くしているんだ。最初の子は早産の未熟児で、翌朝までもたなかった。二人目は、ちょうどティムくらいの時に、インフルエンザから肺炎を併発して死んだ。居留地の町には無料のクリニックがあるんだが、そこは、経験の浅い若い医者ばかり多くてね。デリラの子供の場合も誤診が原因だった。恐ろしいことだが、これがまた、そう珍しい話でもないときてる」

「まあ……」

　思わず身動きすると、ティムが眠ったまま文句を言った。

「デリラとブルースは、母親同士が姉妹なんだ。ナヴァホでは、きょうだいといとこ、を区別しない。いとこでも、姉とか弟と呼びあうんだよ」

「それにしては、ちっとも似ていない『姉と弟』ですのね」

「まあ、ブルースはとくに、半分しかナヴァホではないのでな」

「え？」

「ブルースの父親は――白人なんだ」

「……そうだったんですか」

真冬は、彼の瞳の色を思った。赤銅色の肌にうめこまれた、濃い藍色の瞳。ブルースはたぶん、父親のほうからあの瞳の色を受け継いだのだろう。その点を別にすると、彼の身の上はティムとよく似ている。ナヴァホの母親に、白人の父親。彼がティムを気にかけてくれるのは、そのせいもあるのかもしれない。

「じつは、ずっと気になっていたんですけど」ティムのカーディガンの前を合わせてやりながら、真冬は言った。「マイケルとブルースのことなんです。どうしてマイケルはあんなふうに、ブルースにつっかかったり、つらく当たったりするんですか？　何か、特別なわけでも？」

目を上げたとたん、彼女はびっくりした。リチャードの顔は、別人のように険しく変わっていた。

「ごめんなさい。よけいなことをお訊きしてしまったみたい。どうか、気を悪くなさらないで」

リチャードは黙っていた。

「あの……私、そろそろ……」

いたたまれず、ティムを抱き上げて立ち上がろうとした時だった。リチャードが、片手を上げて彼女を制した。

真冬が再びそろりと腰をおろすと、

「同じなんだよ」聞き取れないほど低く、彼は言った。「マイケルがブルースに当たる理由も、クレアがわしと別々の寝室でやすむ理由も、同じなんだ。——そう言えば、わからないかね?」

ティムの体が膝からすべり落ちていくのを、真冬はすんでのところで押さえた。

「そんな……まさか」

「そうさ。ブルースの父親は、このわしだ。母親は居留地に住むナヴァホだった。優しい、いい女だったよ。姿も、気だてもな」

疲れ果てた顔で、リチャードは真冬を見た。

「どうだ、あきれただろう? さんざん偉そうなことを言っておっても、結局わしは、ただの浮気な亭主さ。何度も言うように、この牧場では秘密は隠しておけん。十五になったあれを手もとに置こうと引き取った時、わしはそれまで誰にも話したことなどなかったのに、みんながあれの素姓《すじょう》を知っていた。もちろん、クレアもな。それから十二年、わしは、あれを息子だとはっきり認めたことは一度もない。そこにあれが存在しているというだけで、家族はもう充分に傷ついておるのだから」

「それなら、どうして手元に引き取ったりしたんですの？」

　リチャードは苦笑いをもらした。

「あの頃、ラリーのやつは大学院生だった。そして、すでにここを離れていく決心を固めていた。隠してはおったが、わかったよ。わしは……わしは、うろたえたんだ。これでもしも末のマイケルまで、別の道を選んでよそへ行ってしまうようなことがあったら、せっかくここまでにしたこの牧場を、いったい誰に残してやればいいんだ。そう思ったら、居ても立ってもいられなくなった」

「……わかるような気がします」

「今ではマイケルが、ここを継ぎつつある。ブルースも、黙ってよく働いてくれている。だがわしは、結局息子たちを三人とも失ったように思うよ。ラリーは死に、マイケルとブルースはわしを恨んでいる。彼らだけじゃない、クレアも、おそらくイライザもな。わしは、家族を失ったんだ」

「…………」

「無理もないさ。自業自得というものだ」

　言うべき言葉が、真冬には見つけられなかった。この老人のかかえている孤独の質は、彼女自身のそれともまた微妙に違っているように思えた。

「リチャード」と、彼女はささやいた。「でも、全部失ったわけじゃありません。まだ、ティムがいます。この子はおじいちゃんのことが大好きですわ。向こうへ連れて帰っても、いつでもまた連れてきますから」

リチャードは、ふ、ふ、と笑った。「もうすっかり、連れて帰る気でいるな？　あんたに預けるとはまだ決めておらんと言ったろう」

「さっさと決めてしまって下さい」と、真冬は微笑んだ。「そうだわ。この子にも、もうひとつの名前をつけてやって下さいませんか。何か素敵なのを」

リチャードは、ゆっくりと首を横に振った。

「白人のわしがつけてやるインディアン名などに、意味はないよ。その人間にぴったりの名前を、部族の長老たちやメディスンマンが決めるものなんだ」

「それじゃ、もしかしてブルースもそういう名前を？」

「もちろん持っているとも。あいつらしい、なかなかいい名だよ。知りたいかね？」

真冬がうなずくと、彼は言った。

「イーグル・ハート。『鷲《わし》の心臓』だ」

十九世紀の半ば――。南西部に進出しつつあった白人たちにとって、インディアンは「駆除」されなければならない未開の野蛮人だった。

辺境案内人だったキット・カーソン率いる軍隊は、峡谷にたてこもったナヴァホの家や畑を焼き払い、果樹を切り倒し、家畜を皆殺しにした。ナヴァホたちは、最終的には飢餓のために降伏するしかなかった。

父祖から、そして大いなる精霊から受け継いできた土地のほとんどは、白人に奪われてしまった。ナヴァホに限らず、それは、すべてのインディアンたちのたどった運命だった。彼らは「白人の邪魔にならないところ」へ追い立てられ、数年もすればまたその土地を追われた。わずか数年の間に、何万という人々が、故郷を遠く離れた場所で病や飢えに倒れて死んでいったのだ。

やがて、合衆国は彼らとの間に条約を結んだ。決められた居留地にじっ、と、し、て、い、る、限り、は、国が最低限の生活を保障するという約束である。その取り決めは、今に至るまで続いている。

居留地の中に建てられた学校においてさえも、生徒たちに正しい歴史教育がなされることは少なかった。一応の自治が許されているとはいえ、ナヴァホ部族議会の議事堂のすぐ後ろには、インディアン管理局の建物が控えて、すべてを監督している。ごく最近に至るまで、学校教育とはすなわち、「ネイティヴにネイティヴであることを忘れさせ、その脳味噌《のうみそ》を白くするための教育」を意味してきたのだ。


「アメリカ先住民の多くは、ずっとずっと昔にアジア大陸から、凍った海の上を歩いて渡ってきたと言われています」

マリア・ヤザーは、十人足らずの五年生たちを見まわしてにっこりした。

「もちろん、そう言ってるのは例によって白人《ベラガナ》の学者たちであって、私はやっぱり、ナヴァホの創世の言い伝えを信じているわ。私たちの祖先は、『最初の男』や『最初の女』、それにコヨーテたちと一緒に地下から上がってきたのだというあの話をね。でも、考えてみると、安心して暮らせる場所を求める彼らの遠い道のりは、なんだか、私たちのおじいさんやひいおじいさんたちの代がたどってきた苦しい歴史のようでもあると思わない？」

居留地内にあるこの町には、小さいなりに、高校までのすべての学校がそろっている。だが、授業への出席率は学年が上がれば上がるほど低くなり、高校ではせいぜい三割程度に過ぎない。勉強がいやで逃げまわっている子供ばかりではなく、たとえ学校に来たくても、親の手伝いが忙しすぎて来られない子もいる。畑にトウモロコシをまくにしろ、羊の毛を刈るにしろ、どの家族も生活がかかっている以上、仕方ないのだ。落第という制度はないので、生徒たちは皆どんなに成績が悪くても、一定の年齢に達すれば自動的に卒業していく。居留地の子供の多くが高校まで卒業しながら、大学に進む者が少ないのはそのせいだった。

　とはいえ、生粋《きっすい》のナヴァホであるマリア・ヤザーが教えているのは、成績表とはあまり関係のない分野だった。この学校では特別に、通常の授業のほかに週に一度『民族教育』の時間がもうけられている。ネイティヴの伝統を極力排除しようとする動きの続いてきた中で、この学校は、古くて新しい試みのモデル校として注目を集めていた。かつての長老たちに代わって、子供たちにナヴァホの伝統や独自の文化を伝えていく役割を、マリアは誇りに思っていた。

　ふと、彼女は教室の後ろに目をやった。またしてもあの二人だ。一番すみの隣り合った席で、ジョージ・ゴーマンとトーマス・チィがおしゃべりしながらつつき合っている。トーマスが何か言うたびに、ジョージはまるまる太った肩をふるわせて笑いをかみころしている。

「おとなしくしなさい《ヤテーゴ・ナナード》！」

　マリアが叱《しか》っても、二人はおしゃべりに夢中でまったく気がつかない。怖い顔になったマリアが教卓の上に常備してある木の実に手をのばそうとした時、ジョージの前の席のブルース・ベナーリが、くるっと後ろをふり向いて友達に言った。

「おい。……おいってば。マリア先生がお前のこと、雷神《イエビチヤイ》みたいな顔でにらんでるぜ」

二人はぎょっとなって顔を上げたが、ジョージがすぐにニヤニヤ笑いだしてブルースをつつき返した。

「うそつけ、ぜんぜん怒ってやしないじゃないか」

「え？」

前に向き直ったブルースが見たのは、若い女教師の、ふきだす一歩手前の表情だった。

「ご協力ありがとう、イーグル・ハート」と、マリアは腕組みをした。「でも、せっかく精霊にたとえてくれるんなら、男の雷神《イエビチャイ》じゃなくて、せめて『変わる女《チエンジング・ウーマン》』あたりにしておいてほしかったわ」

すると少年はいつもの癖で、ひょいと肩をすくめて言った。「『嵐の精《チエンジング・ウーマン》』のほうがもっとおっかないのに？」

マリアはとうとうふきだした。

「一本取られたわね。でも、ちょうどいい機会だわ。男と女の話が出たところで、今日はナヴァホに古くから伝わる分類の仕方について勉強しましょうか」

マリアは黒板の左側に大きく「man」と書き、右側には「woman」と書くと、真ん中に縦線を引いて二つを分けた。

「私たちの家《ホーガン》には、建て方や柱の数によって男性ホーガンと女性ホーガンとがあるわね？それと同じように、この世のすべてのものは、男性と女性に分けることができるの。たとえば、川。コロラド川は男性だし、リオ・グランデは女性よ」

黒板の左と右に、チョークをかつかつと鳴らしながらそれぞれの名前を書く。

「植物もそう。ヨモギは男性で、アキノキリンソウは女性。トルコ石だってそうよ。青色の濃いのは男石、明るい緑色がかったのは女石と呼ばれているの……」


学校でマリア・ヤザーが教えてくれるようなことならば、ブルース・ベナーリ――イーグル・ハート――は、じつは教師よりも詳しく知っていた。幼い頃から、祖父のウドゥン・レッグや、ロング・トーカーなど、知り合いの年寄り《エルダー》たちから受けてきた教育の賜物《たまもの》だ。

ほかの家の子供もみんなそうやって大きくなるのだと思いこんでいた彼は、町に住む友人たちが、自分たち『ひとびと《ディネー》』のやり方をほとんど何も身につけていないことを知ってびっくりした。

祖父や祖母と一緒に住んだことのない友達は、道をヘビが横切った時、その跡をちゃんと足で消して通ろうとしなかった。消さないとヘビが家まで後をつけてくるぞ、とブルースが教えてやっても、笑うばかりだった。みんな、親に隠し事をするのを何とも思っていないようだったし、さらに信じられないことだが、朝一番の水の正しい飲み方も、祈りの言葉も知らなかった。ナヴァホの夜の祈りの歌は、あのボイジャーに載《の》せられて空の彼方《かなた》を旅してさえいるというのに。

友達だけではない、親たちもそうだ。彼らの父親は、暑い夏の日など娘の前でもためらわずにシャツを脱いだし、白人《ベラガナ》のような仕草で人を親指でぐいと指し示した。相手が少しでも言葉を切るとすぐ、話が本当に終わったかどうか確かめるだけの充分な間を置きもせずに自分が話しだした。どれもこれも、慎《つつし》みを知っているまともなナヴァホなら決してしないことのはずだった。

イーグル・ハートが家に帰ってそんな話をすると、祖父は厳しい顔で言った。

「子供らを祖父や祖母から引き離すことがどれほど不自然なことか、若い親たちは気づいとらんのじゃ。若木を地面から引っこ抜いて、水も与えんでおくようなものなのにな」

とはいえ、昔ながらの考え方や習慣がすべて消えてしまったわけではない。白人の文化がどれほど入りこんでこようと、根強く残っていくものも中にはある。精霊に対する尊敬や畏《い》怖《ふ》の念もそのひとつで、ナヴァホの多くは、呪《のろ》いやまじないの存在をまだ信じていたし、病気になった時も最後に頼るのは病院ではなくメディスンマンのところだった。医者から渡された抗生物質を飲むより、メディスンマンに薬草を煎《せん》じてもらったり、まじないの儀式をしてもらったり、あるいは伝統の歌い手《ハターリ》に『祝福の道《ホズホージ》』を歌ってもらったりするほうが、ずっと気分がすっきりするからだ。

「まあ、病は気からって言うしな」

久しぶりに生家に帰ってきたビル・ベナーリは、自分と入れ違いに、父ウドゥン・レッグのもとへ来ていた相談者が安心したような顔で帰っていくのを見送ると、皮肉混じりにそう言った。

ウドゥン・レッグの息子で三十八歳になるビルが、百マイルも離れたフラッグスタッフの町でツアー会社を経営しているのは、もとはといえば、居留地に残ることで大メディスンマンである父と比べられるのを嫌ったためだった。

「なあ、ブルース、知ってるか？　ネブラスカだかどっかには、毎晩UFOに祈ったら癌《がん》が治っちまったなんて女もいるそうだぜ。もしかすると、親父のまじないより効《き》くかもしれないな」

抜け目のなさそうな顔をにやりと崩して、ビルは甥《おい》の背中をどついた。

イーグル・ハートのことをいまだに「ブルース」と、あえて白人の父親がつけた名で呼ぶのは、家族や親戚の中ではビルだけだった。しかも彼は一度離婚した後、今は近親の氏族《クラン》の女性とつきあっていて、そのことで親戚じゅうから眉《まゆ》をひそめられていた。

ナヴァホには、約八十ほどの氏族《クラン》がある。それぞれ、『塩』のクランや『鹿の泉』クラン、『歩きまわり』クラン……という具合に名前がついており、近親のクランに属する者同士の結婚は、どんなに血が薄くてもタブー視されている。

母系社会のナヴァホでは子供は母親のクランに属するので、ウドゥン・レッグに連なる家族はビルもイーグル・ハートもみな死んだ祖母と同じ『流れる水』のクランなのだが、ビルが今つきあっている女性は『泥』のクラン、つまり、ウドゥン・レッグ本人と同じ氏族の出だった。

バカげてるぜ、と、ビルは言いきった。白人の社会ではイトコ同士でさえ結婚を許されているのに、彼女なんか『泥』のクランではあっても、せいぜい曾々々祖母の代がハトコ同士だったというくらいの遠い血筋じゃないか、と。

しかし彼は、いつまでたっても相手の女性と結婚しようとはしなかった。

「やつはただ、わしらに反抗してみせるためだけにあの女とつきあっとるのだ」とウドゥン・レッグは言った。「馬鹿なやつよ」

何から何までそんな具合だった。ビルは、ことあるごとにナヴァホの古い生き方や、あるいはそれを守ろうとする父親に反発し、何とかしてそこから自由になろうと抵抗を重ねていた。

「誰もがバンクスやバニヤッカみたいに考えるわけじゃないさ」ネイティヴの有名な指導者たちの名を口にして、彼は苦笑いした。「過ぎ去った時代をいくら懐かしんだって、何も変わりゃしない。なあブルース、居留地の中で百年もじっとしてる親父たちにはわからないだろうけどな、アメリカはもう、昔のアメリカじゃない。今じゃもうすっかり白人《ベラガナ》の国なんだよ。国の政策が押しつけがましいだの、土地を返せだの、しょうがないじゃないか、今さらそんなこと騒いだって。俺たちはそういう時代に生まれちまったんだ。あきらめて適当にうまくやってくしかないのよ。白人《ベラガナ》の裏をかくことでも考えてさ」

商売に使う名刺には、彼は「ビル・ベナーリ」ではなく、わざわざ「ビル・ランニング・ホース（疾駆する馬）」と、少年時代に父親からもらった自分のインディアン名を印刷していた。そればかりか、髪の毛まで長く伸ばして後ろでナヴァホ髷《まげ》に結っている。

「このほうが客が喜ぶんだ」両切り煙草の端を嚙《か》みながら、ビルは言った。「喜ばせてやりさえすれば、やつらはいくらでも金を落としてく。はるばる西部くんだりまでやって来るようなのは、基本的におつむの楽しい連中だからな。連中が望んでるのは結局のところ、いまだに頭を羽根で飾りたてて裸で太鼓をたたいて踊りまわる『インディアン』なのさ。だから俺は、ご期待にこたえてサーヴィスしてやる。誰かメディスンマンらしく見える顔のやつにそれらしき格好をさせて、いかにもインディアンらしいウンチクを語らせる。父なる空がどうしただの、風の言葉を聴く方法だの、その手の話をだ。……何だよ、そんな目で見るなよ、ばかだなあ。客どもは大喜びで俺に感謝するぜ。こんな素晴らしいメディスンマンに会わせてもらえたおかげで人生観が変わったなんて言って、感動のあまり嬉《うれ》し泣きするやつまでいるほどさ。人を喜ばせてやるのはいいことだろ？　な？　いいか、ブルース、親父に洗脳されちまう前にこれだけは覚えとけよ。何も、苦労して、本物になろうとする必要はないんだ。本物らしく見えりゃそれで充分、ほとんどの人間が求めてるのはそれなのさ。考えてもみろよ。誰も、いくら本物だからって、ここまで来てアル中でへべれけになったインディアンなんか見たがりゃしない。映画やら何やらの影響で、インディアンってのは白人より高潔なもんだって『常識』が頭にこびりついちまってるからな。誇り高きジェロニモやマニュエリトの末裔《まつえい》が、道端にゴザ敷いて安っぽいアクセサリーを売ってたり、政府からお情けで支給される食料切符《フード・チケット》を握ってレジに並んだりしてるとこなんか、見たかないんだよ。誰も本当のことなんか求めちゃいないんだ。俺は、あいつらが見たがるものを見せてやる。人助けみたいなもんだろ、な？」

利用できるものは利用しなきゃな、というのがビル叔父の口癖だった。

しかし、イーグル・ハートはやがて気づくようになった。叔父はいつも、ホーガンに入ってくる時、東を向いた入口をくぐるなり、太陽と同じく南をまわって西側に坐る。ヘビの通った跡をかかとで消しているのを見たこともある。どちらもおそらく、無意識にしたことだろう。習慣というものは、本人の気がつかないところで深く身にしみついているからこそ習慣なのだ。

祖父の親友であるロング・トーカーの言葉が思い出された。

「月は、昇ってから沈むまでは形を変えやせん」

人の本質は一生変わらない、ディネーに生まれた者は死ぬまでディネーなのだ、本人がいくら違うと思いたがっても。――ロング・トーカーはそんな意味で言ったのだった。

それさえもビル叔父に言わせれば、「いかにもインディアンらしいウンチク」に過ぎないのかもしれないが。

十年一日《いちじつ》のような祖父の家の周囲にも、数年の間にはいくらかの変化があった。

ウドゥン・レッグの三女のドロシー一家が住んでいたホーガンは納屋《なや》へと格下げになり、ドロシーと夫のサイモンと娘のデリラの三人は、すぐ隣に白人の家のような板張りの住居を新しく建てて住むようになった。

数か月すると、納屋にしたはずのそのホーガンに、五番目の娘であるアーマの一家が越してきて暮らし始めた。アーマは、イーグル・ハートの死んだ母親のすぐ下の妹で、夫のフランクと小さい娘との三人暮らしだった。フランクには定職がなかった。一度は居留地から出て小さな会社に勤めたのだが、同僚や上司の嘲笑《ちょうしょう》や嫌がらせに耐えきれずに舞い戻ってしまったのだ。「おい、酋長《しゅうちょう》」などと呼ばれてふり返ると、てのひらを上げて「ハウ」とからかわれる。そんなくだらないことでも、積み重なればやる気は失《う》せた。

このあたりで見つかる仕事といえば、炭鉱夫か皿洗いか、せいぜい日雇いくらいしかないが、それでも居留地内にいる限りは、何もしないでいても、暮らしていける程度の生活保護金と食料切符が政府から支給される。男たちはますます働く意欲をなくし、週に一度小切手を受け取るたびに酒へと逃げる。居留地内ではアルコールが禁止されているものの、境界線を一歩外へ出ると、彼らに高い酒を売りつけようと手ぐすねひいて待つ白人の店がいくらでもあるのだ。

フランクも、すでにアル中の一歩手前だった。日雇いで稼いだ金が少したまると、帰り道に仲間と全部飲んでしまうので、彼らのものとなったホーガンからは年じゅう、アーマが夫を怒鳴りつける声が聞こえてくるのだった。

ウドゥン・レッグとイーグル・ハートは、いまだに一番古いホーガンで暮らしていた。

「私たちの家に移ればいいのに」と言ったドロシーに、ウドゥン・レッグは頑固に首を横にふった。「そのうちわしが死んだら、しきたりどおり、この中に埋葬して入口を封印してもらおう。なに、それほど先の話ではないわい」

フランクに知られて罪を作ることになってもいけないというので、イーグル・ハートは口止めされていたが、じつのところウドゥン・レッグは、ホーガンの床下の穴に、自分でトウモロコシから造った密造酒を隠匿《いんとく》していた。たまにそれでロング・トーカーと一杯やるのが、無二の楽しみだったのだ。

「白人のようにあくどい商売をするわけじゃなし、誰にも迷惑はかけとらんわい」

と、彼は孫に言い訳をした。やはりいくらかは気がとがめていたのだろう。ともあれ、それだけが、名高いメディスンマン、ウドゥン・レッグのささやかなる悪癖だった。

自分たちの家と羊の囲い、そして大切に育てたコットンウッドの大木以外、彼らの暮らす荒野には見渡すかぎり、人の手によって作られたものは何もなかった。他に見えるものは、空と、大地と、岩山だけだった。

電気だけは二年前に引かれていたが、息子のビルがいくらテレビを買ってやると言っても、ウドゥン・レッグは断った。今までに無くて困ったことはないのだから、これからも無くて困るはずがないと言うのだ。

最近、水道が前より近くまで引かれてきたおかげで、水くみのたびにわざわざ町まで行かないでもすむようになった。それでも、荒野では何よりも水こそが貴重だったから、イーグル・ハートが初めにここに連れて来られた日に祖父から教わったのは、顔を洗う際、口の中に含んだ水を少しずつ手に受けながら洗うやり方だった。コーヒーを飲んだカップをゆすいだ水まで、一滴残らず飲みほすように言われたほどだ。

たいてい二週間に一度、彼は祖父と一緒にピックアップに乗って水をくみに出かけた。大きなドラム缶を三つ積んで、道とも言えない道を三十分ほどかけて水道のある集落まで行くと、交易所の前の蛇口にホースをつなぎ、荷台に乗せたままのドラム缶に水を入れるのだ。帰り道はこぼさないように運転が慎重になるので、来た時の倍以上も時間がかかった。

たまにチンリの町まで用事で出かける時などは、ドロシーやアーマ、あるいは従姉《いとこ》のデリラが一緒に乗っていくこともあった。三つ年上のデリラはちょうど異性を意識し始めた時期で、前のように気軽に口をきいてくれなくなっていた。

二か月か三か月に一度、リチャード・サンダーソンが会いにやって来た。

「近くまで来たものでね」

それが挨拶《あいさつ》のように父親はいつも言ったが、それでいて車には必ず、イーグル・ハートのための服や運動靴やノートなどが山ほど積まれているのだった。

居留地の外の牧場に、父親は数え切れないほどの牛や羊を飼っているという話だった。ナヴァホの価値観からいくと、家畜の数はそのまま男の経済力を表す。イーグル・ハート自身はまだ父の牧場を見たことがなかったが、家畜の数を聞かされただけでどれほど裕福かということはわかった。

だが、彼はある時、父親の贈り物を手放しで喜べなくなっている自分に気づいた。服や靴のサイズがはかったようにぴったりなのは、父がほかの息子たちの体格から見当をつけているせいだとわかったからだ。

父親は、ほとんどの人間を一言で、あるいは一瞥《いちべつ》で従わせてしまう不思議な力を持っていた。その父と毎日一緒に暮らしている「兄弟」たちのことを思うと、むしょうに癪《しゃく》にさわった。

おそらくそれが、居留地の外の世界を、彼が意識し始めた最初だった。

やがてイーグル・ハートは八年生になった。小中学校《ディ・スクール》の最終学年だ。背の丈ばかり伸びて手足はひょろりとしていたし、顔にもまだ幼さが残っていたが、目もとだけが妙に大人びていた。

父親の瞳《ひとみ》よりもいちだんと濃い、藍色《あいいろ》の瞳。ドロシーは「ラピスラズリの色」と呼び、ウドゥン・レッグは「日没から一時間たった東の空」と表現したが、そんなふうに言われるたびに、イーグル・ハートは死んだ母親のことを懐かしく思い出した。小さかった頃、母親はよく彼の頬《ほお》を両手ではさんで言ったものだった。「おやまあ、どうしたことだろう。荒野に咲くはずのルピナスの花が、お前のおめめに咲いてるわ」

しかし彼は、このごろではその瞳を、死ぬまで消えない烙印《らくいん》のように感じ始めていた。鏡を見るたびに意識するというほどではなかったが、時おり、どっちつかずの自分をたまらなく歯がゆく思う時があった。

仲間と同じ赤銅色《しゃくどういろ》の肌に黒い髪。それなのにどうして瞳だけこんな色に生まれついてしまったのだろう。

町ですれ違う白人観光客などは、彼と視線が合うときまって目をそらし、そのくせ好奇心をおさえきれない様子でチラチラと盗み見た。そうして隣の白人に耳打ちするのだ。ほら、あの子をごらんなさいよ、きっとあいのこだわ。

ナヴァホの中にいるからよけいに目立つのかもしれない、とイーグル・ハートは思った。そろそろ牧場へ来て暮らさないかという父の申し出を、彼は本気で考えてみる気になっていた。祖父は、「お前の判断に任せる」と言ったのだ。

ロング・トーカーが一匹の子犬を連れてやってきたのは、その年の初夏だった。

「やあ《ヤタヘイ》」と、おんぼろトラックから降り立つと、彼は助手席の床から無造作に子犬を拾い上げ、イーグル・ハートに向かってぽいと放り投げてよこした。

「六匹生まれたが、みな弱くてな。生き残ったのはそいつきりじゃった」

近ごろ目がかすむだの耳が遠くなっただのと、こぼしてばかりのロング・トーカーは、ガタガタ道の運転で痛む腰をこぶしで叩《たた》いた。

「どうやら、コヨーテの血が混じっとるらしい。お前が育ててやれ。うちにはもう充分なだけ犬がおるし、わし一人ではこれ以上世話がしきれんのでな」

ナヴァホには、愛玩《あいがん》のためだけに犬を飼う習慣はない。犬たちは牧羊や用心の目的で使役犬として飼われるか、でなければ何ということもなしに、家に犬はつきもの、といった様子でうろうろしている。飼い主にべたべたと可愛《かわい》がってもらえるわけでもない。ただ餌《えさ》がもらえるだけだ。そんな具合に、祖父の家族も、毎日ヤギや羊たちを追ったり集めたりするために四匹の犬を飼っていた。

だが、この子犬がコヨーテとのあいのこだと聞かされたとたんにイーグル・ハートの中に芽生《めば》えた感情は、それまでに他のどの犬にも感じたことのない……いや、犬に限らず誰に対してでも抱いたことのない、特別な種類のものだった。守ってやりたいという思いだ。

夏とはいえ、荒野の夜は凍えるほど冷えこむ。祖父に何度も頼み込んでようやく許しを得た彼は、ベッドの下に古い毛布を敷いてやり、そこに子犬を寝かせてやった。月のない晩など、自分の鼻先さえ見えない暗闇《くらやみ》の中で、祖父の寝息の合間にかすかにさしはさまれる子犬の寝息や寝言を聞いていると、ひとりでに顔が笑ってしまっているのだった。

右目のまわりに黒いぶちがあったので、子犬は『殴られた顔《パンチド・フェイス》』と名づけられた。さすがにスクールバスには乗せてもらえなかったが、学校以外の時間は、常にイーグル・ハートと一緒だった。白人がするように芸を仕込んだり綱をつけたりしなくてもよく言うことをきいたし、ほかの犬たちと協力して羊を追い、聞き分けのない羊のかかとを軽く咬《か》んで囲いへ追い込む方法もすぐに覚えた。そしてイーグル・ハートが立ち止まると、その足もとにおとなしく寄り添って座り、首をかしげながら黒々とした瞳で彼を見上げるのだった。

「父親がコヨーテなんだろ？　血は争えないぜ、今に羊なんか取って食っちまうんじゃないか？」

ビル叔父が冗談でそう言った時だ。

「そんなことあるわけないだろ！」イーグル・ハートはかんかんに怒った。「パンチはコヨーテじゃない！」

「わかった、わかったよ。悪かった」甥のけんまくに、ビルは驚いて謝った。「何だよ、機嫌が悪いんだな。たかが犬のことじゃないか」

しかしイーグル・ハートは、自分の犬を悪く言われたことにだけ怒ったのではなかった。腹の底でくすぶっていた幾つもの怒りが合わさって、たまたまその時、一気に噴き出しただけだ。

「血は争えない」というのは、今までに何度か彼自身について使われてきた言葉だった。いい意味でも悪い意味でも、イーグル・ハートの場合だけ、一族の大人たちは「血」を問題にした。白人たちと違って彼を差別するようなことはなかったが、それでも彼は、区別されているように感じた。そして、口には出さないまでも傷ついていた。自分はディネーとはいえないのではないかという悩みは、祖父のもとに来たあの頃よりもずっと深く、彼の胸にくいこんでいたのだ。さらに、ナヴァホにとって「コヨーテ」と呼ばれるのは、「あいつは親戚を飢えさせている」と言われるのに次ぐ侮辱《ぶじょく》だった。人を罵《ののし》る語彙《ごい》の少ないナヴァホ語の中でも、最低最悪の言葉だ。パンチド・フェイスに自分自身を重ねて見ていたイーグル・ハートは、この犬の父親がコヨーテだからという理由で揶揄《やゆ》された時、まるで白人である父親をコヨーテ呼ばわりされたように悔しかったのだった。

体に流れる白人の血と、ナヴァホの血。

ディネーでないと言われるのは言語道断だが、かといって白人の血を否定されるのも腹が立つ。結局彼は、年じゅう何かに腹を立てていなければならなかった。

「怒るな」と、ウドゥン・レッグは孫をたしなめた。「怒ることは、悪い精霊の力に屈することだぞ。いつも言っとるじゃろうが。大事なのは、バランスじゃと。空と大地。光と影。火と水。男と女。すべてのものを豊かに保ってくれる源は、バランスなんじゃ。怒りにだけ身を任せていては、それが崩れるだけだぞ、イーグル・ハート。何も難しいことはない。お前の中を流れる二つの血を、両方受け入れてやりゃあいいのさ。この先、ナヴァホの中で暮らそうと思えば、みんなはお前に誰よりもナヴァホらしくあることを要求するじゃろう。あるいはもし白人の世界で暮らそうと思えば、連中は白人以上に有能でなければお前を認めんじゃろう。だが、お前ならどちらもやり遂げられるとわしは思う。精霊から『鷲の心臓』を授かったお前ならな」

しかし、自分のような人間は、かえって白人の中で暮らしたほうが生きやすいのではないかとイーグル・ハートは思い始めていた。瞳が青いからといって、白人がそれによって自分を特別扱いすることはないだろう。彼らは、この赤い肌しか見ようとしないだろう。インディアンであるというだけで嫌な思いをすることはあっても、そこでは少なくとも、ただのインディアンでいられるに違いない、と。

十五になった年の秋、イーグル・ハートはとうとう父親の牧場で暮らすことになった。迎えに来た父のトラックに積んだ荷物はたったひとつだったが、パンチド・フェイスは一緒だった。

その日、サイモンやフランクは仕事に出かけ、アーマの娘やデリラはすでに彼との別れをすませて学校に行っていた。

ウドゥン・レッグはといえば、夜明け前からピックアップで誰かの治療に出かけてしまっていた。ドロシーもアーマも、行き先を聞かされていなかった。

「ほんとは治療なんかじゃないのかもしれないよ」

ドロシーは、サテン地のナヴァホ風フレアスカートをたくし上げ、目がしらに押し当てながら言った。

「あの頑固な爺さまも、あれでけっこう涙もろいとこがあるからね。あんたが行っちまうのを、冷静に見送る自信がなかったんじゃないかい。きっと今ごろは山の上で、あんたのために祈ってるに違いないよ」

「なんだか、寄宿学校へ取られてくみたいな感じだねえ」と、アーマも涙ぐんで言った。

「もう二度と会えないような気がしちまうよ」

アーマ自身の子供時代もそうだったが、つい最近まで、子供はみなインディアン管理局の役人によって強制的に親元から引き離され、別の州の寄宿学校に押し込められるのが常だった。寄宿学校では徹底的に白人流の文化を教えこまれ、部族の言葉さえ禁じられて、うっかり部族語を話した子供は罰として何年も親に会わせてもらえなかったのだ。アーマの潜在意識にはその時の恐怖がしみついていて、いまだに人間不信のところがあった。

「大丈夫だよ」イーグル・ハートは、二人のおばを安心させようとして言った。「いつだって帰ってこられるよ。ビル叔父さんより、まめに帰ってくるようにするからさ」

ドロシーは、太い腕で彼を抱きしめた。甥はいつのまにか、大人の男の背丈を持つようになっていた。

「頼むから、ビルみたいなアップルになっちまったりしないでおくれよ。土地を捨てたインディアンが幸せになれるわけはないんだ。あたしたちディネーが今までこうして生き残って来たのは、ご先祖さまから受け継いだ土地を捨てなかったからさ。いいかい、イーグル・ハート。あんたの母さんがここであんたを産んだんだってことを、忘れないでおくんだよ。どこへ行こうと、あんたの魂はこの土地から離れられっこないんだからね」

車が走り出し、八年間過ごしたホーガンが後ろへ遠ざかって行くと、のどがグッと締めつけられて呼吸が苦しくなった。隣で運転する父に涙を見せまいとして、イーグル・ハートはうつむき、足の間に座らせたパンチド・フェイスの耳の脇をかいてやるふりをした。

ビル叔父のようには、なれと言われたって難しい、と彼は思った。叔父の生き方に惹《ひ》かれないと言えば嘘になる。だが、あんなふうに白人を手玉に取って笑いのめすには、自分の中の白人の血が邪魔をした。それよりは、叔父とは逆に、ナヴァホとしての生き方に誇りを見いだすほうがまだしも楽だったのだ。

父親が口をひらいたのは、半時間もたってからだった。

「この前話したことを覚えているか？」

父親の髪は、太陽と同じ色をしている。

横目で見ながら、イーグル・ハートは言った。「うん、覚えてるよ」

父親は顔をしかめた。

「これからは、人前では私に敬語を使いなさい。この前も言ったとおり、私はお前を息子として迎えてやることはできんのだ。あからさまにそうするには、悲しむ人があまりに多すぎる」

「……わかってる」答えた後、イーグル・ハートは、「サー」とつけ加えた。

白人の社会では、男が複数の妻を持つのをよしとしないことは知っていた。自分の存在が父の家族を苦しめ、家族が苦しむことが父の苦しみになるというのなら、息子と名乗らずにいるくらいどうということはなかった。父は自分を息子だと認めてくれているのだ。その事実に変わりはない。変わりがないなら、わざわざ口に出して言う必要はない。ナヴァホは、いつもそういう考え方をする。どんなことでも、言いふらすなどという行為はばかげていた。物事は、自分と、自分がどうしてもわかってほしいと思う相手とがきちんと理解し把握していればそれで充分なのだ。

祖父が日頃から、キリスト教の伝道師や牧師たちを信用するなと言っていたのもそのせいだった。

連中は「神の真実」を声高《こわだか》に告げたがる。大きな声をはりあげて、悔い改めねば罰を受けると言う。自分は何者であるかを考えるより、自分が人のためにできることは何であるかを考えろと言う。どうしてあんな大声を出さなければならないのか理解に苦しむ、と祖父はよく言っていた。語っている言葉が本当に真実なら、もっと小さい声でも聞こえるはずだ、と。だいたい、自分が誰かもわかっとらんような人間が人のために何をやったって、ろくな結果になりゃあせん。

通ったことのない道を走り、どんどん風景が変わっていくにつれて、イーグル・ハートの中の感傷は、新しい生活に対する期待へと変化していった。

やがて車はサンダーソン牧畜会社《キャトル・カンパニー》のゲートをくぐり、集落を抜け、さらに数マイルを走った。真昼の太陽に輝く石造りの屋敷が見えてきた時、イーグル・ハートはそれを政府か何かの公共の建物だと思った。父親やその家族の住む家だと聞かされても、まだ信じられなかった。ウィンドウ・ロックの町にある、部族議会の議事堂より大きいではないか。

だが、車はその家までは行かなかった。少し手前で道を曲がり、牧草地を走り抜けて、そのうちに横に長い二つの建物が現れると、その前で停《と》まった。

片方が厩舎《きゅうしゃ》だということは、つんと鼻を突く温かな匂《にお》いでわかった。中をのぞかなくても、たくさんの馬たちの気配がした。一緒にトラックから飛び降りたパンチド・フェイスが、落ち着かなげに鼻を鳴らす。

「今日からここがお前の住《す》み処《か》だ」

父が指したのは、もう一棟の建物のほうだった。戸口から、ごま塩頭の大きな男が出てきた。四十代前半だろうか。ジーンズの上にチェックのワークシャツを着ている。いかつい顔には一見何の表情も浮かんでいないようだったが、イーグル・ハートは男の顔の皮一枚下に、隠しきれない好奇心を見てとった。

「ジャック・エヴァンスだ」と父親は言った。「わからないことがあれば、何でも彼に訊《き》くといい」

わからないことどころか、わかることなんて何もない、とイーグル・ハートは思ったが、口には出さなかった。

「エヴァンス、こいつを仕込んでやってくれ。馬は鞍《くら》なしでも乗りこなせる。力もある。覚えも早いはずだ」

「名前は何と？」

その問いに父親が答えるより早く、イーグル・ハートは言った。「ブルース」

父親は驚いたように眉を上げて彼を見おろしたが、やはり何も言わなかった。

「ブルースか。よろしくな」ニッと笑って、エヴァンスは彼の肩を叩いた。「まずはお前の寝床に案内してやろう。ああ、その犬は何ていうんだ？」

「パンチド・フェイス」

「ははあ。似合いの名だな」

肩に腕をまわされたまま、首だけをひねってふり返った時には、父親はもう車に乗りこんでいた。彼に向かって片手を上げ、来た道を走り去っていく。

「寂しいか？」

ぎくりとして、思わずエヴァンスを見上げると、男がまたニッと笑った。

イーグル・ハートは答えた。「別に」

知っているのだ――そう直感した。もしかすると、ほかの連中もみんな知っているのかもしれない。牧場主が外に女を、それもインディアンの女を囲って息子まで産ませたという事実を。だが、たとえ牧場の全員が知っていようと、自分からは決して何も言うまいと決めていた。父親を失望させるようなことはしたくなかった。彼に有能だと認められたかったからだ。

しかしイーグル・ハートはその一方で、父親に対して、ある失望も感じていた。かつて母親のもとを訪れていた頃の父親は、幼かった彼にとって素晴らしく大きな存在だった。この父をおびやかしたり動じさせたりするものなど、何もないと信じていた。

けれど、父もまた人間だったのだ。それも、じつは案外弱い人間なのかもしれなかった。父が恐れているのは、この事実が家族を傷つけることだけでなく、それによって父自身の名が傷つけられることでもあるようにイーグル・ハートは感じた。

エヴァンスに名前を訊かれて「ブルース」と答えたのは、単に白人の世界で生きていく覚悟からだけではなかった。これから先、父はその名前を口にするたびに、自分が赤ん坊にそう名づけた日のことを思い出すだろう。昔愛したナヴァホの女の顔も、思い出さずにいられないだろう。

父のつけてくれた名を名乗ること――。

それは、彼にとって、ささやかな復讐《ふくしゅう》でもあった。

18

ウォルト・マッキベンは、遺言状の書き換えの件をいつリチャードに切り出すべきか、時機を計りかねていた。

リチャードが二年ほど前に用意した遺言状の内容は、ラリーが死んだ今となってはいくらか変わってくるはずだ。そうとなれば、なるべく早く書き換えてもらうに越したことはない。

長男を亡くしてまだ一か月にもならないリチャードにそんな話を切り出すのは気が進まなかったが、かといって、そういつまでもぐずぐずしているわけにもいかなかった。リチャードの健康は年々衰えつつあり、例のやっかいな持病に加えて、昨年の夏には狭心症の発作で一度入院している。何かあってからでは遅いのだ。

遺言はすべての法律に優先し、内容がどのようなものであれ必ず守られる。たとえ、全財産をペットの亀に遺《のこ》すというような内容であってもだ。書き換えておかなかった遺言状の不備が、後々の内輪もめの種となることなど、リチャード自身も望まないだろう。

しかし、ウォルトはなかなか従兄《いとこ》に連絡を取る気になれずにいた。顔を合わせたくなかったし、できることなら電話も避けたかった。リチャードとクレアの間にはもう長いこと夫婦の関係がないと知っていたが、それでも、彼と話していると嫉妬《しっと》で胃が灼《や》けそうになり、むかし失った右目の古傷までがしくしくと痛む。

加えて、勘の鋭いリチャードの前でぼろを出しはしないかという恐れもあった。以前から、どうしても会わなければ片づかない用事で屋敷へ出かけた時など、リヴィングでリチャードと話しているところへクレアが入ってきたりすると、それだけで心拍数が倍にはねあがり、てのひらにじっとりと汗がにじみ、書類をめくる手が震えそうになった。平然と目の前のソファに腰をおろすクレアが憎らしく思えるほどだった。そこに座ってひそかに夫を嗤《わら》うことで、クレアのほうは溜飲《りゅういん》が下がるのだろうが、ウォルトにとっては耐え難《がた》い苦痛だった。ばれるのが恐ろしいからだけでなく、それはそのまま、夫への彼女の執着を見せつけられることにほかならなかったからだ。

依頼人とのコンタクトを取らずして、顧問弁護士が務まるわけはない。いっそ辞めてしまおうかと何度も考えた。が、どうしてもふんぎりがつかなかった。

リチャードには大きな恩がある。彼が手を貸してくれなければ、今の自分はなかった。それに、サンダーソン家から得られる収入は、こまごまとした他の仕事をすべて合わせた年収の半分近くを占めている。それらをすべて捨ててしまうのはよほどの馬鹿だけだろうし、サンダーソンの顧問弁護士というステイタスはそれだけで何よりの信用になっていた。逆に言えば、へたな辞め方をすればこれから先の人生にもかかわるということだ。

だが、それより何より耐えられないのは……辞めたが最後、クレアと頻繁《ひんぱん》に会う口実がなくなってしまうことだった。

いくら口で強がりを言っていても、彼女が心身両面で自分を必要としていることはわかっていた。年のわりに若いとはいえ、五十代も半ばになって新しい不倫相手を見つけるのはいささかしんどい話だろう。絶対に秘密を守れるという条件も加えればなおさらだ。クレアにとってウォルトは、彼女の崇拝者であるという点で、最高の条件を備えた共犯者であるはずだった。

顧問弁護士を辞めるつもりがない以上、リチャードとは早々に連絡を取らなければならない。いつまでも先延ばしにしておくのは職務怠慢というものだ。……わかっていながら、ウォルトの手はなかなか電話へとのびなかった。

フラッグスタッフの郊外にある彼の家を、ふいにリチャードが訪れたのはそんな矢先だった。ラリーの葬儀から四日目の、日曜の午後だ。

「電話してから来てくれればいいのに」内心の狼狽《ろうばい》を隠しながらウォルトは言った。「留守にしている時でなくてよかったよ」

クレアが来ている時でなくて、というのが本音だった。

ウォルトは従兄にソファをすすめ、急いでそのあたりを片づけた。とりあえず応接テーブルの上の書類や新聞などを脇へ寄せる。

通いのメイドに毎週一回は来てもらっているのだが、二、三日たつとどうしても散らかってしまう。どんなに乱雑に散らかっている時でも、クレアは気にする様子もなかった。彼の私生活になど、まったく興味がないのだ。

「用件から先に言うが」すすめられたソファに腰をおろすより早く、リチャードが切り出した。「遺言状を書き換えたいんだ」

「驚いたな」ウォルトは片づける手をとめて腰をのばした。「私も、いつ、そのことをあんたに話そうかと思ってたところだよ」

マホガニーのサイドボードを開け、中からグラスを二つとバーボンを取り出して、ひょいと持ち上げてみせる。

「少しくらいならかまわんだろう？」

「ああ。もらうよ」

指二本ぶんだけ注いだグラスのひとつをリチャードに手渡し、ウォルトは向かい側に座った。

「書き換えると言っても、そう大幅な変更ではないんだろう？　ラリーに行くはずだった分について変更を加えるだけなら、」

「いや、そうじゃないんだ」とリチャードはさえぎった。「前の遺言状は白紙に戻して、すべてを書き換えてもらいたい」

ウォルトの驚く顔を見て、リチャードはつけ加えた。「あんたの取り分は多くさせてもらうよ」

　ウォルトはムッとしたが、顔には出さないように気をつけた。

　本人に悪気はないのだろうが、昔からこの従兄は、ときどきこういう無神経な物言いをする。このアリゾナ中に、自分の思いどおりに動かない人間などいるはずがない、とでもいうような傲岸《ごうがん》さが彼にはあった。女たちはおそらく、彼のそういうところに強く惹かれるのだろう。

「なあ、ウォルト」バーボンをすすりながら、リチャードは言った。「あんたは、あのマフユという娘をどう思う？」

　ウォルトは、埋葬の時に墓地で見た日本人を思い出した。涙さえこぼさない気丈さが、かえって痛々しかった。思いつめた青い顔をしてラリーの子供と手をつないでいたが、そうすることで何とかまっすぐ立っているといったふうに見えた。もちろんリチャードは、彼女にも遺産を分けてやる気でいるのだろう。

「まじめそうな、いい娘だったな」と、ウォルトは言った。「かわいそうに」

「彼女は、ティムを引き取りたいらしい」

「ほう？」

　そう意外でもなかった。とすると、彼女の取り分はいくらか多くなるだろうか。

「しかし、イヴリンといったかな、ティムの実の母親は。彼女が何か言い出さんかね？」

「それはもう調べた。考えに入れんでいいよ」

「なら、何も問題はなかろう。本当に引き取りたいと言うなら、そうさせてやればいいじゃないか。あんたやクレアはもう、あんな小さな子供を育てる年じゃない。体力がもたんよ」

「ずいぶんはっきり言うもんだな」と、リチャードは苦笑した。「だが、そのとおりだ。わしにできることといえば、孫がゆくゆく金銭的に苦労せんでもすむように、不足のないだけのものを遺してやるぐらいしかない」

「信託の形で遺すのがいいだろうな」

とウォルトは言った。そうすれば、あらかじめ決められた年齢に達するまでは、他の者は誰もその遺産に手をつけられない。たとえ親であってもだ。

「もちろんそのつもりでいるさ、ティム個人の取り分に関してはな」と、リチャードは言った。「あの子は正真正銘ラリーの息子だし、血のつながったわしの孫だ。クレアもあれでなかなか可愛がっておるようだから、ティムに関してはそう心配しておらん。それより気にかかるのは、彼女のことだ」

「彼女？　マフユのことかね？」

「ああ。前の遺言を白紙に戻したいと言ったのは、そのためなんだよ」

ウォルトは眉を寄せた。「あの日本人に、いったいどれだけのことをしてやろうというつもりだ？」

リチャードはソファにもたれ、疲れたため息をついた。

「なあ、ウォルト。今のわしには、あんたしか信用できるやつがおらんのだ。寂しい話だが……」

脚を組み、濃い琥珀色《こはくいろ》の液体をグラスの中でゆらゆらと揺らして彼は言った。

「あんたも知っての通りわしは、若い頃から、後悔というものが何より嫌いだった。ここまでがむしゃらに、いつも思うままにやってこられたのは、何か持ち上がるたびに、先で後悔しないことだけを基準にして選ぶ道を決めてきたからさ。だからわしには迷いというものがなかった。先々のために良かれと思えばしばしば、今そこにいる相手の心情を踏みにじらなければならないこともあったが、仕方がないと思っていた。誰かが笑えば誰かが泣くのはあたりまえのことだ、これはわしの人生なんだ、他人に邪魔されてなるものか、とね。だが、今になってみると……わしはこのごろ何やら、自分が人生を後悔しているのではないかという気がしてきたんだ」

「どうしてそんな話を私にするんだ？　懺悔《ざんげ》のつもりかい？」

「いや、この期《ご》に及んで懺悔しようとは思わんな。老いの感傷で悔い改めたりなどして、死んでからあの世でまで後悔したくはない」

リチャードは薄い笑みを浮かべてバーボンをなめた。

「いまさら、これまで傷つけてきた者たちに謝ってまわったところで、どうなるわけでもなかろう。過ぎ去った時間は戻らんさ。むろん、各々《おのおの》に充分なものを遺してやるつもりではいるが――それ以外の分に関しては、わしは最後まで、手前勝手なリチャード・サンダーソンをやらせてもらうとするよ」

ウォルトはカタ、とグラスを置いて、相手を凝視した。

「……つまり？」

「つまり——」リチャードは言った。「とりあえず、もう一杯もらえんかね」

19

夢の中で声をあげた拍子に、みんな消えてしまった。

（せっかく何か起こりそうだったのに……）

まぶたに、柔らかい薄明かりが感じられる。波間にたゆたうようなまどろみから、はっきり目を覚ましてしまいたくなかった。あと、もう少しだけ。

たった今まで見ていた夢の残滓《ざんし》がそのへんを漂っているのをつかまえようとして、無意識に手がぴくんと動く。夢うつつにシーツの間に指をすべらせ、右隣で寝ているラリーの体をまさぐる。

指先は何にも触れないままのびて行き、

（ラリーったら、そんなに端っこで寝たら落ちちゃうわ……）

やがて、ベッドのへりをつかんだ。

目を開けた。

——カーテン越しに夜明けの気配が忍び込み、白い枕やシーツを淡いブルーに染めている。鳥たちが遠慮がちに鳴き始めていた。

少し、のどが痛んだ。ここへ来てから、目覚めた時にはいつもそうだ。空気が乾燥しているせいだろう。こくりとつばを飲み込み、真冬は、熱い息を吐き出した。

ラリーを失った当初感じていた、ナイフの切っ先を突き立てられるような悲しみは、もうほとんど和《やわ》らいでいた。そのかわり、払いのけても払いのけてもまとわりついてくる憂鬱《ゆううつ》が、まるで蜘蛛《くも》の巣のように真冬の体じゅうを覆《おお》っていた。そして、心臓のあたりには、何かひんやりと冷たい塊がひとつ埋めこまれている気がした。ちょうど、ブルースの腕輪にはまっていた大きなトルコ石のようなものが。

あの事件の後、真冬の生理は止まってしまっている。ラリーはいつもきちんと考えてくれていたから、それがショックのせいだということはわかっていた。もしも彼の子供を身ごもっていたら、と真冬は思った。そうしたら、これほどの虚《むな》しさは感じないで済んだのだろうか。

寝返りをうつと、糊《のり》のきいたシーツがこすれあって乾いた音をたてた。

左側に並んだもうひとつのベッドで、ティムはまだぐっすり眠っていた。あおむけになり、両手をバンザイの形でのばしている。子供らしい寝息が聞こえてくる。

ふっと、またひとつ思い出してしまった。事件の翌日、チェルシーの家に戻ってみた時のティムのこと……ダイニングでサンドラに絵本を読んでもらっていたティムが、走り出てくるなり「ダディは?」と訊いた時の、あのつらさ。

真冬は、またこくりとのどを鳴らした。

ラリーが死んだ直後の記憶はこうして、鼻先を残り香《が》がかすめるように少しずつ戻っては、ジグソーパズルの欠けた部分を埋めていく。しかしその瞬間だけは、いくらか薄れていたはずの悲しみや痛みまでが元のままの鋭さでよみがえってきて、何の準備もできていない真冬を通り魔のように後ろからグサリと刺すのだった。

いっそのこと、ずっと思い出さないままでいられたらいいのに、と彼女は思う。決してラリーを忘れたくないと思う反面、一日も早く、遠い思い出になる日が来ないかとも思ってしまう。

いつかは、おだやかに彼の顔や仕草や声を思い浮かべられる時が来るのだろうか。そういえばこのごろあのひとのことを思い出してないな、と、せつない後ろめたさを舌の上で転がせる時が、いつかは本当に来るのだろうか。

ティムの寝顔を、真冬は長いあいだ見つめていた。どのへんがラリーの幼い頃に似ているのだろうと考えながら。

次に目が覚めた時には、太陽はもうずいぶん高かった。

いつのまに寝入ってしまったのか、今度の夢は、ルーシィたちと一緒に待っているはずの猫のスノーブーツが毛布に乗ってくる夢だった。

　ぼんやり見やった隣のベッドがもぬけの殻《から》なのにびっくりして起き上がりかけた真冬は、ひっぱられるような重みに一瞬、夢の続きかと錯覚した。

　腰のすぐ右側、毛布の上で、ティムはそれこそ猫のように丸くなって眠っていた。ベッドのすそのほうには、ディズニーの絵本が一冊と、クレアに買ってもらったテディベア。一度は目が覚めたものの、真冬を起こすまいと一人で遊んでいるうちにまた眠くなってしまったのだろう。

　サイドテーブルの時計は九時半をまわっていた。またこんなに寝過ごしてしまった。

　生活のサイクルが乱れたのは、一昨日のあの晩がきっかけだった。ポーチで真冬とリチャードが話しこんでいた間だけ少し眠ったティムは、彼女が部屋に連れて帰ろうと抱き上げたとたんに起きてしまい、それからしばらく寝ついてくれなかった。真冬自身も、義父から聞かされた話が頭の中をぐるぐる回っていて、目がさえてしまって明け方まで眠れなかった。そのせいで体内時計が狂ってしまったのだ。

　明日の朝こそは、目覚ましをかけてでも早く起きなくては、と彼女は思った。低血圧で朝の遅いイライザに向かって、「だらしない」とクレアが叱言《こごと》を言っているのを聞いたこともある。実際、家族のみんなが朝食を食べ終わって休んでいるところへ下りていくのは、とやかく言われないとわかっていてもけっこう気まずい。

　真冬は、ティムの頭をくしゃくしゃと撫《な》でた。

「ティム。……ティーム」

彼が、ンン……と声をもらす。

「ほら、ティム、もう起きよ？　お日さまに笑われちゃうわ」

ティムはのろのろと寝返りをうってうつぶせになり、目をこすりながら片手をついて起き上がると、膝《ひざ》を両側に折ってぺたんと座ったまま今度は両手でこすった。

「おはよう、ティム」

真冬に言われてやっと目を開ける。三秒ほどまぶたをしばしばさせていた彼の顔に、波紋のように笑みが広がった。

「マフィ……おきた？」

「うん、起きた起きた。ごめんね、一人にして。寂しかった？」

ティムは答えず、甘えて首に抱きついてきた。汗ばんだ熱い頭から、寝起きの子供特有の甘酸っぱい匂いがした。

ベッドを抜け出し、白いブラウスと濃紺のフレアスカートに着替えて、ティムにも白のTシャツとグレーの半ズボンを着せてやった。カジュアルではあっても、喪に服す気持ちだった。

できれば今日は、庭師を手伝って花の世話でもしてみたい。それとも、ティムと二人、サンドウィッチか何か用意して、ゆっくり散歩に出かけてみようか。

ニューヨークの喧騒《けんそう》を恋しく思いだしながらも、自然の中に安らぎを見いだしている自分が不思議でならない。都会のように日々の忙しさや刺激によって気持ちを紛《まぎ》らわせることができないぶん、ここでは胸に開いた穴とまっすぐ向き合わなければならないというのに——どうして癒《いや》されるように感じるのだろう。

ティムの手を取って階段を下り、裏口からポーチへ出た。屋内の複雑に折れ曲がった廊下を通ってリヴィングへ行くよりも、ポーチづたいにぐるりと表へまわったほうが早いし、気持ちがいい。

土と草の匂いのする風が吹いてくる。あの大峡谷にも、今日はもっと強い風が吹いているに違いない。

見せてやりたいものがたくさんある、と、リチャードは言っていた。確かに彼の言葉どおり、西部は、東とはまったく違った意味で美しい場所だった。こういうところで暮らしていれば、人は、創造主の存在さえ素直に信じられるだろう。

しかし、忙しい都会の生活に慣れた身としては、こう毎日毎日自分の内面と向き合う時間がありすぎるのも、それはそれで不健康な気がしてしまう。マイケルやリチャードが、何とか力づけようと気を遣《つか》ってくれるのはありがたいけれど、このまま甘えてばかりいると二度と社会復帰できなくなりそうで少し怖い。本当にもういいかげんにニューヨークへ帰って、大学のほうはどうするかとか、ドングの会社をいつから手伝おうかとか、ティムのためにどれだけのことをしてやれるかとか、そういう実際的かつ建設的な問題に頭を使ったほうがよさそうだ。今夜あたり、そろそろ帰ると切り出さなくては。

ポーチの角を玄関の側へまわったところで、ティムが真冬の手を引いて二階を指さした。

「グランマ！」

一昨日の夜のように、南棟の二階の窓辺にクレアが立っていた。受話器を耳に当てて話し込んでいる様子で、こちらには気づいていないらしい。

「手を振ってあげたら？」

真冬に言われて、ティムは喜んで手を振った。が、気づいたとたんにクレアはまたしても背を向け、さっと窓から離れてしまった。つまらなそうに口をとがらせて、ティムがふり向く。

「残念。きっとグランマ、気がつかなかったのよ」

嘘だった。クレアが背を向けたのは、真冬と目が合ったからだ。何かクレアを怒らせるようなことをしてるかしら、と彼女は考え込んだ。二日続きで寝坊したことくらいしか思い当たらない。

キッチンにハリエットはいなかった。隣のダイニングもがらんとしていて、屋敷は静まり返っている。

マイケルはもう出かけたはずだ。たしか昨日の話では、フェニックスの建売物件に引き合いが入ったから行ってくると言っていた。彼も結構忙しい人なのだ。

リチャードはたぶん、東棟の書斎にいるのだろう。平日の日中はたいていそこにいて、相談に来る牧童頭《がしら》に指示を与えたり、不動産関係の書類に目を通したり、あちこちへ電話をかけたりしている。

　あんなに忙しく働いたりして体は大丈夫なのだろうか。昨日などは、日曜だというのにどこかへ出かけていた。帰りは真冬たちよりも遅かったくらいだ。若いころ頑健だった人ほど、年を取っても自分の体力を過信して無理をしがちなものだと聞く。まるで実の父親のことのように心配になり、今夜にでもちょっと言ってあげなくちゃと思ったところで、真冬は、そんな自分の心の動きに戸惑った。

　あまり彼を好きになるのはやめよう。私が人を好きになるとろくなことが起こらないし、別れる時がつらいばかりだ。

　ダイニングのテーブルの上に、パンやドーナツが紙ナプキンをかぶせて置いてあった。冷蔵庫にはサラダとフルーツ。真冬は、ティムに搾《しぼ》りたての牛乳を出してやった。

　真冬が薄いパンを一枚食べ、ティムが二つ目のドーナツを食べ終わった時だった。いきなり椅子からすべりおりたティムが、窓に駆け寄って伸び上がり、ガラスをてのひらでバンバン叩いた。

「どうしたの？」真冬はテーブルをまわってそばへ行った。「危ないから叩いちゃだめ」

　ティムの手を握ってやめさせ、ドーナツの油と砂糖でべたべたになったガラスから外を覗《のぞ》くと、

「ブリューシュ！」

　彼が、すぐ前の小道で栗毛《くりげ》の馬を下りるところだった。

思わず力のゆるんだ真冬の手を振りきって、ティムがまた窓を叩く。

「あ、だめだったら」

慌てて止めた時は遅かった。

手綱《たづな》を木の柵《さく》に巻きつけていたブルースはふり返って、ほんの数瞬視線をさまよわせ、窓辺にいるティムに気づくと白い歯を見せた。黒いカウボーイ・ハットのつばで陰になったその目が、ティムの後ろにいる真冬を見るなり猫のようにスッと細められる。

てっきりそのまま無視されるだろうと思ったのに、彼は真冬に向かってほんの数ミリ唇の端を上げてみせた。片手で帽子のつばを軽くつまんで挨拶《あいさつ》し、大股《おおまた》に表のほうへまわって行く。肩のほとんど揺れない、特徴のある歩き方だった。

残された馬が、静かに足踏みをして向きをかえた。首を下げ、足もとの草を鼻先でまさぐる。すでに強くなり始めた日ざしが馬の尻をあぶり、油を塗ったようにてらてらと光らせていた。

「くりげ」

とティムが指さす。

「えっ？」真冬はびっくりしてティムを見た。「よく知ってるわね。それもブルースに教えてもらったの？」

「うん」ティムは窓枠をつかんだまま顔を上げた。「あのね、マフィ、うまはね、あしが、ええと、あしがよんほんあるどうぶつのなかではね、いちばんあたまがいいんだって。しってた?」

「ううん、知らなかったわ。そうなの」

「ん、そうなの」

ティムが得意そうに鼻の穴をふくらませる。

真冬は、信じられない思いで見おろしていた。それは、半年前までのティムなら考えられなかった表情だった。

人の顔色をうかがってばかりいたティムは、いったいどこへいってしまったのだろう。特にここへ来てからの半月ほどのうちに、彼は日に日に明るく活発になり、血色も良くなり、気がつくと背丈まで伸びたようにみえる。自分から話したり質問したりする機会が増えたばかりではない。仕草や顔つきにもあどけなさが戻ってきて、時には男の子らしい悪戯《いたずら》をしてみたり、照れくさそうな笑顔を見せるようにもなった。アンドリュー・ビスティに教わったことも、あれ以来してみせていない。そういった手段に頼らなくても人と親しく関わることはできるのだと、自分自身の経験でわかってきたのだろう。

この子には、広々とした環境が、あるいは可愛がってくれる大勢の人々に囲まれて暮らすことが、性《しょう》に合っているのかもしれない。そう思うと真冬は複雑な気持ちになった。ベビーシッターと二人きりで狭い部屋に閉じ込められていた日々が、やはりティムの心の回復を遅らせていたのだろうか。もう一度あの生活に連れ戻したりしたら、ティムはまた笑わなくなってしまうのだろうか。

ティムにとって一番いいのは自分と一緒に暮らすことだと、誰かがはっきり保証してくれればどんなに楽だろうと思った。

いくら友人たちが協力してくれるといっても、彼らとこの先ずっと一緒にいるわけではない。ラリーが遺してくれた財産が少しは役にたっても、ただ食べさせ、学校へ行かせてやるだけではまともな人間など育たない。ティムが必要とするだけの愛情を注《そそ》いでやることが、本当に自分にできるだろうか？　悩み、迷った時に力づけてくれたラリーは、もういない。いないのだ。

彼女でさえ納得しかねているその現実を、幼いティムがどんなふうに自分の中で処理しているのか、真冬は怖くて訊けなかった。彼には、「死」がどんなものかは理解できるはずだ——以前カナリアを殺してしまったこともあるくらいだから。しかし、イライザからはっきり「あんたのダディは、死んじゃったのよ」と言われたあの時以来、ティムが一度も父親のことを訊こうとしないのは、その死を納得しているということなのか、それともただ意識の外へ追い出してしまっているせいなのか、それがわからないのだった。

いつかこの先、ティムの夢の中に父親の死の場面がくり返し現れるようなことになったら、いったいどうしてやればいいのだろう？　あんな苦しみは自分だけでたくさんだ。けれど以前、ジャクソン医師は言ったのだった。精神的外傷がひとりでに癒《い》えることはあり得ない。子供時代の心の傷は、本人さえも忘れた頃にひどい炎症を引き起こしてその人を苦しめる、と。

ブルースは、リチャードの書斎のドアを後ろ手に閉めた。大股に廊下を横切り、階段を下りようとした時、ふと誰かの視線を感じて目を上げた。

巨大な牛の首が、彼を見おろしていた。

踊り場の壁にかかっている剝製《はくせい》の首は、サンダーソン牧場の初代の種牛だ。現在放牧されている牛たち、つまり彼の子孫に比べるとかなり角が長く、顔つきも、より野牛に近い。黒々としたガラスの瞳は、生きて今にも動き出しそうだった。

この屋敷に暮らしたどの人間よりも長い歳月を、ガラスの瞳は静かに見つめ続けてきた。そして、これから先も見つめていくのだろう。この牧場や家屋敷が、たとえ誰の持ち物になったとしても。

ブルースは、カウボーイ・ハットをわずかに持ち上げて偉大な種牛に敬意を表し、再び目深にかぶりなおしながら残りの階段を下りた。

牛の首に向かって取った帽子を、彼は、リチャードの前では取らなかった。ほかの男たちは牧場主の前に出ると必ず帽子を取って胸にあてたので、ブルースがそうせずにいることはひとつの明確な意思表示とみなされた。すなわち、俺はリチャードに使われる身ではない、という宣言としてだ。

もう何年も前から、ブルースは父親に遠慮することをやめていた。それより前にやめたのは、父に期待することだった。

牧場で暮らすようになってまもなく、ブルースは牧童たちのしごきにあった。誰もが彼の生まれについて知っているにもかかわらず、その事実が公《おおやけ》に認められることはまずあり得ないという奇妙な情況が、牧童たちの中にひそむ残忍さを駆り立てた。待遇への不満や、きつい労働と女抜きの生活でたまった憂《う》さを、彼らは雇い主の私生児に当たることで晴らそうとしたのだ。

冗談まじりに互いを侮辱《ぶじょく》し合う時でさえ、彼らはわざわざブルースに聞こえるように、「私生児《バスタード》」と連呼した。牧草地に穴を掘っては杭《くい》を立てる作業を、来る日も来る日もえんえんと一人でやらされたこともある。まめがつぶれて手が血だらけになり、あまりの単純作業に頭がおかしくなりそうだった。かと思えば、暴れ馬を馴《な》らしている最中に手綱を握る手を鞭《むち》で叩かれ、ふり落とされて肋骨《ろっこつ》を折ったこともあった。目つきが気に食わないとか、水の使い方が貧乏くさいといった理由で、寄ってたかって殴られたことも。

時にはそこに、腹違いの弟であるマイケルが加わりさえしたし、姉のイライザはイライザで、つまらない用事をわざわざブルースに言いつけては難癖をつけて楽しんでいた。

それに比べると、クレアの仕打ちはもう少し念がいっていた。家族が集まってどこかへ行く時に限って、ブルースに運転手や荷物持ちを言いつける。それでいて、会話や団欒《だんらん》に加わることだけは絶対に許さない。あえてブルースを家族の前で（特に夫のリチャードの前で）使用人として扱うことによって、身の程をわきまえさせようとしたのだ。お前は決してこの家の一員にはなれないのよ、と。

ブルースがじっと我慢していたのは、父親への配慮からだった。彼が牧童たちや父の家族に歯向かえば、父はどちらの側に立つかという難しい判断を迫られるだろう。父を困らせたくなかったし、この試練を黙って切り抜ければ彼の信頼が得られるのではないかと思っていた。

しかし、ブルースのまわりで起こっているすべてを知りながら、父親は一度も助けてくれなかった。牧童たちの間の揉《も》めごとは牧童頭に任せてある、彼の場合だけ特別扱いするわけにはいかない、というのがその理由だった。

ただ一人、味方になってくれた人がいた。八つ年上の兄、ラリーだ。大学院の休暇の間だけ帰ってくる彼は、ブルースを遠乗りに連れ出しては口の重い彼に不満を吐き出させ、その疑問や悩みにできるだけ答えようとしてくれた。父に期待しても無駄だと言ったのもラリーだった。

「親父には親父の事情と責任があるのさ、ブルース。誰からどう非難されようと親父はそれを全部投げ出しはしないだろうし、僕も助けてはやれない。僕はここを出ていく人間だからね。今の状態が我慢できないなら、お前自身が力をつけて、いつか自分でけりをつけるしかないんだよ。お前がもし、親父に遠慮したまま一生を終えてもいいというなら別だけどね」

だから、けりをつけたのだった。牧場へ来て三年がたち、ブルースは十八になっていた。ことあるごとに執拗《しつよう》に彼をいたぶって喜んでいた一人の牧童が、牛糞《ぎゅうふん》のバケツを抱えたブルースの足をひっかけて転ばせた時だ。床にぶちまけた糞に顔から突っ込んだ彼が起き上がるより早く、そばにいたパンチド・フェイスが、男のふくらはぎを狙《ねら》って咬《か》みついたのだった。男は絶叫と共に犬を蹴《け》り飛ばし、投げ縄を犬の首にかけて牛舎の梁《はり》に吊《つ》るそうとした。ブルースは反撃に出た。男に飛びかかって殴りつけ、最初の一発で鼻柱をつぶし、次の一撃で歯を二本へし折り、肋骨に膝蹴りをくらわせてかつての復讐を果たした。仲間たちが死ぬ気で止めに入った時は、男はすでにボロ雑巾と化していた。

三年の間にブルースはいつのまにか、牧童たちの中でも一、二を争う体格の持ち主になっていた。今まで何をされても抵抗らしい抵抗をしなかったために、誰もそのことに気づかなかったのだ。

以来、ブルースに手を出す馬鹿はいなくなった。力の社会では、強い者が無条件に敬《うやま》われる。さらに数年もすると、新しく牧童頭になったジャック・エヴァンスも彼に一目《いちもく》置くようになり、そしてその頃から、ブルースは父親の前で帽子を取るのをやめたのだった。

そのことについてリチャードが何か言ったためしはない。

さっきもそうだった。ブルースを書斎まで呼びつけて話していた二分かそれくらいの間、父親は彼の目を数秒以上続けて見つめようとはしなかった。たぶん、後ろめたいのだろう。理解はできたが、同情する気にはなれなかった。

階下の廊下を折れてダイニングに向かう。リヴィングの前を通り過ぎる頃、話し声が聞こえてきた。

「マフィ、ぎゅーにゅー」

「違うでしょ。お願いする時は、牛乳ちょうだい、って言うのよ」

「ぎゅーにゅー、ちょうだい」

「はい、どうぞ」

ブルースがダイニングの入口に立った時、彼女はこちらに背を向けて立ち、ティムのグラスに牛乳を注いでやっているところだった。ティムの姿は、彼女の体の陰になっていて見えない。テーブルに片手をついて前かがみになっているせいで、彼女が着ている白いブラウスの背中には、下着の線がうっすらと浮き出していた。

ブルースは黙って見物を決めこんだ。

マフユは、彼が今までに会ったことのないタイプの女だった。

〈マフィは、何ていうか……特別なんだ〉

以前、電話でラリーがそう宣《のたま》った時は、聞いているこちらの首筋がこそばゆくなって半ばうんざりさせられたものだが、なるほど今になってみると兄の言う意味もわからないではない。この女を見物していると、退屈しないことだけは確かだ。

牛乳を注ぎ終わった彼女は、紙ナプキンを一枚取って奥の窓に近づき、きゅっきゅっとガラスを拭《ふ》き始めた。どうやら、さっきティムが窓を叩いた時に手形でもつけたらしい。律儀なことだ。

ブルースはダイニングに入っていった。気づいたティムが「あ」と言った時には、彼はもうテーブルのそばに立っていた。

「ん？　なあに、ティム？」

ふり返った彼女が、おかしいほど飛びあがって紙ナプキンを取り落とした。

「いやだ、おどかさないで！」彼女は胸を押さえた。

「そんなつもりはなかったんだがな」

「じゃ、どうして足音を忍ばせたりするのよ」

ブルースは苦笑した。ナヴァホの間で自然に身につけた彼の歩き方はどうやら、ほかの人間にとっては特別なものらしい。

「わざとじゃない」と、彼は言った。「ただの習慣さ」

テーブルの上の牛乳を、彼は、ティムの使っていたグラスに注いで一気に飲んだ。手の甲で口もとをぬぐいながら、ちらりと彼女を観察する。

初めて会った時から比べると、ずいぶん痩《や》せてしまったように見える。影まで薄い。向こう側が透《す》けて見えるまで、あと一歩だ。どうせまたろくに食べなかったのだろうとテーブルを見おろしたが、パンくずしか載っていない皿からは何もわからなかった。

まあいい。とにかく、リチャードから頼まれたとおりにするまでだ。

「馬に乗らないか？」

「え？」と彼女は訊き返した。「ごめんなさい、いま何て言ったの？」

「馬に乗らないか、と言ったんだ」

何もそこまで露骨に意外な顔をすることはないだろうが。

「でも私、乗ったことないのよ」

「乗ったことがないと、乗っちゃいけないのか?」

「でも……下手《へた》だろうし」

「うまいなんて、初めから期待しちゃいないさ。それとも、明日ケツが痛くなるのがいやか?」


彼女は顔をしかめた。「そういうわけじゃないけど」

「よかったら、ティムも乗せてやればいい」

とたんに、椅子の上のティムがお尻でぴょんぴょん跳ねた。

「のる、のる!」ティムは叫んだ。「くりげ!」

ブルースは笑った。

「わかった、栗毛な」そして、彼女に目を戻した。「どうする?」

「どうするって……」彼女は、あきれたようなため息をついて言った。「あなた、もう決めてるじゃないの」

20

こんなことをして遊んでいていいのかと訊いたのだが、これも仕事のうちだと彼は答えた。

「仕事？　私たちの相手をするのが？」

「そうさ。牧場主じきじきのお達しでね」

「外に連れ出して、元気づけるようにって？」

「そこまでは言われてない。無理にでも運動させるように言われただけだ」

ジーンズに着替えた真冬が前にしているのは、全身が白と茶の大きなまだらに色分けされた馬だった。「これ、うし？」とはティムの評だ。

近くで見ると、馬というのは思った以上に大きな動物だった。思いきって踏み台とブルースの肩を借りて鞍《くら》によじのぼったはいいが、あまりの高さにめまいがした。

ブルースのほうは、ウェスタン・ブーツの先を苦もなくあぶみに差し入れ、ティムを乗せた鞍の後ろにゆっくりとまたがって手綱を取ると、馬に足踏みさせてその場で器用に向きを変えた。まるで、車に乗り込んだ人間が無意識にキーをひねりギアを入れる、そんな何気なさだった。

おまけに、てっきりブルースが手綱を引いてくれるのだろうと思いきや、彼は、

「早く行けよ」

と真冬の馬の尻を叩いたのだった。

しかし、歩き出してからしばらくたち、ようやくあたりの様子に気を配る余裕が出てくると、これほどエキサイティングな経験はまたとなかった。目の高さが変わるだけで、世界はまったく違って見えた。景色は思いがけないほど彼方まで見わたすことができ、地面は遠かったが、そのぶん空が近かった。

人が歩くより速いし、自転車のようにこがないですむ。バイクよりよほど静かだし、車のように外界と遮断されてはいない。そして何よりの魅力は、馬が生身の生きものだということ――それも、じつに美しい生きものだということだった。鞍を置いていても、力強い筋肉の動きがこちらの尻やももに伝わってくる。手綱を持つ手の下ではたてがみが風になびき、長い首がひと足ごとに上下する。前にかがみこんで手をのばし、首から胸もとにかけての熱を持った皮膚を撫でてやると、太い血管が脈打つのがてのひらに感じられ、日なたくさい匂いが立ちのぼり、すぐそばから力強い息づかいが聞こえるのだった。

ブルースは、前に乗せたティムを落ちないように両腕で囲って、軽く手綱を握っていた。彼のカウボーイ・ハットをかぶせてもらったティムは、ご機嫌であたりを見まわしている。

ブルースの馬の御《ぎょ》し方は、まったくやる気がなさそうに見えた。体のどこにも力が入っていない。馬の好きにさせたまま、手綱など握っても握らなくてもかまわないといった様子で

左右の揺れに身をまかせている。それなのにどうして、馬が彼の意思を先取りするかのように機敏に動くのか、真冬は不思議でならなかった。

正面はるかに、まるでグランドキャニオンの一部だけを持ってきたような平たい台地が長々と横たわっている。どこまでも広がる草地の上には紺碧《こんぺき》の空が覆いかぶさり、その高みに、薄い雲が渦を巻いていた。

踏み固められた道ではなく荒れ野を横切っていくので、馬のひづめが夏草を踏みしだくたびに、かぐわしい草いきれが立ちのぼる。あちこちに、花々の群落を見つけることができた。儚《はかな》げなピンクのフロックスや、マーガレットに似た黄色い花、凛《りん》と立つブルーのルピナス、紅色の冠《かんむり》を重たげに揺らすアザミ。今までに見たこともないような姿の花も多い。ろくに雨も降らないのに、なんとみずみずしく咲くのだろう。

「お屋敷の庭より、ずっときれい」

真冬が言うと、ブルースは短くうなずいた。

「本来あるべき場所で咲いてるからさ。自分のいる場所を間違えた花はうまく咲けないし、いい実を結ばない。なのに白人ってやつは、何もかも自分たちのやり方に従わせずにいられないんだ。これほどの自然に囲まれながら、無理して芝生の庭を造ったり、バラを咲かせたりする必要がどこにある？　そうして力ずくで造りあげた庭に、やつらは毎日、ナヴァホの一家族が半月暮らせるほどの水をまくんだぜ。ばかげてるとしか言いようがない」

並んでゆっくりと進む馬たちの足もとを、後になり先になりしながら、パノチド・フェイスがついてくる。よく見ると、毛皮のあちこちが磨《す》り減っていて、ちょっと走っただけですぐに息を切らした。

「何歳くらいなの？」と真冬は訊いてみた。「もうずいぶんの年なんじゃない？」

ブルースは思いがけないほど優しい目をして犬を見おろした。「十三年目になるかな」

「そんなに!? こんな遠出につきあわせるのは可哀想《かわいそう》なんじゃないの？」

「置いていかれると、二、三日ヘソを曲げるんだ。老いぼれでも、自分はまだ役に立つと思っていたいんだろう」

馬が耳をぴくりとさせてブルル……といい、真冬は体を硬くした。

「怖がってるとナメられるぜ」とブルースが言った。「安心しろよ。そいつは、一番おとなしい馬だ。メエーって鳴かないのが不思議なくらいさ」

鞍の前で、ティムがくすくす笑った。

「馬を扱ううえで一番大事なことは何だか知ってるか？」彼は、真冬にではなくティムに教えるように言った。「お前を信頼してるぞ、と伝えてやることさ」

わかったのかどうか、ティムはただ嬉しそうに笑いころげている。

「扱いが上手なのは、馬だけじゃないのね」

「と言うと？」

「あなた、子供の扱いも上手だわ」

ブルースの顔が真冬に向けられた。「扱ってるんじゃない。向きあってるんだ」

ゆっくりとした歩みにあわせて、ひづめの音が八つぶん連なって聞こえる。まだらの馬が少し遅れたのをいいことに、真冬は斜め後ろから、ブルースをちらちらと眺めた。

見れば見るほど、特徴のある逆三角形だ。まるでエジプトの壁画に描かれた人々のように、上半身が大きくて下半身が細い。紺のTシャツの半袖《はんそで》はまくり上げられ、陽《ひ》を受けた腕や首筋は、にじんだ汗のせいもあって真新しい一セント銅貨の色に光っている。ティムを支えたり手綱を引いたりするたびに、二の腕の筋肉が猛々《たけだけ》しく動くのを見ると、真冬の動悸《どうき》はなぜか不規則になった。いやだわ、と彼女は眉を寄せた。男の腕を見て色っぽいと思うなんて、どうかしてしまったとしか思えない。肩甲骨《けんこうこつ》まで届く黒髪はひとつに束ねられ、風が吹くたびに馬の尾と同じ方向になびく。不思議なことに髪の長さは、彼の男っぽさを少しも損なってはいなかった。編んだりはしないのかしら。前に写真で見た、確かスー族の男性は、顔の両脇に三つ編みを垂らしていたけれど、もしかして部族によってヘアスタイルも違ったりするのかしら。

母親を亡くしたブルースが、祖父に引き取られたこと。やがて『イーグル・ハート』と名づけられたこと。十五の時に牧場で暮らすようになった事情や、サンダーソン家の母子との確執《かくしつ》や……。あの夜リチャードの口から語られたそれらの情景は、まるでいつか観《み》た映画のように、真冬の脳裏《のうり》に焼きついてしまっていた。

荒野の真ん中でメディスンマンに育てられると、足音をさせない歩き方が身につくのだろうか。まさか遠乗りに誘われようとは、あまりにも意外で驚いたが、それが彼の思いつきでなくリチャードのさしがねだと聞かされた時感じたのは、安堵《あんど》ともうひとつ、小さな落胆だった。

「かかとで腹を蹴ってやれよ！」

見ると、いつのまにかだいぶ引き離されてしまっている。ブルースは、栗毛の横腹をこちらに向けて待っていた。

真冬があぶみに入れた足で遠慮がちに腹を蹴ろうとすると、それより先に気配を読み取った馬はトットットッ……と早足になった。思わず鞍のホーンにしがみつく。落ちないように鞍を膝で締めつけ、鞍の前の突起と手綱を握りしめているだけで精一杯だったが、そばまで行くとブルースは意外にもほめてくれた。

「思ったより筋がいいじゃないか。ちょっと練習すれば、きっとすぐうまくなる」

「もしかして」舌を噛《か》まないように喋《しゃべ》るのは一苦労だった。「マイケルやイライザも、あなたくらい上手に乗れるの？」

「マイケルは、まあな。イライザのほうはまったくだめだ。子供の頃、雷に驚いた馬にふり落とされて腕の骨を折ってね。それ以来一度も乗ってない」

「ブルース……そういうことは、もっと早く言ってくれないと」

「どうして」

「それを先に聞いていたら私、絶対乗らなかったわ」

「ふん」彼はニヤリと笑った。「だろうと思ったから言わなかったんだ」

生粋のネイティヴの瞳は黒だと、あの夜リチャードは言っていた。ブルースの瞳は父親やラリーのそれよりもずっと濃い色だが、今日のような強い日ざしの下では、きれいなサファイアブルーに見える。赤銅色の肌がその青を鮮やかに引き立てている。高い頬骨や鼻の形はたぶんナヴァホの血筋を色濃く受け継いだものなのだろうが、眉の形や目もとや、がっしりと張ったあごの線は、近くで見ればなるほどリチャードと似ているような気もした。唇は少しラリーと似ている、と思ったとたん、真冬の心臓はきゅっと縮んだ。

「どこへ、向かってるの？」

ブルースは大あくびをした。「……べつに。散歩ついでに、草の状態を見てまわってるんだ」

「それだけ？」

「それも大事なことさ。こうしてゆっくり行けば、柵に異状がないかチェックもできる。仲間の中には、アイアン・ホースで見まわったほうが早いなんて言うやつもいるがね」

「鉄の馬《アイアン・ホース》？」

「バイクさ」と、彼は言った。「でも俺には、生身の馬のほうが性に合ってる」

真冬はしばらく黙っていたが、思いきって言ってみた。

「どうしてリチャードは、私たちのお相手をあなたに頼んだんだと思う？」

「さあな。たぶんサーヴィスのつもりだろうさ。どうせ馬に乗るならインディアンと一緒のほうが、ウェスタン気分が味わえるとでも思ったんだろう」

真冬は思わず、彼をにらんだ。

「そうやって、わざと自分をねたにした皮肉を言って人の反応をうかがうの、あなたの良くない癖だわ。自分から『インディアン』って口にしさえすれば、相手が黙ると思ってるんでしょう」

ブルースが苦笑いした。

「なんなの?」

「いや。そんなふうに思ってる連中は大勢いるんだろうが、面と向かって言ってのけたのはあんたが初めてだよ。日本人ってのは、物事をはっきり言わない連中だと聞いてたんだがな」

「そのとおりよ。私も、長く日本で育ったものだから、いまだに言いたいことの半分も言えないの」

「………」

ブルースは、げっそりしたような顔で彼女を見た。

本当のところ、真冬自身も自分にげっそりしていた。ブルースを前にするとつい、ほかの人間には決して言わないような憎まれ口がこぼれてしまう。

そもそも、出だしがよくなかったのだ。「初対面の印象を与えるチャンスは一度きり」とは誰の言葉だったか――カフェテリアでのあれは、正確には彼との初対面ではなかったが似たようなものだし、印象はと言えば、最悪だった。たぶん向こうもそう思っているだろう。

「あの……」しぶしぶと、真冬は言った。「ごめんなさい、ちょっと口が過ぎたわ。せっかく連れ出してもらってるのに……こんなこと言うつもりじゃなかったんだけど」

「どうだかな」彼はつっけんどんに言った。「あやしいもんだ」

真冬は黙っていた。

「で？　その後、サンダーソン家の居心地はどうだ？」

そういえば、あの蒙古斑《もうこはん》騒ぎの時の礼もまだ言っていなかったのだ。彼女はますます気まずい思いで言った。

「そうだったわよね。あの時は、ありがとう。あなたが来て説明してくれなかったら、私の言うことなんて絶対信じてもらえなかったもの」

「感謝してるにしては、ズケズケ言いたいことを言うもんだな」

「だから、ごめんなさいって謝ったじゃないの」

しょげている様子の真冬を見て気がおさまったのか、ブルースはフン、と笑った。「まあ、いいさ。あれから、女どもとはうまくいってるのか？」

どう言おうかと思ったが、真冬は結局正直に答えることにした。

「あまり家族扱いされてるようには思えないけど、お客でいるぶんだけ気が楽よ」

「ふうん」ブルースは、含むところのありそうな目でじろじろと彼女を見た。

「ねえ、訊いてもいい？」

「さあな。とりあえず訊いてみろよ」

真冬は思いきって言った。「あなた、ネイティヴ・アメリカンに生まれたこと、後悔してる？」

「まず、その呼ばれ方は嫌いだね」

真冬は面食らってしまった。

「どうして？」

「呼び方だけ変えても、実際には何も変わってやしないからさ」彼は、真冬とは反対側の地面にペッとつばを吐いた。「今さらうわべの呼び方を『インディアン』から『ネイティヴ・アメリカン』に変えたくらいで、今までの仕打ちをうやむやにしてもらったんじゃたまらない。実際のところ、政府にとっては今でも、俺たちインディアンはお荷物でしかないのさ。やつらが居留地のインディアンのために何かしようとするのは、選挙の前だけだ。何かと理由をこじつけちゃ一時金を支給する。そんな金なんか入れば、生活が潤《うるお》うどころかアル中患者が増えるだけだってのに、役人連中にとっちゃそんなことはどうでもいいんだ。いや、いっそのことアル中で早く死んでくれりゃ一石二鳥って肚《はら》なのかもな」

「そんな……それは、いくらなんでも」

「被害妄想だ、と思うか？」ブルースは歯をむいて笑った。「甘いな、奥さん。あんた何にもわかっちゃいない。結局、白人の俺たちに対する意識は、ここ数百年というものまったく変わっちゃいないんだよ。連中にとってはいまだに、『良いインディアンは死んだインディアンだけ』なのさ」

「やっぱり、それは言いすぎだと思うわ。白人の中にだって、あなたたちの生き方に学ぼうとする人たちもたくさんいるじゃないの」

「ほう？　何を学ぼうっていうんだ？　空《す》きっ腹《ぱら》にマリファナやペイヨーテ・サボテンでトリップして、特別なヴィジョンを見たつもりでいい気になって、スウェットロッジで汗を流してスッキリして、それで何かを学べるっていうなら俺だってあやかりたいね。そういう連中は、きまってこう言う。自分たちの見失ってしまったものをインディアンはまだ持っている、とね。俺たちと同じように自然のど真ん中で物のない暮らしをすれば、自分らが文明社会のどこかに置き忘れてきた何かを取り戻せると思ってるんだ」

「それなりに、筋が通っているように聞こえるけど？」

「いいや。連中には逆立ちしたって無理だろうよ」ブルースは、いくらか意地の悪い笑いを浮かべながら首を振った。「なぜなら連中が見つけたがってるのは、本当は、見失ったものじゃなく、やつらがもともと持っていなかったものだからさ」

真冬が無意識に手綱を引くと、まだら馬がぴたりと止まった。つられてブルースの栗毛まででが歩みを止める。

真冬は好奇心にかられて訊いた。「何なの？　それって」

ブルースは、今までのどの瞬間よりもまっすぐに、真冬の目を見据えた。

「母親さ」

「え？」

「大地だよ」

ブルースの顔には、何か、誇らしさとも憧《あこが》れともつかない表情が浮かんでいた。

「俺たちはこの大地から生まれて、死ねばここへ還《かえ》り、別の命を育てる。ふだんはっきりと意識していようがいまいが、そういう思いは、俺たちインディアンが生きる希望さえ失った時の最後の支えになってる。だが、白人たちは違う。やつらは後からやってきたくせに、誰の所有物でもない大地を自分らのものだと言って、そこに住んでいたインディアンを追い出した。やつらの都合に合わせて、俺たちはあっちこっちへ行かされた。白人の邪魔にならない土地、サボテンしか生えないような土地へね。そうしてやつらは、俺たちを追い出した後の土地に柵やフェンスを立てた。俺たちの母親を切り刻んで売り買いしたのさ。それきり、やつらと大地とのつながりは断たれてしまった。今さらやり直しはきかない。この土地とつながる機会を与えられなかったわけじゃないのに、それを見ようともしなかったんだ。だから今、やつらには根っこを下ろす大地がない。どんなに還りたくても、還る場所がないんだ」

真冬がじっと黙っていると、彼はやがて言った。

「もしかすると、この手の話も虫酸《むしず》が走るのかな」

「……いいえ」

恥ずかしいことばかり思い出させる彼が、真冬はまた憎たらしくなった。彼といると、なんだか自分の性格が悪くなったような気がしてくる。

「あの時のことは忘れてくれる？　私、ちょっとどうかしてたのよ。あなたの従姉《いとこ》の女性……デリラさん？　あの方にも謝りたいわ」

「どうして彼女の名前を知ってるんだ？」

「リチャードに、訊いてみただけ」

馬たちの耳がぴくりと立ち、またもとに戻った。真冬の耳にも飛行機の音が聞こえてきた。まぶしそうに見上げたティムが、指さして言った。

「けむり、でてる」

「煙じゃないさ。あれは、飛行機雲というんだ」

上空は風が強いとみえて、定規で引いたような飛行機雲も見るまに端からにじんでいく。ティムと一緒になって空を見上げているブルースの横顔に、真冬は言った。

「もうひとつ、質問があるの」

「またか」

「…………」

「何だよ」

「ラリーとは、よく電話で話したりしたの？」

「電話？」

「ほら、この前言ってたでしょ？　ラリーから電話で聞いたって」

「ああ、例の変態野郎の事件か」空を見上げたまま、彼は言った。「よく、ってわけじゃない。その時はたまたまさ」

「何の用事でかかってきたの？」

「忘れた」

「もしかして、結婚式に出席してくれって頼まれたんじゃないの？」

「まさか。俺はただの使用人だぜ」

そこでやっと、ブルースは真冬を見た。「どうしてそんなことを訊く？」

「…………」

真冬があぶみを軽く揺らすと、まだら馬はブルースの栗毛を追い抜いて先に立った。栗毛がすぐに、後ろから追いついてくる。歩調をゆるめ、ぴたりと横につけて、ブルースは言った。

「ラリーから何か聞かされたのか？」

「何かって、何を？」

「それを訊いてるんだ」

真冬は、ちらりと彼を見やった。

「ラリーからはただ、早く弟を紹介してやりたいって言われただけよ」

ブルースの耳が後ろへ引きしまり、頬がこわばるのがわかった。

「名前までは聞いてなかったから、私、てっきりマイケルのことだとばかり思ってたの。でも……あれはきっと、あなたのことだったのね」

飛行機の音は遠ざかって、もうかすかにしか聞こえない。かわりに、ヒバリに似た鳥のさえずりがかん高く響いている。

「そのあたりの話、誰から聞いた」ブルースはいちだんと低い声で言った。「牧童の誰かか？　ハリエットか？」

「いいえ。リチャードよ」

「何だって？」と目をむく。「あり得ない」

「あり得ないって言われたって、そうなんですもの」

「嘘だ」

「信じないならいいわ」

ブルースは押し黙った。

ティムがかぶっていたカウボーイ・ハットは、空を見上げた時に背中へ落ち、ブルースの腹との間にはさまっていた。それを取ってかぶせ直してやりながら、

「驚いたな」彼は、ようやく再び口をひらいた。「信じられない。いや、信じるが……信じられない。いったい、リチャードにどんなまじないを使ったんだ？　あんたにかかるとサンダーソン家の男どもが端から骨抜きじゃないか。何かコツでもあるなら教えてもらいたいもんだ」

皮肉っぽい彼の言い方に、真冬は傷ついた。それではまるで、マイケルやリチャードに取り入ったように聞こえる。

「私がそのへんの事情を知ったことで、あなたが不愉快な思いをしたというなら謝るわ」硬い声で彼女は言った。「私はただ……私たちがこのことについて話すのは、別にいけないことじゃないと思ったから、こうして話したまでよ。リチャードからは、あなたに言っちゃいけないなんて口止めされなかったし、ラリーだって、あなたを弟として私に紹介するつもりでいたんですもの」

ブルースはしばらく黙っていたが、やがて言った。

「俺も別に、悪気で言ったわけじゃないさ」

「嘘ばっかり」と、真冬はため息をついた。「悪気だらけのくせに」

「どうも、人に思いやってもらった経験が少ないもんでね。思いやるのも下手らしい」

彼はまた、フン、と鼻を鳴らした。「そういえば昔、ラリーに言われたっけな。金や食べ物と違って愛情とか思いやりってのは、本人が充分にもらって満たされていない限り、誰かに分けてやりたいと思っても無理なんだそうだ」

その瞬間、真冬は、息が詰まった。

――きみにちょっと似てる。

ラリーは弟《ブルース》のことをそう言ったのだった。

正確には、似ているというのは少し違うかもしれない。どちらかというと、同じ悪夢を共有しているというのに近い。

自分をありのままに受け入れてくれない世界への不信感や、何ものにも、自分自身にさえも手が届かないという苛立《いらだ》ちや、何か目に見えない壁で本当の自分から隔てられているような疎外感や、寝ても覚めても何かに追われている気がして一時《いっとき》も立ち止まることができない焦《あせ》りや、恐怖や……そんなどうしようもない悩みのうちのどれひとつとして、真冬は、ラリーに本当にわかってもらえたと感じたことはなかった。どれほど愛してくれていたとしても、ラリーには、想像するのが精一杯だったろう。まわりから愛されて育ち、それをあたりまえとして大人になった彼に、理解しろというほうが無理な話なのだ。ラリーはまるで呼吸するように自然に人を愛することができたし、真冬自身もそんな彼だからこそ心を許し、そのそばで安らいだ。けれど同時に、ラリーが愛してくれればくれるほど、それをひしひしと感じれば感じるほど、真冬は独りになっていった。ラリーを知り、それによって自分を知っていく過程はそのまま、彼との間で培《つちか》えるものの限界が明らかになっていく過程でもあったからだ。

バサバサッと羽音がして、足もとからウズラのような鳥が飛び立つ。先を行くパンチド・フェイスが驚いて飛び上がり、何度か吠《ほ》えた。

なだらかな丘を登り始めるあたりから、片側に小さな林が現れた。このあたりに水脈があるらしい。距離的には屋敷とそれほど離れていないのに、地形のせいか、草の色はずっとみずみずしい。登りきると、急に景色がひらけた。目に見える限りの彼方まで、無数の牛たちが散らばっていた。北の放牧地だ。

日本で見慣れたホルスタイン種ではなく、全身茶色の角の長い牛だった。この牛たちを何十頭、何百頭とひとまとめにして冬の牧草地まで追い集めていく様《さま》は、さぞかし迫力に満ちた光景だろう。

「おしっこ」

とティムが言った。

「よし。下りて休むか」

真冬の返事を聞く前に、ブルースは馬から滑り下りてティムを抱きおろし、続いて彼女が下りようとするのに手を貸した。左足をあぶみにかけたままの真冬が、右足のつま先で地面を探している間にまだら馬が動こうとすると、ブルースは彼女を後ろから支えながらシーッと言った。それだけで馬は落ち着いたが、彼の息が耳にかかった真冬のほうはそうでもなかった。彼からは、汗と干し草と、なめし革の匂いがした。

いつものようにティムの面倒を見ようとした彼女に、ブルースは二頭の馬の手綱を渡し、男同士で離れた場所に行ってしまった。それでも、さえぎる物が何もないせいで、話し声と一緒にあまり聞きたくない音までが聞こえてくる。

「ねえ」と、ティムの声が真剣そのもので言った。「どうしてブリューシュのは、ぼくのとちがうの？」

待っている真冬は、一人で顔を赤くした。

「違ってるか？」面白がるようなブルースの声。

「うん。だってブリューシュのは、ダディのとおんなじだもん」

そわそわしている真冬を、足もとからパンチド・フェイスが首をかしげて見上げてくる。

彼女が顔をしかめてみせると、犬は反対側に首をかしげた。

「ねえ、なんでそんなに、もじゃもじゃなの？」

こちらにまで聞こえていることを、ブルースは知っているのだろうか。気づいているとしたら、後でいったいどんな顔をすればいいのだろう？

だが、

「それはだな」

と彼が言った時、真冬は思わず耳をそばだててしまった。

「大事なとこには毛が生えてくるようにできてるんだ。中でも、頭とココは一番大事だから、たくさん生えるのさ」

「ふうん。あ、そっか、だからマフィももじゃもじゃなんだね」

真冬は火を噴きそうになった。ブルースの高笑いが聞こえてくる。

「じゃあさ、なんで、ぼくのはつるつるなの？」

「お前のは、まだおしっこにしか使ってないだろ？」

「うん」

「てことは、半分しか大事じゃないってことだ。だからまだつるつるなのさ」

「ふうん。ブリューシュのは、あとはんぶん、なににつかうの？」

「それは、お前のがもじゃもじゃになった頃に教えてやる」

二人が戻ってきた時、真冬は、何も聞こえなかった顔をするのにずいぶん苦労した。ブルースが、にやにやしながら見ている。

「何よ」

「べつに。あんたこそ、何か言いたそうだぜ」

「そ……そういえば、私が一番初めに訊いたことに、まだ答えてもらってないわ」

「何だっけな」

「またとぼけて」

ブルースは、鞍のホーンにひっかけてあったカウボーイ・ハットをかぶり、あんたは質問が多すぎる、と文句を言った。

「ったく、ティムより世話がやけるぜ」

訊き返すとやぶへびになると思って黙っていた真冬は、ふと、訊かずにいるのは聞こえていたことを白状するようなものだと気づいた。再び真っ赤になってちらりとブルースを見やる。彼はそしらぬ顔で、犬を追いかけたり追いかけられたりしているティムを眺めていた。

馬たちは首を下げ、足もとの草をむしり取って食べている。つややかに輝く尻にアブがとまると、太ももにかけての筋肉がビクビクッと震え、長い尾が右へ左へはね上げられて虫を追いはらう。

「もし俺が悔やんでいるとすれば――」と、唐突に彼は言った。「どっちかっていうと、インディアンに生まれたことじゃなく、白人の血を引いてしまったことのほうだな」

真冬はうつむき、馬たちの手綱を持ったままそこへしゃがんだ。まだら馬が、真冬の髪の匂いをかぐ。

「もしかして……いつかティムも同じように考えると思う?」

するとブルースは、苦笑まじりに言った。

「Who knows?」

真冬は、草をちぎって指に巻きつけたりほどいたりした。彼の言うとおりだ。そんなことが、いったい誰にわかるだろう。

ブルースが隣に腰をおろし、彼女から手綱を受け取った。軽く膝を抱え、色とりどりの紐《ひも》で編まれた手綱を、武骨な手の中でひねくりまわす。

「あんたには、想像もできないだろうな」と、彼は言った。「いつも境界線の上にいなけりゃならない人間のやりきれなさは。どちら側にも属しているはずなのに、なぜかどちらにも溶けこめない。いっそ両方から自由になってしまいたいのに、片方さえ捨て去ることができない。自分が誰なのか、何者として生きていけばいいのかわからない。いつも二つに引き裂かれている——そういう苦しさが、あんたにわかるか?」

「ええ、わかるわ」と真冬は言った。

彼がけげんそうな顔を向ける。

「私も同じだもの」何か言いかけた彼を手ぶりでおさえて、真冬は続けた。「いいかげんな同情で言ってるんじゃないのよ。私は両親とも日本人だけれど、あなたの言う意味は本当によくわかるの」

何か訊かれるかと思ったが、ブルースは黙って彼女を見ていた。

ティムはパンチド・フェイスと一緒に、丘の下のほうまで走り下りている。高く澄んだ笑い声があたりに響く。牛たちが、走り込んで行く彼に驚いて、うさんくさそうに遠ざかる。ティムが犬を呼ぶ声は風に乗り、すぐ耳もとで話しているかのようにはっきり聞こえてきた。

気がつくと、真冬は話し出していた。ジャクソン医師には話してラリーに話さなかったことも、ラリーには打ち明けたもののジャクソンに言えなかったことも、ブルースに対してはみんなしゃべってしまっていた。彼が相手なら、話してもどうせわからないのではと逡巡《しゅんじゅん》する必要がなかった。わかってもらえると思ったからだけではなく、わかってもらえなければそれはそれでいいと思うくらいに無頓着《むとんちゃく》でいられるせいもあったろう。

「私に近づく人はみんな不幸になるって……そんなジンクスを母親に信じこまされてから、決して必要以上に人と親しくならないようにしてきたの。でも私、その一方でずっと、自分の居場所を探してた。そのSOSに応《こた》えてくれたのが、ラリーだったのよ」

ひとつひとつの言葉の手ざわりや匂いを確かめてからそこへ置くように、真冬はゆっくりと話した。

「父は、自殺することで私を捨てたわ。母は、私を徹底的に拒んだ。日本では……日本人って、変なのよ。自分と異質な者に出会うと、みんなで寄ってたかってスポイルしようとするの。だから、小学校では日本語の文章がうまく読めないとか、名前が変わってるとかいう理由でいじめられたし、中学校に上がると今度は、英語が話せるという理由でいじめられたわ。生徒だけじゃないのよ、英語教師だった担任まで、英語の発音がうますぎるって私を嫌った。授業の時、私だけを抜かして指名したりしてね。私、自分も日本人のはずなのに、どんどん日本人が嫌いになっていったわ。十八になったら絶対アメリカ国籍を選んでこんな国なんか飛び出してやるって思いながら、できるだけ息をひそめて目立たないように、まわりから浮き上がらないように気をつけてた。だから、ニューヨークで暮らすようになった時は、本当に楽になった気がしたの。これでやっと、何にも束縛されないですむ、もう日本人ごっこをしなくていいんだと思った。でもね、つきつめてしまえば、あの街だって同じなのよ。私はこの国ではやっぱり、異邦人としてしか見てもらえない。あなたはさっき、白人は大地とのつながりを断ってしまったって言ったけど、それを言うなら私もそうなのかもしれないわね。自分の国とのつながりを自分で断ってしまったから、今になって、還る場所をなくしたような気がするのかも。おまけに……ラリーとティムに出会って、誰かを愛《いと》しく思うってことがどんなものかわかって、これでやっと私にも居場所ができたって思った矢先にあの事件だったでしょう？　やっぱり母の言っていたあれは――ラリーが死《し》に際《ぎわ》に、絶対そんなふうに考えるなと言ったから努力はしてるけど――でもやっぱり、あのジンクスはまだ有効だったのかと思ったら、つらくて……。体がね、重くてたまらないの。水のぐっしょり沁《し》みこんだ服を着ているみたいに。私がまだこうして、その体を放り出してしまわないでいるのは、ティムがいるから。ただそれだけのためよ」

「マァーフィー！」

丘の下から、ティムができるかぎりの早足で登ってきた。あまりにも大きな風景の中で、彼の体はそのへんにごろごろしている石よりも小さくみえる。真冬は手をふり返したものの、急に心配になって思わず空を見上げた。鷲《わし》か何かが飛んでいたら、ティムをつかんで持っていってしまうかもしれないと思った。そうなってもおかしくないくらい、彼の体は頼りなくみえたのだ。

真冬たちのところにたどりついたのは、パンチド・フェイスのほうが先だったが、さすがにゼイゼイのどを鳴らしていた。

「無理するなよ、バカだな」とブルース。

頬を紅潮させて二人の目の前に走ってきたティムは、競走に負けたのが悔しいらしく、指でピストルを作ってまず「バン！　バン！」と犬を撃ち、ついでに馬を撃ち、それからブルースに向かって「バァン！」とやった。ブルースがウッと胸を押さえ、白目をむいて後ろへ倒れるのを見たティムは、大喜びで笑った。

「やめて」と、真冬がうめいた。「お願い」

きゃっきゃっと笑いながら、ティムがブルースの腹の上に乗る。馬たちが驚いて一、二歩あとずさりした。

ブルースは片手で手綱を握ったまま、もう一方の手でティムがはしゃいで暴れるのを抱きかかえてむっくり起き上がった。じたばたしているティムの頭を押さえながら真冬を見る。

彼女の顔は蒼白《そうはく》で、薄く引きしめられた唇も血の気を失っていた。

　ブルースに尻をぽんと叩かれると、ティムは大げさに叫び声をあげて、またしてもパンチド・フェイスのほうへ駆け出していった。

「元気がありあまってるじゃないか。いったい、何を心配してるんだ？」

「……べつに」

「あんたは少し、神経質すぎるぜ」

「わかってるわ」

「あんな遊びは、子供なら誰でもやる。あの事件の影響なんかじゃないさ」

「そうね」真冬は両手で頬をこすり、やっと微笑《ほほえ》んだ。「そうよね。ただ……」

「思い出しちまったのか」

「…………」

　ブルースは、ひっくり返った時に肩や腕についた砂を払った。真冬が背中を手伝い、髪についた草のクズをつまんで取ってやると、ブルースはいつもよりいくらか和《なご》んだ表情で彼女を見た。

「あ、待って」

「なあ。あんた、どうして泣くまいとするんだ？」と、彼は言った。「ニューヨークからここへ来る旅の間、朝起きてあんたの目が腫《は》れていたのは一度きりだったな」

　マイケルでさえ何も気づかなかったのに、と彼女はうつむいた。見てないふりをしてちゃっかり見ているなんて。

「外へ出たがっている感情を無理に封じ込めれば、いずれ魂をむしばむだけだぞ。泣きたい時は泣けばいいんだ。涙ってのは何も、恥ずかしいものじゃない。自分自身を癒すための薬みたいなものなんだから」

真冬は、目を伏せたまま、何も言わなかった。

「居場所なんか、これからまた作ればいいじゃないか。鳥だって、巣を壊されても翌年また別の枝に作る。あきらめてしまうことはない。あんたはまだ若いんだし」

「それって、とても無責任な言葉に聞こえるわ」

「そりゃそうさ。俺はあんたに何の責任もない」

真冬は苦笑した。

「いいことを教えてやる」と、彼は言った。「『上り坂が苦しい時は、下りはどんなに楽かを考えろ』」

「なあに、それ？」

ブルースは、例の仕草で肩をすくめた。「ナヴァホの格言さ」

21

「どうも、まずいことになってしまった」

ウォルト・マッキベンがそう言った時、クレアは初め、何の話かわからなかった。

「遺言状さ」ウォルトは電話の向こうで少しいらついた。「リチャードが遺言を書き換えたらすぐに教えろと、きみが言ったんじゃないか」

もちろんそれは、弁護士としての守秘義務を無視した行為だった。今まで他の依頼人の秘密を漏らしたためしなど一度もなかったが、ふだんは鉄壁であるはずのウォルトの意志も、クレアの前には無いも同然だった。

「それで、新しい内容は？」クレアは詰問《きつもん》した。「まずいってどういう意味なの？　まさかあのインディアンが私たちより多く受け取るなんて言うんじゃ……」

「そうじゃないよ、クレア。ブルースは違う」

「じゃあ誰がどうだというの！」

「まず」ウォルトは言いにくそうに咳払《せきばら》いした。「きみには、その家屋敷と現金が贈られることになってる。マイケルには牧場のすべてと現金、イライザにも現金と、フロリダの別荘。

ブルースには現金のみだ。それでも充分な額だし、彼としてはそのほうが自由にもなれるだろうがね」

「ウォルト」彼女は押し殺した声で言った。「私が訊いたことに答えてちょうだい」

彼はまた咳をした。

「現金の残りや細かい品物は、書き換え前の遺言と同じく、親戚や使用人にそれぞれ分けられるわけだが……あー、その……フェニックスやカリフォルニアその他に散らばる数々の不動産に関しては、つまり……マフユとティムに半分ずつ遺されることになっている」

「何ですって？」

クレアの声は裏返った。そんな、ばかな。窓の下のポーチから、当の真冬とティムが見上げて手を振っているのに気づいたが、クレアは思わず背を向けた。

「まだ先があるんだ」ウォルトはやけのように続けた。「リチャードが亡くなった時点でも、マフユがティムの面倒を見ている場合には、それらに加えて五軒の店の権利も彼女に行く。しかし、もしそうでない場合は、つまり彼女が何らかの事情でティムを手放していた場合は、」

「ティムを引き取った者が、店の権利を受け取るわけね」

「いや、それがそうじゃないんだ。その場合は、ティムを引き取った者と、きみら家族の各々、それにブルースとに一軒ずつ分配される」

「どうしてそうなるの？」クレアは叫んだ。「それじゃ、あの娘だけ贔屓《ひいき》されてるってことじゃないの！」

「……まあ、そうなるな。リチャードはあの娘がよほど気にいったらしい。ともあれ、クレア、わかるだろう？　もしマフユが店まで受け継ぐようなことになった場合は、全体としてみれば、妻であるきみよりも息子のマイケルよりも、彼女が最も多くを相続するというわけだ」


それは、およそ怒りなどという生易《なまやさ》しいしろものではなかった。

電話を切って我に返った時には、窓のカーテンが半ば引きちぎられてだらんと垂れ下がっていた。とりあえず手近にあったのがそれだったのだ。しばらく放心したように壁の一点を見つめて立ちつくしていたクレアは、ふいに両手のこぶしを握りしめ、天井を仰いで声のない叫び声をあげた。体の奥底からこみあげてくるどす黒い感情が、胸をふいごのように波打たせる。テーブルの上の雑誌をびりびりに引き裂き、それでもおさまらず、ベッドから羽根枕をつかみ取って、力いっぱいヘッドボードに叩きつけた。もう一度ふり上げる。……もう一度。……何度も、何度も叩きつけているうちに、枕の縫い目は裂け、白い羽毛がかたまりのまま飛び出して宙でほぐれ、淡雪《あわゆき》のように部屋中を舞った。大きく息を吸い込んだ拍子に羽毛の一枚がのどにはりつき、クレアは咳《せ》きこみながらベッドに倒れこんだ。呼吸が激しく乱れ、心臓までが裂けそうだ。

荒れ狂った感情は少しも鎮《しず》まってなどいなかった。脳の血管を突き破りそうな勢いで、ウォルトの言葉が頭の中を暴れまわっている。それを聞いた瞬間に感じた爆発的な憤怒《ふんぬ》は、今や油をなめる炎となって体じゅうを駆けめぐり、指先までを焼き尽くそうとしていた。苛立ちが髪の中を毒虫のように這《は》いまわり、クレアは地肌に爪《つめ》を立てて血が出るほどかきむしった。

「リチャードに抗議したければするといい」と、ウォルトは言った。「ただしそれには、私が遺言状の内容を漏らしたということも話さなければならないわけだから、当然、私ときみの関係も明らかになるわけだ。きみはそれによってすべての相続権を失うことになるかもしれないが、もし、それでもいい、こんな不当な扱いを見過ごしにはできないというのなら、クレア……私のほうはもう、かまわないよ。私もすべてを失うだろうが、きみを引き受ける覚悟くらいはできている」

冗談じゃないわ、と彼女は思った。いったいどこをどう押せばそんな考えが出てくるのだろう。ウォルトはロマンチストすぎる。確かに、リチャードが死んでしまってからではもはや遺言の執行を待つ以外何もできないが、かといって今すべてを失うなどまっぴらだ。

何とかしなければならない。こんな理不尽《りふじん》なことが許されていいはずはない。これは、リチャードの裏切りだった。かつて外にインディアン女を囲ったことも、子供を産ませたことも、あまつさえその子を手元に引き取ったことさえ取るに足りないと思えるほどの、これは、手ひどい裏切り行為だった。

今までの数十年、どれほどリチャードが好き勝手をしてきても、彼の後ろでサンダーソン家の財産を守っていく立場は、正妻であるクレアにしか務められない役割だった。その自負と誇りだけが、彼女をまっすぐ立たせていた。体つきからセックスの方法から、若い愛人とことごとく比べられるのがどれほど屈辱的でも、耐えて来られたのはその自負があればこそだったのだ。女遊びなどどうせ一時の気の迷いに過ぎない、彼が年を取った時にそばにいるのは自分だ、ずっとそう思って嫉妬や苦しさをねじふせてきた。

それをあのひとは——クレアは血の出るのもかまわずに親指の爪をかんだ——最後の最後までそうして裏切って、私を嗤《わら》おうというのか。彼が作り上げ、私が守ってきた財産の半分以上を、ただであの小娘にくれてやろうというのか。いくら戸籍上はロレンスの妻とはいえ、ほんのひと月足らず前に転がり込んできた、あの素姓《すじょう》も知れない日本人《ジャップ》に……！

みぞおちのあたりに、何か邪悪なものが生まれかけていた。今にも全身にウロコがびっしりと生えてきて、ガラガラヘビか何かに変わってしまいそうな気がした。

いっそそうなってしまえたらいいのに、とクレアは歯ぎしりした。そうしたら——

そうしたら、最初に誰を咬《か》んでやろうか。

22

ラリーの葬儀から六日目の火曜、初めて馬に乗った日の翌日、真冬は、フォードの四人乗りピックアップの助手席にティムを抱いてよじのぼりながら、自分がどこへ連れて行かれようとしているのかまだ呑《の》みこめずにいた。

とにもかくにもシートに腰を落ち着けたとたん、背中からバウッと吠えられて飛びあがった。後部座席にパンチド・フェイスが腹ばいになり、肉色の舌をだらんと牙《きば》の間からたらして尻尾《しっぽ》をふっていた。

運転席にブルースが乗りこむと、車体がゆさりと揺れて左に傾いた。

真冬は屋敷のポーチを見上げた。ブルースについて行けと言ったのはリチャードだったが、彼の姿は見えず、そのかわり玄関脇の窓の中にイライザがいるのが見えた。こっちをにらみつけている。真冬は憂鬱になった。

車を走り出させたブルースに、どこへ行くの？　と訊くと、彼は短く、ギャラップ、と答えた。グラブ・コンパートメントから地図を出して真冬に渡す。

地図の上で見ると、ギャラップはI—40の途中、ニューメキシコ州との境を越えてすぐのところにある小さな町だった。ここからだと、約八十マイルといったところだろうか。ニューヨークから牧場へ来る時にも通ったとブルースは言ったが、真冬にはまったく覚えがなかった。たぶん、あっという間に通り過ぎてしまったのだろう。

その町には、リチャードが人を使って経営している土産物《みやげもの》店の一つがある。店は他にフラッグスタッフとフェニックス、それにサンタフェとタオスにもあって、それぞれがナヴァホ族の手になる織物と銀の装飾品を中心に、ホピ、ズニ、プエブロ、アパッチなどさまざまな部族から集めた手工芸品を扱っており、同業のほかの店に比べると良心的な値段がつけられているせいか、五店舗ともなかなかはやっているのだとブルースは話した。

「それで、あなた、ギャラップのお店に何の用なの？」

「俺が？」さも心外といった様子でブルースは言った。「俺は用なんかないぜ。あんたの用で行くんじゃないか」

「うそよ、私だって用なんてないわ」

ブルースは彼女を横目で見て、近いほうの眉をつり上げた。「リチャードから何も聞かされてないのか？」

「何のこと？　私はただ、今日はあなたにつきあうように言われただけよ。ついて行けばわかるからって……それで玄関を出たら、あなたが車のドアを開けて待ちかまえてたんじゃないの。さらわれて来たようなものだわ」急いでつけ加えた。「誤解しないでね。今のは別に、あなたがインディアンであることとは関係ないわよ」

　ブルースはにやりとした。「別に、何も言ってないだろ」

　ティムがそっくり返るようにして真冬の腕から逃れようとする。「うしろ、いく」

「だめよ、危ないから」

「うしろ、いくの」

「行かせてやればいい」とブルースが言った。「ゆっくり運転するから心配ないさ」

　半信半疑のまま、それでも真冬が手をゆるめると、ティムはシートの間をすりぬけて後部座席へ行き、そこで待ち構えていたパンチド・フェイスの体にさっそく腕をまわした。

　真冬は首をねじって見ていたが、ティムが犬の口の中にひじまで突っ込んでいるのを見ると心配になってしまった。

「あの犬、絶対に咬んだりしない？」

「ああ」

「あの子がどんな痛いことしても？」

「彼がパンチの鼻づらをかじったりすれば別だがな」

「やりかねないわよ」

　ブルースはクスッと笑った。「その時はティムも、少し痛い思いをすればいいんだ」

「ひどいわ」

「いや、ひどくない。相手に痛い思いをさせればしっぺ返しがくるのは、あたりまえのことだ。彼だってどこかでそれを学ばなくちゃならない。だいたい、万一咬むようなことがあるとしたって、パンチはちゃんと手加減を知ってる。でなきゃ羊なんか追わせられないよ」

「……でも」

「何度も言うが、あんたはちょっとティムを甘やかしすぎだ。リチャードにも過保護だと言われたろう?」

痛いところを突かれて、真冬は黙った。

「大丈夫さ。パンチは俺の言うことなら必ず聞く。必ずだ。たとえ大好物の骨付き肉をバリバリかみ砕いてる最中でも、俺が『放せ』と言えばすぐ放す」

「やめてよ。よけいに心配になるじゃない」

ブルースは声をあげて笑った。

真冬はどぎまぎしてしまった。昨日の親密な気分がまだ続いているのは嬉しかったが、相手がこうも率直にガードをゆるめてくれるとは思っていなかったので、どう反応していいかわからなかった。ブルースの腕と自分のそれがずいぶん近くにあることが急に意識され、すぐ後から、自意識過剰だと反省する。

「ニューヨークへ帰るんだってな」

驚いてブルースを見やった。ずいぶん耳が早い。そろそろ帰りたいとリチャードに話したのは、ゆうべの夕食の席だったのに。リチャード自身は「そうか」と微笑んだだけで何も言わなかったが、マイケルばかりか、クレアまでが真剣に引きとめてくれたのは意外だった。

「週末までには帰りたいと思ってるの」と、彼女は言った。

「つまりそのためさ、ギャラップへ行くのは。あんたはその店で、友達や知り合いへの土産に何でも好きな物を選べるってわけだ」

「まあ」

「リチャードにしちゃ、上出来だよ」

道路端のところどころには、この道がかつてのルート66だったことを示す標識が立っている。昔は大陸の大動脈として機能していた由緒ある道だが、今ではもう、都市から都市へとインターステイトが張りめぐらされたために用済みになってしまった。こうして通り過ぎる小さな集落や町には、まるで置き忘れられたまま誰も引き取りに来ない荷物のような、うら寂しい雰囲気が漂っていた。通りはさびれ、人影もほとんどなく、メイン・ストリートでさえ、空き家やつぶれた店が目立つ。

車は途中、ナヴァホの居留地の片隅をかすめて通った。といっても、『ここよりナヴァホ・ランド』と書かれた木の札が立っていたきりだ。

「面積では、全米のインディアン居留地の中で最大なんだ」と、ブルースが言った。「叔父《おじ》貴《き》から前に聞いたんだが、ああと、忘れちまったな。日本の北のほうにあるでっかい島は何ていったっけ？　ホッ……ホケイドゥー？」

真冬はぷっと笑った。「もしかして北海道のこと？」

「そう、それだ」

笑われてムッとしている。

「北海道がどうしたの？」

「日本から来た観光客にナヴァホ居留地の広さを説明する時は、その島と同じだと言ってやれと叔父貴に教わったんだ。叔父貴は、自分のやってるツアー会社を俺に継がせたがっててね。会うたびに、自分のとこのスタッフの妹とやらを俺にあてがおうとしてくる。身を固めりゃ落ち着くと思ってるらしい」

真冬は笑った。「日本人観光客って、そんなに多いの？」

「多いね。もしかすると半分は中国人かもしれないが、俺には区別がつかない」

真冬は、窓の外に目をやった。あたりにはどこまでも、広いばかりで何の役にも立ちそうにない荒涼とした砂漠が広がっていた。

十五分ほど走ると、州境を示す看板がみるみる近づいてきて、グレーのピックアップトラックはいま、それを越えた。ニューメキシコ州に入ったのだ。それと同時に、再び居留地から出たことになる。

ブルースがカーラジオをつけると、いつかと同じような呪文《じゅもん》に似た歌声が聞こえてきた。単調な歌が終わった後から、濁音だらけの早口が流れ出す。

ナヴァホの言葉かと真冬が訊くと、そうだとブルースは言った。

「あなた、これ、全部わかる？」

「あたりまえだ。家族とはこれで話す」

「前にあなたが読んでた新聞も、ナヴァホ語で書かれてるの？」

「いや、あれは英語。ナヴァホの、というかインディアンの言葉には文字がないんだ。せいぜい絵文字くらいだな」

ギャラップに着くまでずっと、二人が話したのはほとんどがそんな他愛のない話題ばかりだった。互いの生い立ちや現在の生活に深く踏み込むような話はしなかったが、真冬には、かえってそのことが感慨深かった。ニューヨークからの旅であれほど無口だったブルースが、昨日からいろいろしゃべってくれるようになったのが意外だったし、どうでもいいことを話していても間がもつのは、互いに相手を敬遠してはいないことを感じとっているからだろうと思った。時おり差しはさまれる憎まれ口でさえ、昨日までとは違った意味合いを持っているように感じられた。


店は、石造りのホテルの中に入っていた。

ガラス越しに覗いても、品数の豊富さが見てとれる。壁には、毛皮と羽根を使った飾り物や、ナヴァホのラグや、蜘蛛《くも》の巣をかたどった壁かけなどが所狭しと吊るされている。照明をはじいてきらめくショーケースの向こうにいるのは、酒樽《さかだる》のように太った中年のネイティヴの女性だった。ハリエットも太っているが、その倍はありそうだ。マギーという名の彼女はブルースを見るなり顔をほころばせ、あとからティムの手を引いて入っていった真冬にも笑顔を向けて、お待ちしていましたよ、と言った。リチャードから連絡を受けていたらしい。

久しぶりのショッピングだった。

一見同じような銀とトルコ石の細工ものでも、よく見ていくと部族によってそれぞれの特徴があった。アーティストの腕によっても仕上がりがずいぶん違う。値段は品物の質に正比例する。

真冬はルーシィとサンドラのために象嵌《ぞうがん》細工のズニ族製のピアスとネックレスを、ドングにはシンプルな銀製のホピ族のバックルを、大家のミセス・ローゼンシュタインには、素焼きの地に素朴な模様が描かれたプエブロ族の水差しを贈ろうと決めた。それなら庭の花を挿《さ》してもらえるだろう。

トルコ石はお守りになるからというマギーの勧めに従って、彼女はティムにも小さなチョーカーを買ってやることにした。

「『スリーピング・ビューティ』という鉱山から出た石なんですよ」とマギーは言った。

「青の色がとくべつ鮮やかでしょ」

銀のビーズをつないだ鎖とトルコ石の冴《さ》えたブルーは、どちらもティムの肌の色に映え、それを首からさげただけでいっぺんにナヴァホの男の子らしくみえる。

「よく似合うわよ」

真冬に言われて、ティムは照れくささと嬉しさの入り混じった、何ともいえない顔で笑った。

最後に自分用に、ころんとしたトルコ石から銀の羽根がぶら下がった、ナヴァホ製のピアスをひとつだけ加えて、クレジット・カードを取り出そうとした時だ。

「マフユ」

ブルースが、初めて彼女の名を呼んだ。

びっくりしながらそばへ行くと、彼はマギーにナヴァホ語で何か言って、銀の腕輪《バングル》をショーケースから取り出させているところだった。

「どう思う?」

幅一センチほどの燻《いぶ》し銀のバングルの中心に、明るい青緑色のトルコ石がはめこまれ、まわりを白や黒の石か何かが取り巻いている。銀そのものにも唐草《からくさ》や花などのレリーフがほどこされていた。

「すごくきれい」と、真冬は言った。「ずいぶん細工が細かいのね。これもナヴァホのなの?」

「ああ。じつは、デリラが作ったんだ」

「ほんとに? デザインも彼女が自分で?」

「そうさ」ブルースが示してみせたバングルの裏側には、小さく『SW』と銘が刻んであった。「彼女のインディアン名の略だ」

「『シルヴァー・ウィード』ね」

ブルースが意外そうな顔をする。

「それもリチャードから聞いたの」

と真冬は言った。あなたのインディアン名もよ、と言おうとしたが思いとどまった。

「この、まわりの小さなのは何？」

「白蝶貝《しろちょうがい》とアワビと、黒曜石《こくようせき》だな。それぞれ、東と西と北を表してる。トルコ石は南。と同時に、昼の象徴でもあるし、冬を表す石でもあるんだ」

「冬を、表す？　トルコ石って、冬の石なの？」

「どうした？」

「……ううん、べつに」

いきなりブルースが無造作に真冬の左手をつかんだかと思うと、手首にそのバングルをはめた。

「え？」

「あんたのだ」

「ちょ、ちょっと待って、私こんな高価なもの買えないわ」

ブルースが笑いだした。「馬鹿だな。あんたに金を払わせるくらいなら、リチャードがわざわざこの店まで来させた意味がないだろうが」

マギーも横から言った。「私もそう承っていますよ」

「そんな……そんなのだめよ」

「なぜ。オーナーの長男の嫁が店に金を払うなんて聞いたこともないぜ」

結局、ルーシィたちへの土産の品を含めて、真冬はただの一ドルも払わせてもらえなかった。ピックアップに戻ってからもまだ気にしている彼女を見て、ブルースはあきれて首をふった。

「ニューヨークへ戻ってしばらくすれば、今の店からラグが届くだろうよ」

「どうして⁉」

「あんたがどれを気に入ったか、ちゃんと訊いておけとリチャードに言われたんだが、訊かなくてもわかるさ。一番奥の壁にかかっていたやつだろう?」

真冬が黙っていると、ブルースはくすりと笑った。

「なかなか目が高いじゃないか」

「お値段のほうはグッド《グッド》どころかグレイトだったわ」

「あんたも貧乏性だな」

「だって、いま頂いたものだけでもかなりの額なのに」

「たったの数百ドルだぜ。リチャードにしてみれば、せいぜいチップくらいのもんだ」

チップ、という彼の言葉に、真冬ははっとした。牧場に着いた最初の日、クレアは財布から札を取り出してブルースに渡したのだった。彼の素姓を知った今なら、クレアの真意もわかる。どうしてあんなに唐突な話題を持ち出し、わざわざリチャードやマイケルの目の前でブルースにチップを渡してみせたのか。

真冬はまたしても鬱々とした気分になった。あの屋敷はどうにも、風通しが悪すぎる。ラリーが家を出たのも無理はない。

真冬を助手席に、ティムを後ろの座席に乗せてドアを閉め、ブルースは運転席に乗り込んだ。

「あと一か所、つきあってもらおう」

「どこへ？」

「チンリ。ここから六十マイルほどだ」

「そこには何の用なの？」

ブルースはギアを入れ、真冬をちらりと見た。「たまには、質問しないでいられないのか？」

23

その午後、リチャードは心臓の不調に気づいていた。階段を半分上がっただけで息が切れ、めまいがし、動悸《どうき》が疾《はや》くなる。踊り場で一休みしなければ、次の段に足をかけることすら大儀だった。

このところの無理がたたったのかもしれない。考えてみると、結婚式のためにニューヨークへ向かう前から、ほとんど休みらしい休みを取っていなかった。家が仕事場を兼ねていると、どうしても加減を忘れて困る。

書斎に入ると、彼は巨大なマホガニーのデスクの向こう側にまわり、牛の毛皮を張った安楽椅子に崩れ落ちて深いため息をついた。年を取ったなどと、認めたくはなかった。医者から何種類も錠剤やカプセルを渡されているものの、白血球の増加を抑えるなどの最低限必要な薬以外はなるべく飲まないようにしていた。この程度の不調など、少し休めば治るにきまっている。

「あんたは今に、その頑固さのせいで命を落とすぞ」

かつての級友だった医師のセオドア・ストーンは言ったものだ。そのとおりかもしれないと、リチャード自身も思っていた。

ノックの音が響いた。

リチャードはまっすぐに座り直し、額ににじんでいた汗をてのひらで拭《ぬぐ》ってから返事をした。

入ってきたのが妻だと知って、彼は驚いた。

クレアがこの書斎を訪れるのは何年ぶりだろう。寝室を別にするより先に、クレアは彼の仕事に、あるいは彼自身に興味を失ってしまったとみえ、その関心は今や贅沢《ぜいたく》をすることと、いかにして社交界で丁重《ていちょう》に扱われるかという二点に絞られているようだった。そして、そんな妻を責めるつもりなどリチャードには毛頭なかった。すべての元凶は、かつての自分の浮気にある。自業自得だと真冬に言った言葉に嘘はない。

が——いまだにどこかで、正当化というのではないが、自分で自分に同情するような思いもまた捨てきれずにいた。家では得られない安らぎを別の女に求めてしまった弱さが、どれだけの人間を不幸にしたかわかっていても、同じ人生をもう一度生きるなら別の選択をするかと訊かれればさっぱり自信がなかった。やはり同じように、あの黒曜石の瞳を持つナヴァホの女……『微笑む鳥《スマイリン・バード》』に惹かれ、どうあっても彼女を手に入れようとするに違いない。

しかしまた、もっと前の時点で別の選択をし、クレアと結婚しないほうを選ぶかといえば、それもわからないのだった。彼とクレアとは遠い親戚にあたり、子供の頃から、毎年牛追いの手伝いで両親に連れられてやってくる彼女を見るのがリチャードにとっての無二の楽しみだった。クレアは美しかった。年を追うごとに、ますます美しくなっていった。彼女をついに獲得した時、リチャードはまわりじゅうの男どもから恨まれたものだ。そう、かつては確かに、彼女を愛した日々もあったのだ。あの頃は、彼女の気の強さや、その向こうに垣間見《かいまみ》える脆《もろ》さまでがいとおしく思えた。

デスクに近づいてくる妻を、リチャードはある感慨を持って見守った。クレアは今でも充分美しかったが、彼はもはやそれに心揺さぶられなかった。むしろ、彼女が故意でか無意識にか身にまとっている悲愴《ひそうかん》感のようなものから無言の圧迫を感じ、憂鬱にさせられるばかりだった。彼女を見ていると、誤って割ってしまった陶器を眺めている思いがする。落としたのは悪かったが、そういつまでも粉々に砕け散った破片を見せつけることはないじゃないかという気分だった。

デスクの前に立つと、クレアは言った。

ますけれど」

「ご相談がありますの」

「珍しいこともあるものだな」彼は再び椅子の背によりかかった。「きみは、何でも自分で決めるものだと思っていた」

「私、言い争いをしに来たのではないのよ、リチャード」いまだに毎日黒いドレスを着ている彼女は、我慢強く言った。「大切なご相談なの。どうしてもお忙しいというのなら後にしますけれど」

リチャードはひじ掛けに腕を置き、胸の前で両手の指を組んだ。親指と親指を合わせて山を作りながら、クレアを見上げる。彼女がこんなに下手《したて》に出るということは、何か頼みごとでもするつもりでいるのだろうか。

「今でかまわんよ」と彼は言った。「何だね」

「ティムのことなんですけれど……」彼女は神経質そうに、落ちかかってもいない髪を耳にかける仕草をした。「あなた、あの子を本気でマフユに預けるおつもりなの？」

「いけないかね？」

「そうは言ってませんわ。でも、あの子はロレンスの息子じゃありませんか。サンダーソン家の直系ですよ。それを、どうしてマフユに？　実の母親ならともかく、彼女はいわば赤の他人でしょう」

「他人じゃあない、ラリーの妻だよ。実際、なかなかしっかりした娘じゃないか。実の母親などよりも、よほど信頼がおける。それに彼女は、何よりこれが一番大事なことだが、ティムを可愛がっているし、ティムのほうでも彼女になついている。それとも何かね？　きみは、誰かほかに心当たりでもあるのかね？」

　数秒の逡巡の後、クレアは言った。

「どうして、私たちが引き取るのではいけないの？」

　リチャードは目を見ひらいた。「本気で言っているのか？」

「冗談を言うためにあなたのお邪魔はしませんよ」

　つい皮肉な口調になってしまったのを取り消そうとするように、彼女は軽く咳払いをした。

「リチャード、考えてもみてちょうだい。マフユがこの先、サンダーソンの名を守り続けると、どうして言いきれます？　まだあんなに若い彼女に、血もつながらない小さな子供を押しつけたりして可哀想だとお思いにならないの？」

「それについては、はっきりマフィに確かめたよ。ティムの存在は、重荷どころか支えにすらなっているそうだ。それは端《はた》から見ていてもよくわかる」

「今はそうでしょうとも。でも、いずれ時が過ぎて彼女も立ち直って、ロレンスと知り合う前の生活に戻った頃にはきっと、子供が邪魔になるに決まってます。その時になって引き取るより、まだ小さい今のほうが……」

　リチャードは片手を上げて彼女をさえぎった。

「時が過ぎて立ち直りさえすれば、すべてが以前と同じに戻るというものでもなかろう。わしらの関係を見れば、はっきりしていることじゃないかね」

妻の顔色が変わったのを見据えながら、彼は続けた。

「ラリーの事件は、マフィにとっては何か特別な意味を持っている。彼女は詳しく話そうとしないが、わしの目だって節穴《ふしあな》じゃない。どう見ても、突然の夫の死を単純に悲しんでいるだけのようには見えないんだよ。言いかえれば、ラリーは彼女にとって単なる夫や恋人以上の存在だったんだろう。その支えを失った今、彼女からティムまで取り上げてしまったらどうなると思う？」

「彼女のためには、いいかもしれませんわね。でも、ティムのためには？　あなた、それをお考えになって？」

「考えたさ。しかし……」

「何ですの」

「いや、驚いたな。どうして急にそんなことを言い出したんだね？」

「それは……」クレアは目を伏せた。「マフユがいよいよティムを連れて行ってしまうと思うと、むしょうに寂しくなってしまって……」

「なあ、クレア」リチャードはさとすように言った。「確かに、ティムはまだ幼い。わしらが愛してやりさえすれば、すぐになついてくれるだろうさ。だが、わしらはもうこの年だし、お互いにうまくいっているとも言えない。そんなわしらがあの子を手元に引き取ったところで、まともに育てられると思うかね？　ん？」

「リチャード」

彼をまっすぐに見つめ返してくるクレアの目には、どこか思いつめた、熱にうかされたような光があった。

「お願い、聞いてちょうだい、リチャード。だからこそ、あの子を引き取りたいの。私たち、もう一度やり直すわけにはいきませんの？」

「やり直す？　何を」

「私たちの間の何もかもを。お互いに今まで至らない部分はありましたけど、これから死ぬまでずっとこうしていても、ただつらいばかりで無意味じゃありませんか。つまり、私が言いたいのは……」彼女は口ごもった。「ティムを育てることは、いいきっかけになると思ったのよ。私たちがお互いを取り戻すための」

まばたきを二、三度くり返すほどの間、リチャードにも、クレアの提案がひどく魅力的なものに思われた。

三人の子供たちが育ち盛りだった頃、彼はろくに家に腰を落ち着けず、子育てはクレアに任せきりだった。外で働くのが性に合っていたし、働いていない時間は、スマイリン・バードと小さかったブルースのもとに入りびたりだったのだ。

そのすべてを、クレアは水に流そうとしてくれている。

裏切りをはたらいたのは彼のほうだというのに、自ら譲歩してくれようとしている。プライドの高い彼女がどれほどの決意でそうしているかは、彼にもわかった。あと何年生きられるかわからないが、残りの時間を彼女と二人、幼い孫を育ててあげることに費やしてもいいのではないか……？

しかし、彼の耳は自分の口から出る言葉を聞いた。

「悪あがきはよそうじゃないか、クレア。今のままで何の不都合がある？　きみはきみで好きなようにすればいい、一生遊んで暮らせるだけのものは遺してあげよう。だから、わしにも好きなようにさせてくれんか」

「私は何もお金のことなんて、」

「じゃあ一銭もいらんのかね？」

クレアは黙った。

「それ見なさい」

「どうしてそんなひどい言い方をなさるの？」

「言い方の問題ではなかろう」

「あなたって人は……」

「何だ」

「冷たい人だわ」

「今頃わかったようなふりをせんでいい」

「………」

「話がそれだけなら、仕事の続きをしたいんだがね」

妻の体が、ぐらりとかしいだように見えた。リチャードは一瞬、彼女が泣くか叫ぶかするのではないかと思ったが、クレアはただ蒼白《そうはく》な顔で彼を見おろすと、それ以上ひとことも言わずにきびすを返した。

デスクの上の眼鏡を取ろうと体を起こしたリチャードが動きを止めたのは、ドアノブに手をかけたクレアの薄い肩を見た時だった。

愕然《がくぜん》とした。

なんと年を取ったことだろう。さしもの彼女も、後ろ姿ににじみ出る年齢までは隠しおおせていない。

思わず呼びとめようとしたが、遅かった。「ク」と声に出しかけた時にはすでに、彼女の姿はドアの向こうに消え、後にはガチャリと閉まるドアの音が残されただけだった。

デスクにひじをつき、リチャードは長い長い息を吐いた。てのひらで重い頭を支える。今の言い合いでさらに動悸は疾くなり、額には脂汗《あぶらあせ》がにじんでいる。指先が変に冷たい。

ここはやはり、意地を張らずに薬に頼るべきだとさとった。自分で自分の後ろ姿を見ることはできないが、おそらく彼女以上に惨《みじ》めな有様なのだろう。要するに、もう無理のきく年ではないということだ。

薬の袋を取り出そうとデスクの引き出しを開けた時、目の前が妙に暗いのに気づいて窓の外の空を見上げた。やっと雨が降ってくれるのだろうか？

そうではなかった。暗いのは、彼の側の問題だった。

突然、心臓が万力のようなものでぐいぐい締めあげられ、息ができなくなった。胸に激痛が走る。痛い。声が出ない。一年前の発作より数倍ひどい。

萎《な》えた膝に、渾身《こんしん》の力をこめて立ち上がり、彼はだらだらと脂汗を流しながら何かに掴《つか》まろうと手を伸ばした。自分の指先が鉤《かぎ》のように曲がっているのがうっすらと見えたが、やっと手に触れたものをつかみそこねた。

ガラスの砕け散る音がした。

死とは、こんなにもあっけないものなのか？

彼が最後に見たのは、ものすごい勢いで目の前に迫ってくる床だった。

24

「多くの人々は、闇の中で一生を終わる」

木組みのベッドに腰かけた老メディスンマンは、枯れ枝をこすりあわせるような声と、ゆっくりした英語で言った。

ホーガンの中は狭く、窓がないために、戸を開け放していても薄暗かった。今はもう真冬の鼻も慣れてしまったが、最初に入ってきた時は湿ったような埃《ほこり》の臭《にお》いがした。伏せたお椀《わん》型の土《ど》まんじゅうの内壁は、渦巻き状に組んだ太い丸太で支えられ、土そのままの床に何枚もの古びたラグがじかに敷いてある。円形の土間の中央にはドラム缶を輪切りにして作られた簡単なストーブがあり、煙突は、ドームのように覆いかぶさる天井へのびてそのまま空へつき出していた。

ブルースの祖父ウドゥン・レッグは、今年八十四歳になるという。居留地では長生きのほうだと言って、片足が義足の老人は歯のない口で笑った。小柄で痩せており、頭は小さくて丸く、位《くらい》の高いメディスンマンと聞いていたわりに身なりはごく質素だった。ワークシャツと着古した黒っぽいズボン、額には幅広の黒い布を巻いている。ちょっと見にはどこにでもいそうな好々爺《こうこうや》にしか見えない。風貌《ふうぼう》も温和で、日本の家の縁側に座らせてもまったく違和感がなさそうだ。ただ、髷《まげ》に結った銀色の長髪と、優しい中にも時おり鋭く強く光る目が、ふとした拍子に彼を謎めいた存在に見せた。無数に寄った深い皺《しわ》の間に、すべての答えが折りたたまれているように感じさせるのだった。

真冬がここへ連れて来られてから、もう二時間ほどたつだろうか。開け放された戸口から、ホーガンそのものが落とす長い影を見ると、太陽はかなり西のほうに傾いているらしい。初めのうち一緒に座っていたティムは、今は外で他の子供たちや犬たちと一緒になって遊んでいる。

ウドゥン・レッグと話している間、真冬は何度も、同じホーガンの中にブルースのいることを忘れそうになった。ブルースは隅の暗がりで、ほとんど土壁と同化していた。必要のない限り口をきかない。真冬としては、なぜ彼が自分を祖父に会わせる気になったのか訊きたかったのだが、さすがに当のウドゥン・レッグのいる前で訊くのも失礼に思われて、黙っているしかなかった。

ブルースはチンリだと言ったが、実際にはここは、チンリの町よりずっと手前の、荒野のど真ん中だった。

道路から細道にそれた先に二つのホーガンと二軒の小さい家を見た時、真冬は、こんなところにも人が住めるものなのかと知って唖然《あぜん》とした。水道も、井戸もない。照りつける日ざしをさえぎってくれるものといえば、大きなコットンウッドの木ただ一本だけ、他に見えるものは、ごわごわとした草がまばらにはえる荒野と赤茶けた岩山ばかりだ。

リチャードもこの貧しさを知っているはずなのに、と真冬は暗い気持ちで思った。少しくらい援助しようとは思わなかったのだろうか？　そうすれば、同じ居留地の中であっても、もっと町に近い場所にもう少し広い家を建てて住めるだろうに。

ブルースの運転するピックアップが小道を入っていくと、音を聞きつけた犬たちがまず飛び出してきて爆竹がはぜるように吠え始め、続いて子供たちが走り出てきた。それぞれの家に分かれて住んでいる一族が何人も、ぞろぞろだらだらと集まってきてトラックを取り囲んだ。年取った女たちは、鮮やかなベルベットのブラウスにサテンのフレアスカートをはいて、ありったけのトルコ石のアクセサリーをつけている。なぜか、デリラ・シルヴァー・ウィードの姿もあった。

真冬がこの前の牧場での非礼を謝ると、

「私は気にしてないから、あなたも気にしないで」

デリラはきれいな英語で言い、真冬の手首にはめられたばかりのバングルを指してにっこり笑った。今日ここへ寄る予定だとブルースに聞かされていたので、里帰りを兼ねて遊びに来たのだという。「ティムを抱っこさせてもらいたくってね」

ブルースはナヴァホ語で、残りの家族に真冬とティムを紹介した。何と言ったのかはっきりとはわからなかったが、彼が話し終わると、おばにあたるというドロシーとアーマは涙ぐんで真冬とティムをかわるがわる巨大な胸に抱きしめ、あえてそれ以上詳しい話を聞き出そうとせずに、さっそく娘や婿と協力して羊を一頭つぶしにかかった。

それまでの緩慢《かんまん》な動作に比べると、準備に取りかかってからの彼らの動きは人が変わったようにきびきびしていた。まるでお祭りのような騒ぎだった。子供たち、すなわちウドゥン・レッグの曾孫《ひまご》たち数人が柵によじのぼって、どの羊がいいか口々に品定めを始める。アーマの娘婿が柵に入ると、羊らは身の危険を察知したのかベエエ、ベエエと白眼をむいて逃げまどった。のっぺりと長い顔をした一頭が狭い通路に追い込まれ、後ろ足をつかんで地面に横倒しにされる。足を縛られてしまうと観念したように動かなくなった。

デリラが深い皿を持ってきて羊ののどの下にあてがった時、真冬は思わずティムの目を両手で覆い、自分も顔をそむけた。子供たちが無表情に親たちのすることを眺めているのが信じられなかった。

のどを掻《か》き切られた瞬間、羊はひゅうう、と声をもらした。コットンウッドの太い幹に逆さに吊り下げられ、きれいに毛皮をむかれていく。

風が吹くと、コットンウッドの細かい綿毛が空中に無数に漂い、逆光の中でそれらは柔らかいダイヤモンドダストのようにきらめいて見える。

なめらかな白っぽい肉が日ざらしになり、胃袋や腸などの内臓がことごとく取り出されてバケツに入れられ、頭が、そして足が切り落とされていく。捨てるところなどひとつもなかった。

今夜はここで夕食をよばれることになるらしい。たった今殺したばかりの羊を食べるのかと思うと、真冬は正直言ってまったく気が進まなかったが、ブルースから、羊はナヴァホにとって最高のごちそうで、特別の客や行事のためにせいぜい年に数頭しかつぶさないのだとまで聞かされると、食べないで遠慮するわけにもいきそうになかった。

女たちが家に引っこんで料理の準備にかかってしまうと、ウドゥン・レッグは自分のホーガンに真冬を招き、土間のラグの上にクッションを置いてすすめた。まるでいたずらをする少年のように外をうかがいながら、内緒だと言って何かバーボンに似た酒もつごうとしてくれたが、もともと酒に強くない真冬は、つがれる前に丁重に辞退した。賢明だ、とブルースが言った。

やがて彼が、祖父に向かってラリーの事件について話し始めた。ここへ来てから彼は、「ラリー」という名前を一度も口にしていない。死者の名を口にするのは、ナヴァホのタブーのひとつであるようだ。

最初のうちは英語だったのに、途中から彼は、ナヴァホ語に切りかえて話した。それがウドゥン・レッグによくわかるようにするためなのか、真冬によくわからないようにするためなのか、そばで聞いている彼女にはどちらとも受け取れたが、どうやら後者のようだと思い始めたのは、話の中に「ボストン」だの「ジャパン」といった単語が聞きとれたからだった。ブルースは、真冬の生い立ちまで含めて祖父に話しているらしい。

（どうして？）

と、ブルースに向かって眉をひそめてみせたのだが、完全に無視されてしまった。

彼が話し終わってからしばらくの間、じっと黙って手製のパイプをくゆらせていた老メディスンマンが、やがて口をひらこうとした時、真冬はてっきり同情か慰めの言葉を言われるのだろうと思った。

しかし、すぼめたように皺の寄った口から出た言葉は、彼女の予想とはまるで違っていた。

「多くの人々は、闇の中で一生を終わる」

老人は、パイプに火をつけた。

「中には、まわりが闇であることに気づかない者もいる。いつか光が照らしてくれるのをただ待っている者もいる。だが……もちろん別のやり方もある。わしらは――そうしようと思えば――自分から光のほうへ向かって行くこともできるんじゃよ」

いったいウドゥン・レッグは、何について話しているのだろう。ラリーの死についてだろうか。ラリーが闇の中で一生を終わったなどとは言ってほしくなかった。それとも、かつて自殺した父や、宗教にのめりこんだ母のことについて言っているのだろうか。あるいは、彼女自身の生き方について……？

幾通りにも受け取れるだけに真冬は何と答えていいかわからなかったが、ウドゥン・レッグのほうでも、べつだん答えを期待しているようには見えなかった。

外の子供たちの笑い声がひときわ高くなった。真冬は座ったままそっと体を傾け、戸口から覗いてみた。子供たちはみんなで柵の中の子羊を嬌声《きょうせい》をあげて追いかけまわし、そこへパンチド・フェイスやこの家の犬たちまでが加わって、何やらわけのわからないことになっていた。

ティムにしてみれば、同じ年ごろの友達と遊ぶのはほとんど初めての経験のはずなのに、物怖《ものお》じしている様子もない。勝手に遊ばせておいても、迷子になってしまったり車に轢《ひ》かれたり誘拐されたりする心配がいらないというのは、ここではあたりまえのことなのだろうが、真冬にとっては新鮮な驚きだった。治安のいい日本でさえ、親はまず子供から目を離さないし、ニューヨークなら、ほんの短い時間でも子供一人に留守番をさせて家を空《あ》けるだけで児童虐待として罰せられる。

彼女はブルースをふり向いた。

「まさかそのへんに、ガラガラヘビなんかいないでしょうね」

暗がりにいるブルースの表情はよく見えなかったが、ため息は伝わってきた。「あんたは、何か心配していなけりゃ安心できないのか？」

ウドゥン・レッグがくつくつと笑った。

「大丈夫じゃよ、マフユ。ガラガラヘビがいるのは、もっと乾いた岩場だ。このまわりで見かけることはめったにない」

彼は、消えかけたパイプを何度も吸って煙を吐いた。

「子供を育てるのは、大仕事じゃよ。大勢の大人の手が必要になる。できるだけたくさんの人々から影響を受けたほうが、ものごとを広い目で見られる人間になるからな。しかし、もっといいのは、大勢の子供の中で育つことじゃ。大人が教える何倍ものことを、彼らは友人から教わる」

ウドゥン・レッグの英語は、やさしい単語と単純な文型から成り立っていた。歯が抜けているために息がもれて聞き取りにくかったが、とつとつとした口調には思わず耳を傾けたくなる響きがあった。

大勢の大人の手と、大勢の友達。そのどちらも、自分はティムに与えてやれないのではないかと真冬は思った。

「でも、私が子供のころ友人たちから教わったのは、何だかつまらないことばかりでしたわ。意地悪や、弱い者いじめや、仲間はずれや……そんなものばっかり」

ウドゥン・レッグは微笑した。

「それも、貴重な経験じゃないかね？」

「そうでしょうか」

「この世界には、昼もあれば夜もある。どちらがいいとは言えないし、どちらも必要なのだ。愛することと、憎むこともそれと同じだよ。喜びと悲しみ。誕生と死……。どれも、どちらか一方だけというわけにはいかない。どちらかを手に入れれば、もう片方もくっついてくる。だが、それ自体は悪いことではない。すべては均衡《バランス》の問題なのだから」

バランス。確か、前に牧場で会ったメディスンマンも同じことを言っていたような覚えがある。

「マフユ……」

真冬は顔を上げたが、老人は彼女に呼びかけたわけではなかった。どこか宙を見ながら、その名前を口の中で味わうようにしている。そしておもむろに彼女を見おろした。

「日本の文字には、ひとつひとつに意味があると聞いたことがあるが、本当かね？」

「まあ。よくご存じなんですね」

彼女の驚く顔を見て、ウドゥン・レッグは目尻《めじり》に細かい皺を寄せた。「ナヴァホの『コード・トーカー』を知っているかい」

真冬は首を横に振った。

「このあいだの大戦の終わりごろ、わしは、イオウジマの前線に配属されておった。ほかにも何百人というナヴァホの若者が、ニューギニアやらガダルカナルやらへ駆り出されたものさ。軍司令部が、前線との連絡を、すべてナヴァホ語に置き換えることを思いついたんじゃ。たとえば偵察機は『フクロウ』、爆弾なら『卵』、潜水艦は『鉄の魚』という具合にな。アルファベットもみんなナヴァホの言葉に置き換えられた。わしら暗号部員《コード・トーカー》にとっては、なかなかいい時代だったよ。ナヴァホであるという理由で白人に大事にされたのは、後にも先にもあの時代だけだったからな。そして日本軍はといえば、とうとうその暗号を解読できんかった。……ま、昔の話だ。ともあれ、その時分に知ったのさ。日本人の名前には、ナヴァホの名前と同じように、それぞれ意味があるとね。教えてくれんか。『マフユ』とはどういう意味なんだね？」

べつに意味などないと言ってごまかすには、すでにタイミングを逸してしまっていた。

彼女は膝の上の自分の手首に目を落とし、さっきブルースによって強引にはめられたバングルを見つめた。魔除《まよ》けのトルコ石——冬を表すというその石は、静かに澄みきった色をしてそこにあった。

「『マフユ』というのは……」小さい声で、彼女は答えた。「英語で言うと、midwinter のことなんです」

「ほう」

「だからって、それが何でいじめられる種になるんだ？」と、暗がりからブルースが訊いた。

「そうね……めずらしい名前だし、それに暗くて寒そうな感じがするから、だと思うわ。要するに、いじめるきっかけなんて何でもいいのよ」

「ということは、日本人は冬という季節に対して、悪いイメージしか持っておらんのかね？」

「そうとも限りませんけれど。でも、純粋に季節として見るなら、そうでしょうね。それも、『真冬』ともなると、ちょっと……子供にはそんな名前をつけようとしないのが普通だと思います。私自身、この名前があまり好きじゃないんです。だから、できればマフユじゃなくて、マフィと呼んで頂けると嬉しいんですけど」

最後はちらりとブルースを見やって、彼女は言った。

「どうして嫌うんじゃね」と、ウドゥン・レッグ。「良い名前じゃあないか」

「私にはそうは思えませんけど」

「言ったろう、マフユ。すべてはバランスなのだ」老人は体を前に傾け、彼女の目の奥をのぞきこむようにした。「木々は、冬になるとすべての葉を落とす。花は枯れ、実は落ちる。動物たちは眠り、あるいは死に、大地は雪と氷に閉ざされる。暗くて寒いから、あんたはそれをいやだと言う。だが、それらはみんな何のためだと思う？　やがてめぐってくる春を待つためだ。準備を整えて、再び新しい若葉を芽吹かせるためだ。新しい命を生み、育てるためだ。いいかね、マフユ。春の始まりは、春ではない。春は、冬に始まるのだ。冬無しに春や夏はありえない。生は、死を糧《かて》としている。そして死もまた生を糧としている。なぜなら、命が誕生した時、すでに死は始まっているからさ。わかるかね？　すべてはめぐりめぐっているんじゃよ。……あんたは、まだしばらくは生きなけりゃならない。夫の死を糧として生きていくこともできるはずだよ」

「…………」

「自分の名前が嫌いだと、あんたは言う。じゃが、その名が『冬のさなか』を意味するなら、それは良い名だとわしは思う。すべての命を内に抱いた、じつに良い名前だ。日本人も、精霊から名前をもらうのかね？」

「いいえ。親が考えてつけることがほとんどですけど」

「そうか。あんたのためにその名前を考えた人はおそらく、あんたのことをよほど深く愛していたのだろうな」

「そんな……」真冬は苦笑した。「ただ単に、私が冬のさなかに生まれたから、そうつけただけですもの」

「ふむ。我々インディアンの考え方では、生まれた季節がその人間の季節になるんじゃよ。だから、インディアンの子供の誕生日は、一日だけではない。冬に生まれた子は、毎年、冬じゅう祝ってもらえる。彼の場合は……」ウドゥン・レッグはブルースをあごでさした。「ちょうど今が彼の季節じゃ」

「夏に生まれたなんて、うらやましいわ」と、真冬は言った。「私も夏生まれだったら、『真夏』ってつけてもらえたかもしれないのに。ミスター・ウドゥン・レッグ、あなたのおっしゃることはよくわかりますけど、やっぱり、コンプレックスってそう簡単にはなくならないものみたいですわね」

老人は微笑した。

「なあ、マフユ。考えてもごらん。赤い花の隣に、白い花が咲いている。その二つが同じだなどというふりをするのは無意味だ。みんな違っていてあたりまえなのだ。違っていることが美しい。わしがナヴァホであんたはそうじゃないということと、あんたの名がマフユであんた以外の者の名はそうじゃないということとは、同じ重さの違いだ。言いかえれば、同じ軽さの違いだ。要するに、みんな違っているということを、そのまま認めればいいだけの話なんじゃよ」

真冬は黙って、両手を握りしめていた。

この老人は、ナヴァホであることにプライドを持っているのだ、と彼女は思った。誇りをずたずたにされた経験のある者にしか、誇りの何たるかはわからない。そういえば以前、デニス・ジャクソン医師も、両親に育てられたことを誇りに思うと言っていた。彼らと自分の一番の「違い」はそこかもしれない。彼らは、自らの足もとの地面をしっかり踏みしめているのに、私はそうじゃない。根無し草だ。

老メディスンマンの瞳は、老いてなお、生きていく自信とでもいうべきものに満ちていた。真冬は自分を、とてもちっぽけな、つまらない人間のように感じた。荒野の中に建っている家だけを見て貧しいと判断し、すぐにリチャードを責めるような気持ちになってしまったなんて……。

「ほんとは、どうすればいいのかわからないんです」と、彼女はつぶやいた。「正直なところ、自分が今どこにいるのかさえわからないんです。なんだか……知らない間にずいぶん遠くへ流されてきてしまったみたいで」

ウドゥン・レッグはじっと彼女を見つめた。

それから、ブルースのほうを向いてナヴァホ語で何か言葉を交《か》わした。数度のやり取りがあった後、老人は座っていた木組みのベッドからゆっくりと立ち上がり、真冬に言った。

「待っていなさい」

ウドゥン・レッグが外へ出ると、羊を追いかけまわすのに飽きた子供たちがわっと寄って行くのが見えた。曾祖父が客を招いている間はホーガンに入らないようにしつけられているものらしい。

真冬はブルースに顔を向けた。

「おじいさん、何をするつもりなの？　ううん、それよりあなた、どうして私をここへ連れてきたの？」

ブルースは、膝を立ててうっそりと座り直した。「まあ、任せておけばいいじゃないか。なにも取って食おうってわけじゃない」

いきなりティムがホーガンに飛び込んできて、真冬が後ろへ倒れそうになるほどの勢いで抱きついた。

「マフィ、マフィ、あのね、だっこしたんだよ、ひつじのこども！」

「すごいじゃないの」真冬は片手を後ろについて体を支えながら、ティムの紅潮した顔をのぞいた。「でもあなた、ほかに何をさわったの？　手がギトギト」

「羊の毛の脂だろ」とブルースが言った。「お肌にいいぜ。ティム、マフユの顔に塗ってやんな」

彼女の悲鳴とティムの歓声が入りまじったところへ、ウドゥン・レッグが戻ってきた。片手に小さな革袋を、もう一方の腕に小ぶりの太鼓を抱えている。ティムは、何を感じ取ったのか、急におとなしくなった。

真冬はブルースをにらんだ。彼は知らん顔をしている。

ウドゥン・レッグは真冬の目の前に来て、革袋の中から黄色い粉末をつかみ出し、いきなり彼女の頭にふりかけた。

「ちょっと、何を……」

「じっとしてなさい」

黄色い粉がさらに顔と胸のあたりにもなすりつけられた。おそらく牧場にいたメディスンマンが使っていたのと同じ、トウモロコシの花粉だろう。

ティムにも同じように粉をふりかけると、ウドゥン・レッグは二人の前の床に乾燥させた草を束にしたものを置いて火をつけ、煙が上がり始めるのを確かめてからどっかりとあぐらをかいた。

「すみませんけど、私、こういうのは……」

「黙って」

つんとするような、不思議な煙の臭いが鼻をつく。薬草と、あとは杜松《ねず》か何かの枝だろうか。真冬はできるだけその煙を吸い込まないようにしたかったが、鼻の先で燃えている以上、無理な話だった。

赤茶けたてのひらが額の前にかざされ、彼女は思わずビクッと身を引いた。

老メディスンマンは、低くかすれた声で、あの呪文のようにも祈りのようにも聞こえる言葉をつぶやき始めた。

手が引っこめられると、かわりに太鼓が加わった。聞き取れないような小さな音から、だんだんとクレッシェンドしていく。言葉にも節《ふし》がつけられ、単調なメロディがくり返されていく。

いつのまにか、曾祖父のまじないを見ようとする子供たちが戸口からのぞきこんでいた。外にはどうやら他の家族も集まってきているらしい。かわるがわる、ニコリともしない無表情な顔が子供らの後ろからのぞいては、しばらく眺めていく。白人に比べて表情が変化に乏しいので、まるで怒っているかのように見える。

初めのうち真冬はどんな態度をとればいいものかわからず、仕方なくウドゥン・レッグの皺だらけの顔を見つめていた。落ち着かなくて、尻の下がむずむずした。こんな芝居がかったことにいつまでつきあえばいいのだろうと思い、ブルースを恨みたくなった。

しかし、ウドゥン・レッグはどこまでも真剣だった。茶番といって片づけるにはあまりにも真剣すぎた。それはもう、見ている真冬のほうが申し訳なくなってしまうほどの真剣さだった。

彼は、まじないの効用や、その祈りを捧《ささ》げるべき精霊《スピリット》の存在を心から信じ、信じているからこそ真冬とティムのためにそれを行ってくれているのだ。彼が心底信じている以上、これは形式的な「儀式」ではない。儀式でないなら、何だというのだろう？　本物だということだろうか？

真冬はわからなくなってしまった。

もしかすると、精霊が実際に存在するかどうかは、そんなに重要な問題ではないのかもしれない。祈る側が精霊の存在を心の底から信じるならば、それは存在する。信じなければ存在しない。むしろ重要なのは、想像の及ばない何かが存在するかもしれない可能性を、受け入れることにするかどうかなのではないだろうか。結局、あちら側の問題ではなくて、こちら側の問題なのではないだろうか。

単調なメロディのせいか、それとも太鼓の低い響きのせいか、真冬は自然にまぶたを閉じたくなってきた。

彼女は、そうした。

だんだんと、まわりのことが気にならなくなっていった。ただ、膝の上にいるティムの重みだけが感じられ、耳には太鼓と、それを縫うように響く歌だけが聞こえてくる。

やがて太鼓の音は真冬の心臓のリズムにぴったりと重なり、歌は毛穴からすべりこんで彼女自身の血の流れと一体になった。

真冬は、自分が大きな川になった気がした。広くて深い、ゆったりとしていながら滞《とどこお》ることのない水の流れ……昨日を憂《うれ》えず、明日を測らず、いつか海へとたどり着く日のために、ゆるやかに流れ下っていく川……。ある時は赤い岩の谷間を、ある時は木漏れ日の下を、川になった真冬は流れていった。水面《みなも》の輝きが、まぶたの裏で明滅する。

ティムの身動きでハッと目を開けると、歌と太鼓が終わっていた。一瞬、あたりに水が満ちているような錯覚を起こしたが、満ちているのは煙の匂いだった。

薬草の束はあらかた燃えつきて、床の上でこんもりと灰になっていた。

「あんたの中に、美と調和が戻ってくるように」ウドゥン・レッグは、太鼓をそっと脇に置いた。「今のは、そのための祈りの歌だ」

真冬は、静かに頭を下げた。

「覚えておきなさい、マフユ。目に見えるものが真実とは限らんのじゃよ。人々は、答えを自分の外に探そうとする。外側にあるものなら、目で見て安心できるからな。だが、惑わされちゃいけない。本物の答えは、いつも自分の中にある。目に見えないもの、手でさわれないもの、耳に聞こえないものの中にこそ、真実が隠されているんじゃ。そういうものを信じて、つかんで放さずにいるのは難しい。が、不可能ではない」

黙りこくっている真冬を、膝の上のティムが首をねじって見上げてきた。

彼女はその額にそっとキスをした。黄色い粉には、かすかな苦味があった。

「どれほど強い鷲でも、翼を縛られていれば、はばたくことはできん」

ウドゥン・レッグの声は、長い歌を歌ったために、いくらかなめらかになっていた。

「あんたの魂も同じじゃよ、マフユ。せっかく強い翼を与えられているというのに、今はがんじがらめに縛られてしまっている。思いきってそのいましめを断ち切らなくては。魂に翼を持つというのは、決して楽なことじゃない。いっそ、そんなものを持たんで、闇の中でじっとしていたほうが幸せだと考える者もおるじゃろう。手に入らんものをいくら求めても苦しいだけだ、それこそ、月を取ってくれと泣く《クライ・フォー・ザ・ムーン》に等しいじゃないか、とな。じゃがな、マフユ。たとえ苦しかろうと、求めなければ何も手に入らんし、人はその翼で飛ぶことでしか、自分の奥底へ入っていって答えを見つけてくることはできんのだよ」

ドロシーの家に、みんなが集まった。狭いうえに誰もかれも大柄なので、キッチンばかりか寝室にまで人があふれ返り、ティムを含めて、テーブルにつく気のない子供たちは思い思いの場所で骨付き肉にかぶりついていた。

ナヴァホ料理は、思ったよりくせがなく、食べやすかった。甘味のない揚げパンとでもいった感じの主食・フライブレッドと、塩味のマトンシチューに始まって、レバーや腸や、中にはソーセージに似たものまであった。そのこってりとした味に感心した真冬が作り方を聞くと、女たちの中では一番英語の上手なデリラが教えてくれた。

「さっき羊ののどを切ったでしょ。あの時の血をピーマンや玉ねぎと混ぜて、脂も入れて塩コショウして、それを全部、洗った胃袋にぎゅうっと詰めて煮込むの。簡単よ」

真冬はどうにか微笑んでみせた。斜め向かいでブルースがふきだすのをこらえている。

「日本人はどんなものを食べてるんだい？」と、アーマの娘婿が訊く。「魚を生きたまま切り刻んで、生で食らうってほんとかい？」

「ええ、まあ、本当です」

そばにいた子供たちが口々に、げえ、という声を出す。

「ソイソースをつけて食べるとおいしいのよ」と、真冬は弁解した。

「クジラやタコも食べるって聞いたんだけど？」

「ええ。クジラは、今はもうそんなにポピュラーではないけれど、でも食べますよ。味は羊肉とそんなに変わらないわ。タコもおいしいし」

新しい皿を運んできたドロシーがやれやれと首を振った。「あんた、こっちの人になっちゃって正解だよ。日本人ってのは、何だか野蛮でいけないねえ。さ、これお食べ。主賓はこれを食べなくっちゃ」

「何ですか？」

「羊の目玉だよ」

自分でも驚いたことに、真冬は、ホイル包み焼きにされたそのうちのひとつを何とか口に入れたのだった。

もちろん、本当は今にも吐きそうなほど抵抗があった。しかし彼女は、ドングと例のビジネスについて話し合った時、すでに学んでいた。国が異なれば当然その国なりの流儀があり、それに従わずにいることは時として大変な無礼につながるということをだ。

ナヴァホ・ランドは、アメリカであってアメリカではない。一応は自治すら許された、いわばひとつの国なのだ。貴重な羊の目玉を主賓にすすめるのが彼らの最高のもてなしだというのなら、それを食べることこそ客の務めだろう。自分から進んで客に来たわけではないけれど、と彼女は思った。まったく、災難というより他ない。

テーブルについている全員が、真冬の口もとを見守っていた。

目玉は、口に入れると意外に大きかった。ホイルにくっついてはがれた部分がでこぼこと舌の根もとにさわる。彼女はそろりそろりと奥歯で嚙んでいった。柔らかいのに弾力があって、なかなかつぶれない。ええいとばかりに思いきって嚙むと、ミニトマトを嚙んだ時のように、プチンと音がしてはじけた。口の中に熱い汁がひろがったが、味わっている余裕などなかった。それが目玉であることを考えまいとしながら必死の思いで咀嚼《そしゃく》し、飲み下す。

テーブルのまわりから、ぱらぱらと拍手が起こった。彼女がそれを食べるのにかなりの勇気を要したことはばれてしまったものの、家族は皆、あえて挑戦した勇気をほめてくれたのだ。いつになく、むしょうにワインかビールが飲みたかったが、居留地内はアルコール禁止だ。ウドゥン・レッグの酒は、家族にまで内緒の密造酒らしい。

拍手はいいから、と真冬は思った。せめてお水をちょうだい。

と、目の前にグラスが差し出された。

ブルースが向かい側で、水差しを片手に、あいかわらずニヤニヤしながら彼女を見ていた。

25

七時半をまわっても、太陽はまだ西の空に居すわっていた。

ピックアップトラックが走り出してしばらくすると、さんざんはしゃぎすぎたティムは、後部座席でパンチドド・フェイスと折り重なるように寝入ってしまった。口を半開きにして、抱き枕のように犬の体をかかえた手には、デリラからもらった木彫りのカチナを握っている。

カチナ・ドールというのは精霊の姿を模した人形なのよ、とデリラは真冬に教えた。もとはホピやズニのものだったが、ナヴァホもその影響を受けて独自のカチナを作るようになったのだそうだ。ネイティヴの人々が身のまわりに置く物の多くがそうであるように、カチナもまた、魔除けの意味を持っている。聖なるものであると同時に、子供たちにとっては遊び道具でもあるのだ。

ティムのもらったカチナは、前にイライザの部屋にあった鳥人間の像とよく似ていた。鷲の頭を持ち、腕に翼を付けた人形。細工が素朴であるだけに、その人形は何か、見る者に有無を言わせぬ原始的な力に満ちていた。

それにしても、どうしてイライザはあんな古いカチナを大事にしていたのだろう。おまけに、なぜあんなに慌ててブルースの目から隠そうとしたのだろうか。

理由は、たぶんブルースにはわかっているはずだ。だが、真冬はなぜか訊けなかった。イライザに遠慮しているわけではなかった。

サイドミラーに映る夕暮れのグラデーションを見つめながら、彼女は夕食の時ブルースが手渡してくれたグラス一杯の水を思った。あの時、テーブルの上座にいた老メディスンマンはおもむろに口をひらき、ナヴァホが最も重要だと考える『美と調和《ホジョー》』をいつも体の中に保っておくための方法だと言って、正しい水の飲み方を教えてくれたのだった。

まじりけのない、できるだけ「良い」水をグラスに汲《く》んで、毎朝太陽の最初の光があたる場所に置いておく。川の上流の水であればなお良い。目が覚めたらまず四つの方角と空と大地とに感謝を捧げ（何を感謝していいかわからないとしたら、それは心が曇っている証拠だとウドゥン・レッグは言った）、そして、目に映る森羅万象《しんらばんしよう》のすべてを、その一杯の水とともにゆっくりゆっくり飲みほす。そうすれば、世界はその人の体の一部となり、その人もまた世界の一部となる。たったそれだけのことで、人の心と体は内側から正しく整えられるのだ、と。

真冬はふと、そんなまじないを聞かされても、ほとんど抵抗を感じなくなっている自分を意外に思った。かといって本気で毎朝そんな面倒なことをするつもりにはなれなかったが、それでも、アリゾナへ来てからの短い期間に遂げた自分の変化を、素直に受け入れようと思った。これはたぶん、悪いほうへの変化ではないのだろう。許したり、受け入れたりできる物事が増えるのは、それが妥協でない限り、悪いことではないような気がする。

「すべては、あんたの選択次第なのだよ」と、ウドゥン・レッグは言っていた。「人を愛せる人間になるか。憎しみに支配された人間になるか。幸福になるための努力をするか。不幸への坂を滑り落ちるにまかせるか。育った環境も、置かれている境遇も関係ない。あんたが、自分で、選ぶことだ」

　ティムの寝顔をふり返って、真冬は微笑した。夕食の後、ティムは真冬のそばに来て、真剣そのものの顔でこっそり耳打ちしたのだった。

「ねえ、ブリューシュのおじいちゃん《グランパ》って、ほんとはE.T.なんじゃないの？」

　言われてみれば確かに似ていると思いながら、真冬は笑いをこらえて訊いた。「どうしてそう思うの？」

「だってさっき、ひとさしゆびたてて、『いたい《アウチ》！』っていってたよ」

　ウドゥン・レッグは、戸口に指をはさんだのだった。

「何を一人で笑ってるんだ？」とブルース。

　真冬は、彼にもその話をして聞かせてやった。

「あ、でも『E.T.』って、あなた知ってる？」

「それくらいは知ってるさ」と、ブルースも笑いながら言った。「しかし、ずいぶん古い映画じゃないか」

「ティムはお気に入りなのよ。もう何回観たかしら。ラリーがずっと前にビデオを買ってやったの。あのひとってば感動屋さんで、ああいう映画が大好きだったから」

「ふん。あいかわらず、三面記事読んで涙ぐんだりしてたのか」

「しょっちゅうだったわ。テレビでも、誰かが死ぬシーンとか、御対面ショーなんか観るともう大変。よく、クリネックスを箱ごと渡して……」

真冬は、ふっと口をつぐんだ。

細く開けた窓から、すっかり涼しくなった風が入ってきて、ほてった肌を冷やす。乾いた砂の匂いと、ハーブのような草の匂いがいりまじっていた。

こんなふうにして少しずつ、ラリーの思い出を語れるようになっていくのか——。

彼女はむしょうに悲しくなった。しかし、ラリーの死によって与えられた痛みがだんだんと胸の奥のほうにしまいこまれていくのは、もうどうしようもないことのような気もした。ウドゥン・レッグの言うとおりだ。私はまだしばらく生き続けていかなくてはならない。生きるというのは、何かを後ろに置き去りにしていくことだ。ひっきりなしに、大事なものたちと別れていくことだ。だからこそ、こんなに胸が痛いのだ。

いま、グレーのピックアップは燃え立つ夕焼け空を後ろに残して、紺色の闇の中に走り込んでいこうとしていた。ブルースの瞳と同じ色の闇だった。

まっすぐな道の両側に、暮れかかる荒野がひろがっている。

月はもうずっと前から、空の高みで夜を待っていた。

ようやく屋敷のロータリーに車がすべりこんだのは九時半だった。あたりはさすがにすっかり暮れていたが、半分より少し太った月のおかげで充分明るい。牧場のゲートをくぐった時に真冬が声をかけて起こしたティムが、今ごろむっくり起き上がって目をこすっている。

「またなかなか寝てもらえないわ、きっと」

「今日は大丈夫じゃないか？　昼間あれだけ暴れりゃ、いいかげん疲れてるだろう」

ブルースは先に降りて、助手席から降りようとする真冬に手を貸し、後ろのドアを開けた。パンチド・フェイスがひょいと飛び降り、真冬を見上げて大あくびしながら尻尾を振る。ブルースがさしのべた腕の片方に抱きついてきたティムを、彼はそのまま力こぶでぶら下げたまま地面に降ろしてやった。

ティムが不思議そうに腕をさわる。

「ブリューシュ」

「ん？」

「ここんとこに、ジャガイモいれてるでしょ」

真冬は、かがんでいるブルースと顔を見合わせて、プッとふきだした。なんだか私たち、寄せ集め家族みたい、と彼女は思った。ずっと一緒に暮らしてきたわけでもないのに、こんなに近い。もしかすると今夜は、久しぶりにいやな夢を見ないで眠れるかもしれない。

遠くで、コヨーテが月に吠えている。パンチド・フェイスが、耳をぴくりと立てる。

真冬は、ブルースの目を見上げた。

「どうもありがとう」

「俺はただ、リチャードに言われたとおりにしただけさ」

「おじいさんに会わせてくれたのまでは、そうじゃないでしょ？」

「連れていくつもりだとは言っておいた」

「リチャードに？」

「ああ。帰りが遅くなって心配させると、心臓によくないしな」

「あのね」真冬は柔らかい気持ちになり、思いきって口に出した。「私がありがとうって言いたかったのは、あなたがしてくれたことに対してじゃないの。あなたがいてくれたことになの」

ふん、と鼻を鳴らし、

「今夜はまた、ずいぶんしおらしいんだな」ブルースは茶化した。「だが、まあ、今まで女から聞いた中じゃ二番目に嬉しい褒め言葉だ」

「一番目は？」

「そりゃどんな男も同じさ」

「あら。言われたことがあるってわけ？」

「さあな。ご想像にお任せするよ」

くすくす笑いながら「おやすみなさい」と真冬が言い、ティムもそう言って手をふった。

片手にカチナを握ったティムの手を引いて歩き出そうとした時だ。ティムが、急に立ち止まった。

「どうしたの？」

「マフィ、ちょっと」

「なあに？」

「ひとりであるいてみて」

「どうして？」

「いいから、あるいてみて」

真冬は、ブルースをふり返った。彼が、肩をすくめる。わけのわからないまま、彼女はティムをそこに残して歩いてみた。五、六歩行ったところで「すとっぷ」とティムが言った。彼は、真冬が歩く間もずっと月をにらんでいた。

「何なの？」

答えず、今度はティムがてくてく歩き出した。ひたすら月を見上げたまま真冬のところまでやってきて、すぐ足もとでぴたりと立ち止まる。

「ねえ、どうしたのよ、ティム」

「やっぱり、そうだ」と、ティムは顔を輝かせた。「おつきさま、ぼくとあるいてる」

「え？」

「マフィが、あるいたときは、おつきさま、うごかなかったもん。ぼくがあるいたら、ついてきたもん。だから、ぼくとあるいてるんだ」

真冬は、再びブルースをふり返った。ピックアップによりかかって腕組みをしていた彼は、目だけで笑った。

「ブルース」真冬は思わず言った。「この子、天才じゃないかしら」

「そういうのを親バカっていうんだ」

「だって」

ティムは、ロータリーをうろうろ歩きまわっては、月が自分についてくることを確かめて喜んでいる。

「あの年頃って……」と、真冬はつぶやいた。「本当に月だって手に入れられるのね。あんなふうに、欲しいものに手が届いたらいいのに」

「……届かないのか？」

真冬は、夜風を深く吸い込んだ。ためた息を、ゆっくりと吐き出す。

「そうね。もともとが、それこそ無いものねだり《クライ・フォー・ザ・ムーン》に過ぎないのかもしれないけど。私の欲しいものや大事にしてるものって、どういうわけか、みーんな手の届かないところへ行っちゃうの」

ふふ、と微笑んで、ブルースにもう一度おやすみを言い、彼女は、まだ名残り惜しそうなティムの手を引いてポーチへの石段をのぼった。

そっと玄関を入る。みんなもう、それぞれ自分の部屋に引き取っている頃だろう。リチャードも休んでしまったろうか。ひとこと御礼を言っておきたかったのだけれど……。

後ろでドアをそっと閉め、何気なく二階へ続く階段を見上げた真冬は、ぎょっと立ちすくんだ。

バスローブ姿のイライザが、階段の真ん中あたりに立ってにらみおろしていた。

「こんな時間まで、二人で何してたのよ」ゆっくりと下りてきながら、イライザは言った。

「ラリーが死んでまだ一か月にもならないっていうのに、たいした女よね、あんたも。この恥知らず」

ティムが足にしがみついてくる。その頭を抱きかかえて、真冬は言った。

「取り消して下さい。私たち、あなたにそんなふうに言われるようなこと、何にもしてないわ」

「私たち？」イライザは真冬たちの目の前に立ちはだかった。「私たちときたわね。ふん、嘘おっしゃい。入ってきたあんたを見るなりわかったわよ。ふわふわ幸せそうな顔しちゃって、それが夫をなくしたばかりの未亡人の顔？　どうやらラリーは、女にはつくづくついてなかったようね。かわいそうに、こんな牝犬《ビッチ》のせいで早死にして」

「な……」心臓だけ深海に沈められたような気がした。「どうして私のせいなの？」

「あら、わからない？　誰も言わないから、私が言ってあげてるのよ。あんたと知りあわなければ、ラリーは死なないで済んだんだわ」

真冬は、後ろへよろけた。背中が玄関のドアに当たって音をたてた。

思わぬ急所をさぐりあてたイライザは、勝ち誇ったように続けた。

「そうよ。あの日、あそこであんたと式なんか挙げなかったら、ラリーが事件に巻き込まれるはずなかったんだから。彼は普通の教会で式を挙げようって言ったんでしょ？　それをあんたが意地張ったせいで、役所になったんでしょ？　ほらごらん、もとはと言えばあんたのせいじゃない」

ぷんと甘ったるい匂いが鼻をつく。真冬は弱々しく言った。「お酒、飲んでるのね」

「だから何なの？　酔っぱらってからんでるんだとでも思ってるの？　残念ね、これが正真正銘、私の本心よ。あんたが、ラリーを死なせたんだわ」

とたんにイライザは、どん、と押されてよろめいた。あっけにとられて見おろす。ティムが両手を突き出し、鼻の穴をひろげて彼女をにらみ上げていた。

「……もう我慢できない！」イライザはつばを飛ばした。「一日だって我慢できないわ。出てって。今すぐこの子を連れて出てってよ。あんたたちを見てるだけでむかむかする。あんたの偽善者ぶりを見てるとよけいにね。あんたはその子を愛してるんじゃないわよ。自分が寂しいから、そばに置いて利用してるだけよ。誰もかれも、あんたをかばったり、ちやほやしたり。どうしてあんたばっかりいい思いをするの？　男どもには、あんたの本性《ほんしょう》が見えないの？」

「いい思いなんか、」

「してるじゃない！　充分いい思いしてるじゃないよ！　あんたにだけは、あのブルースまでが優し……」

「え？」

しまったというように、イライザは唇をかんだ。見る間に真っ赤に染まっていく顔を、悔しそうにそむける。

真冬はティムを抱き寄せて頭に手を置いた。

「彼を……好きなの？」

「バカにしないでよ！　人のこと何だと思ってるの？　誰があんな私生児のインディアン野郎なんか！」

ガチャリとドアが開いた。飛び上がった真冬がふり向くと、そこにブルースが立っていた。手に茶色の紙袋を握っているのを見て初めて、彼女は昼間の店の品物を車に忘れてきたことを思い出した。

「でかい声だな」と、彼は唇を曲げて言った。「続けてくれよ。私生児のインディアン野郎がどうしたって？」

赤かったイライザの頬が、血の気を失っていく。何か言おうとして何度も口をひらきかけた彼女は、とうとう何も言えないまま、今にも気を失いそうに白くなった顔を真冬に向けた。

「あんたを、憎んでやるわ」

手でさわれそうなほどの憎悪が押し寄せてきて、真冬は口がきけなかった。

「あんたが来てから、何もかもめちゃくちゃよ。今日だってそう。あんたたち二人がお楽しみの間に、何があったと思うの？」

「さあ、知らないね」とブルース。「何があったんだ？」

「リチャードが倒れたのよ。今ごろ病院で死にかけてるわ」

真冬は思わずもれかけた悲鳴を吸い込み、両手で口を覆った。

「――心臓か」

「ええ、心筋梗塞《しんきんこうそく》の一歩手前。クレアが物音を聞いて駆けつけた時は、意識がなかったくらいよ」

「かなり危ないのか？」

「集中治療室《I・C・U》に入れられてるわ。今はクレアとマイケルがついてるけど。でも……昼間はマイケルもいなかったし、クレアと二人でニトロ飲ませて、体をさすって、病院に電話して……」途中からイライザはどっと涙声になった。「あんたのこと捜したのに、こんな時に限っていないんだもの！　何遊びまわってんのよ、うちの使用人のくせに」

「遊びじゃない、仕事だ。リチャードに頼まれた」

「あらそう、楽しそうなお仕事で結構ね。そんな仕事なら私が代わりたいくらいだわ」

「イライザ」

「勘違いしないで。あんたを捜したのは、病院までヘリを操縦してもらいたかったから。それだけよ」

「結局、誰が運んだんだ」

「アラン。ハリーとジェイムズが来て、ヘリに乗せてくれたわ。その時にはもうリチャードの意識も戻ってたけど、手も顔も、すごく冷たくて……あのまま死ぬんじゃないかと思った」

　ブルースは、長いため息をついた。

「医者は何て言ってる」

「もともと心臓の血管が太かったのが幸いしたとか……今夜が山ですって。もう一度大きい発作があると危ないらしいわ。抵抗力が弱まってるぶんだけ、持病のほうも心配だそうよ」

　イライザはうつむいて指を髪に差し入れた。

「わからないもんよね。あんなに冷めた夫婦に見えてたのに、クレアったら取り乱してしまって大変だったわ。明日になったら、私が行って交代するつもりだけど」

「明日は俺が送ろう」

「もうけっこうよ、アランが……」イライザは口をつぐんだ。「ええ、そうして」

　そして、思い出したようにじろりと真冬を見た。

「ラリーといい、リチャードといい、あんたと知り合ってからろくなことないわ。疫病神《やくびょうがみ》ってあんたのことを言うのね」

「よせよ、イライザ」とブルースは言った。「彼女のせいじゃないことくらいわかってるだろ」

「まあ、お優しいこと。あんたが人をかばうのなんて初めて聞いた」つい、と顔をそむけてイライザは言った。「どうぞごゆっくり。私は寝るわ。もうくたくた」

　それきり彼女は、ふり返りもせずに階段を上っていった。二階で、パタンとドアが閉まる音がする。

　再び長い息を吐いたブルースが、真冬をふり返って、ずっと握っていた紙袋を渡そうとした。ふと眉をひそめる。

「どうした、そんな顔して」

　真冬は黙っていた。のろのろと紙袋を受け取り、脚にしがみついて親指をくわえているティムの頭をそっと撫でてやる。

「気にするな。ありゃイライザの挨拶みたいなもんだ。彼女に憎まれ口を叩くなってのは、コヨーテに月に吠えるなってのと同じくらい無理な話さ。いちいち気にしてたら体がもたないぜ」

　首を横に振り、真冬はようやくかすれ声を押し出した。「……同じだったの」

「何が？」

「母がいつも言ってた言葉と。疫病神、あんたが彼を死なせたんだ、あんたが何もかもめちゃくちゃにしたんだ、って……まるっきり同じことを、母も言ったの」

　どうしてこの言葉から逃げられないのだろう、と彼女は思った。どこまで逃げても追いかけてくる。

「忘れちまえよ」と、彼は低く言った。「信じるなら、ラリーの遺した言葉のほうを信じろよ。自分のせいだと思いこむなと言われたんだろう？」

「……そうね」

うつむいていた真冬は、実際に抱き寄せられるまで、ブルースが自分に腕をまわしたことに気づかなかった。

ハッとして、思わずその胸を押しのけ、夢中でティムを抱き上げた。恥ずかしさで顔を上げることもできなかった。

「マフユ、誤解するな。俺は……」

「いいえ、いいの、ごめんなさい」必死で取り繕《つくろ》った。「ぼんやりしてたから、ちょっとびっくりしただけよ。ばかね、私ったら」

「…………」

「ありがとう。慰めてくれて」

「慣れてないもんでね。失敗だったらしいな」

「そんなことないわ。あの……」

「ああ。おやすみ」

「おやすみなさい」

ティムを抱いたまま彼の横をすり抜け、真冬は、ことさらにゆっくりと廊下を歩いた。ふり返ってみたい気持ちと、そこから逃げたい気持ちとで頭が破裂しそうだった。角を曲がり、もうブルースから見えないとわかったとたん、膝頭《ひざがしら》から力が抜けた。

ようやく落ち着いて物を考えられるようになったのは、ティムを風呂に入れ、ベッドに寝かせてからだった。ブルースの言ったとおり、ティムはいつもの数倍くたびれていたらしく、すでに目がとろんとしていた。

「マフィ」

眠そうな声で、彼は言った。ベッドの脇に腰を下ろした真冬は、ティムの額にかかった髪をかきあげてやった。

「なあに？」

「ダディは、もうかえってこないの？」

真冬の手が一瞬、止まった。

「ダディ、しんじゃったの？」

ティムの眠い目から、真冬は視線をそらせることができなかった。

「そうよ」と、彼女は言った。「ダディは死んじゃったの」

「……グランパは？」

「グランパはまだ大丈夫よ。きっと元気になるわ」

しばらく黙っていたティムが、今度は小さな声で言った。「マフィも、しぬの？」

真冬は微笑んだ。そして正直に答えた。「ええ。いつかはね」

ティムの顔が急にゆがんだので、彼女はびっくりした。

「やだよ、そんなの」彼は半べそをかいていた。「やだ、しんじゃやだ」

「すぐじゃないわよ」と、真冬は慌てて言った。「もっとずっと先のことよ、たぶん」

「やだ、やだ」

「でもね、ティム、仕方のないことなの。誰でもみんな、いつかは死ぬの。どんなにお金持ちでも、どんなにいい人でも、いつか死ぬってことだけは同じなのよ」

「やだ、やだ、やだ」

眠いせいもあるのだろう、彼は、毛布の下で地団駄《じだんだ》を踏むようにして泣き出した。悲しいというよりは、怒っているような泣き方だった。

真冬は途方に暮れ、ティムにおおいかぶさって抱きかかえた。こんな小さな子には残酷すぎることを教えてしまったのかもしれない。何か優しい言葉で慰めてやるべきだったのかも……。

頭を撫でてやっているうちにティムはだんだん静かになって、親指を口に入れた。

「ティム」

そっと呼んだだけで、

「やだ」

と、小さくつぶやく。

「そうね。いやよね。誰だって、死ぬのが平気なはずはないわ。だから、生きてるものをむだに殺したりしてはいけないのよ」

ティムは黒い目に涙をためたまま、ぐしゅぐしゅと鼻を鳴らした。

こんな時、自分にあのナヴァホの子守歌が歌えたら、と真冬は思った。夕方、ドロシーの家で夕食を終えたすぐ後だ。一番小さい子がぐずりだしたのを見たデリラが抱き上げて隅へ連れていき、優しく揺すりながら歌い出した、その時だった。聞きつけたティムがぱっとふり返り、デリラに走り寄って、食いいるように彼女の顔を見上げたのだ。それきり彼はデリラが歌いやめるまでずっと、そのスカートをつかんでそばから離れようとしなかった。

母親《イヴリン》が歌ってやっていた子守歌と同じだったのかもしれない。その可能性は充分考えられた。けれど、真冬はそれをティムに確かめなかった。あれほど痛めつけられてなお、ティムが母親を忘れられずにいるのだと、はっきり思い知らされるのがいやだったのだ。

いつのまにか寝入ってしまったティムを、真冬は息をひそめて見おろした。まだ涙で濡れているこめかみを、そうっとぬぐってやる。

窓の外から、また月に叫ぶコヨーテの声が聞こえてきた。

「アーーーッハハハハハハハ！」

まるで、嘲《あざけ》っているように聞こえる。

——あんたはその子を愛してるんじゃないわよ。自分が寂しいから、そばに置いて利用してるだけよ。

真冬はベッドから立ち上がり、ティムの脱ぎ散らかした服を床から拾って歩いた。パンツに続いて小さなシャツを拾いあげた時、立ち止まって、そのシャツに鼻をうずめた。

ホーガンで燃やされた薬草の、あの煙の匂いがしみついていた。

それは、今夜のブルースの匂いでもあった。

26

「本当に危ないところだったんだぞ。え？　わかってるのか？」

心臓外科長のセオドア・ストーンは、リチャードの頭の上で言った。

「まったく、信じられんよ、渡した薬もろくに飲んどらんとは……わしの診断を何だと思っとるんだ。どうせ言うことを聞かんのなら、わしが診《み》ようが学生が診ようが変わらんじゃないか」

かつての級友だけに容赦がない。

「わかった、わかった。充分反省したさ」

「ふん、そんな殊勝な玉か。昔からそうだった。人の忠告を半分にしか聞かんで、何でも自分のやりたいようにやらんと気がすまんのだお前は」

「もうわかったから」顔にかかったつばを、リチャードは点滴の針を留めつけられた腕をそろそろと上げてぬぐった。「そう恐ろしい形相《ぎょうそう》で怒鳴らんでくれ。今度こそ本当に心臓が止まったらどうしてくれる」

「ああ、ああ、止まってしまえ。一度止まれば二度は止まらん」

入院の翌朝行われた手術は成功し、集中治療室から個室に移されはしたものの、リチャードは三日目にしてまだベッドの上で起き上がることさえ許されていない。外部には知らせないようにしたので見舞客に煩《わずら》わされることはなかったが、牧童頭《がしら》に指示を与える時にまで寝たきりというのはリチャードの気に食わなかった。マイケルなど、こちらを病人と思って、親父は口を出すなと言わんばかりのうるさそうな顔をする。

せめてベッドの背を半分起こすくらいはかまわんじゃないかと彼はストーン医師に言った。三日も頭を枕につけたままでは、まるで自分が弱った老人のような気がしてくる、と。

「ばかめ、お前は弱った老人なんだ」と心臓外科長は言った。「その石頭が現実をきっちり受け入れるまでは、いつまでもベッドに縛りつけておくからな」

心臓に血液を送る二本の冠動脈のうち片方が、かなり根もとに近い部分で詰まりかけていたのだそうだ。これで心筋梗塞まで行かずに済んだとは、悪運が強いにもほどがある、とストーンはあきれていた。

ひと昔前なら開胸《かいきょう》手術が必要だったところだろうが、今回の手術で切ったのは鼠径部《そけいぶ》だけ、それもほんの小指の先程度だった。そこから血管に極細の管《くだ》を入れて心臓まで届かせ、狭くなっている血管が再び詰まらないように、問題の部分に編目状の小さな金属のパイプを通したのだ。

リチャードは、なんと手術中も、自分の目でその模様を映したモニターを見ていることができた。太ももの付け根の内側から差し入れられた管の先が、詰まっている部分をつつくと、やがて血管が通った瞬間にサーッと血液が毛細血管の先まで行き渡り、心臓の形がはっきりしたのがわかった。同じくモニターを覗いていたストーンや他の医師たちがどよめき、口笛を吹き、拍手をして肩をたたき合ったほどだ。

そんな具合だったから、生死の境をさまよったという実感はもうひとつだった。書斎で倒れた時だけはさすがにもうだめかと思ったが、意識が戻ってからは痛みもほとんどなかった。ただただ、体力をすべて使い果たしてしまったせいで動けなかっただけだ。

いま、広い個室のベッドに横たわって天井を見つめながら、リチャードは何もすることがないまま、あの時の状況を思い起こしていた。胸全体から肩の先までが押しつぶされるように痛み、誰かに首を絞められてでもいるかのように息ができなくなっていき、体じゅうから噴き出した汗で着ているものがぐっしょり濡れた。倒れていく途中で机の端に体がぶつかったおかげで、頭をそうひどく床に打ちつけずにすんだらしい。

見つけてくれたのはクレアだったという。リチャードが机から落としたランプが床の上で粉々に割れ、その音で心配になって戻ってみたのだと彼女は言った。

確かに、意識が徐々に戻っていくとき、クレアの叫ぶ声を聞いた覚えがある。

「リチャードしっかりして、まだだめよ、まだ死なないで」

妻のその言葉に、リチャードはふと、かすかに引っかかるものを感じた。

……何だろう？

しばらく考えをめぐらせたが、わからなかった。点滴のチューブにつながれて身動きもできないうえに、頭の中まで思いのままにならないとは。もしや、倒れた時の打ちどころが悪かったか、あるいは知らないうちにぼけてしまったのではないか？

こんなに長く寝たきりでいるのは初めてだった。今までにも入院したことは何度かあったが、ベッドの上に起き上がることくらいできたのだ。

いらいらをもてあましていると、カチャッとドアが開いて太った婦長が入ってきた。

「はーい、検温ですよ」

こちらが弱っているせいか、とってつけたような陽気さがかえって癪《しゃく》にさわる。寝たきりの老人の多くが、どんどん偏屈になっていく理由がわかるような気がした。

婦長が真上から覗きこんできた。

「ご気分はいかが？」

リチャードは口をゆがめて言った。「いいと言ったら退院させてくれるのかね」

27

ブルースは火をおこし、集めておいた大きな石をいくつか中に入れると、それらが充分焼けるまでそばにあぐらをかいて待つことにした。パンチド・フェイスが、主人以上にまじめくさった顔でそばに座った。

ナヴァホの男にとって『カッツェ』は、単なる蒸し風呂《ぶろ》ではなく、魂を浄化するための宗教儀礼的な意味をも持っている。牧童たちの宿舎の裏手、百フィートほど離れた涸れ川《ウォッシュ》の土手に、彼はリチャードの許可を得てカッツェに代わるものを作ってあった。通常はホーガンをそのまま小型にしたようなドーム型だが、ブルースがここに作ったのは、土手に掘った横穴の入口に防水シートと毛布をカーテンのように垂らした即席のものだった。

彼は、立ちのぼる薄紫色の煙を目で追った。暮れなずむ空に、最初の星がぽつりと瞬《また》きはじめている。

ここ数日、ブルースはフラッグスタッフの病院との間をヘリで行き来していた。リチャードの容態は快方に向かっていたが、それでも毎日、家族の誰かしらが交代で顔を出している。ブルース自身はそれを送り迎えするだけで、まだ一度も病室に見舞いに行っていない。顔を見せないでいいのかとそっと聞いてくれたのはマフユだけだったが、その日一緒にいたのがマイケルだったこともあって、ブルースは首を横に振った。心臓で入院している病人にわざわざ気をつかわせるのは酷というものだ。マフユも察したらしく、それ以上強く勧めようとはしなかった。

今日も、午後からクレアとイライザを連れて行き、ついさっき再び連れて戻ってきたばかりだった。二人の会話から漏れ聞いたところでは、マフユは先週末のはずだった予定を延ばし、今週の木曜に帰ることになったらしい。その件でイライザは母親に向かってさんざん文句を言っていた。リチャードのためにも、もう数日でいいからいてやってほしいとマフユに頼んだのはクレアだったからだ。

　そういえば今日はまだ、マフユとティムの顔を見ていない。

　ブルースは、煙がしみた目をこすり、咳をした。

　……だからどうだというのだ。

　シャベルの先で、火の中の石をつつく。早くカッツェに入って、体の中に澱《おり》のようにたまったあれこれを、すべて汗とともに追い出してしまいたかった。

　盛大に燃えていた火がだんだんとおき火になり、中の石が充分に赤く熱くなっているのを見てとると、彼は焼けた石をシャベルで横穴の中へ運び入れ、床の中央のくぼみに積みあげた。もう一度外に出て素裸になり、用意しておいた水のバケツを手に、自分も中に入って入口のシートと毛布を下ろす。狭い穴の中は石から発散される熱ですでに熱くなっていた。母なる大地の胎内だ。小暗い穴の中央で、焼けた石だけが赤黒く発光している。

　どっかりとあぐらをかいて座り、彼は、『最初の男』が『聖なるひとびと』から教えられたとされるカッツェの歌を低くつぶやくように歌い始めた。目を閉じていると、自分の歌が土の壁にじわじわと吸い込まれていくのが感じとれた。

　数分もたつうちに、皮膚の表面に汗の粒がにじみ出し、ふくれあがり、額から鼻やあごの先へ、首筋から鎖骨のくぼみへ、胸から腹へ、肩から背中へと流れつたわり、乾いた地面にぽたぽたと落ちた。

彼は歌いながら片手でバケツの水をすくい、石の上にふりかけた。ジュンッと蒸気がたちのぼって、あたりに充満した。熱い霧が体じゅうを包みこみ、気管を通って肺を満たす。毛穴という毛穴がすべて開き、ひからびていた細胞のすみずみにまで水分が行きわたり、内臓のはたらきが活発になるのがわかった。ここ数日分の疲れが解きほぐされて体の外へ出て行くようだった。

何度か石に水をかけては蒸気を吸い込んでいると、だんだん頭がぼんやりしてきたが、彼は自分の中に『美と調和《ホジョー》』が完全に取り戻されたと感じるまで座り続け、歌い続けた。

三十分ほどたっただろうか。あまりの暑さと息苦しさについに我慢できなくなり、彼は入口のシートと毛布をはねのけて外へ出た。

めまいがした。汗だくの体に、夜風が水のようにまとわりつく。涸れ川の底のさらさらの砂を手ですくっては、体じゅうになすりつける。砂は水と同じように清浄なものだ。何度もくり返すうちに汗は乾き、肌はこすられて一皮むけたようになった。

祖父と住んでいた頃はこれで完了だったが、ブルースはそれから宿舎へ帰ってシャワーを浴びた。盛大に石鹸《せっけん》を泡だて、好きなだけ水を使えるシャワーは、白人《ベラガナ》の世界での最高の贅沢《ぜいたく》だった。だが、慣れとは恐ろしいものだ。この贅沢と美味《うま》い食事があたりまえになり、「清潔」と「不潔」の基準が昔と大きくずれてしまった今では、ブルースにとって、荒野の真ん中のあの家に戻って暮らすのはほとんど不可能に近かった。この牧場を出て居留地に戻らない理由はそれだけではないが、それも大きな理由のひとつには違いなかった。

さっぱりと乾いたタオルで耳の後ろを拭きながら、彼は、今夜の自分があああしてカッツェに入らずにいられないほど苛立っていたのは何のせいだろうと考えた。

ひとつめの原因は、おそらく、夕方のクレアの態度にある。帰りのヘリを降りて、ブルースの運転する車で屋敷まで戻る途中だった。どうしてマフユたちを引きとめたりしたのかとしつこく責める娘をにらみつけ、クレアは小声で言い放った。

「あなたには関係ないことよ」

ブルースはその一瞬をバックミラーで見てとったが、すぐに前に目を戻して気づかないふりをした。

おかしな言い方だと彼は思った。——あなたには関係ないことよ。それは、多くの場合、何か後ろめたい隠し事をしている人間の言葉だった。

さらにもうひとつ、気にかかることがある。

昨日、マイケルとマフユを病院に送って待っている間に、ブルースはひまつぶしに叔父のビル・ランニング・ホースの事務所に顔を出した。年取ってなお、商売っ気の塊にして早耳の叔父は、リチャード・サンダーソンが心臓の発作で入院していることをもう知っていた。彼が以前からブルースに紹介したがっていたメキシコ人女性——スタッフの妹で病院のヘルパーとして勤めている——が兄に話し、ビルは彼から聞いたのだという。

おまけに、話にはまだ先があった。そのヘルパーのサリー嬢が、患者の洗濯物を持って地下のランドリーへ行った時だ。廊下の隅で、身なりのいい白人とナヴァホの清掃係がこそこそと話をしているのを見た。彼女が通りかかると二人はぴたりと話をやめたが、一方がサンダーソン氏の病室に出入りしている若い男であることに気づいて、彼女は驚いた。なぜなら相手の清掃係はといえば、仕事中にまで酒の臭いをさせて何度か馘《くび》になりかけたような、評判の良くないナヴァホだったからだ。

サリー嬢の思い違いでない限り、「若い男」というのはマイケルだろう。しかし……あいつがアル中のナヴァホに、何の用があるというのだ？

点と点を結ぶ線が見えてこない。

ブルースは、シャツを身につけながら、とりあえずそれらのことを頭の隅にとどめておこうと思った。

濡れた髪を束ねて、牧童たちが集まっているホールへ行く。テレビがやかましく鳴り響き、数人ずつがあちこちにかたまってカードに興じていた。黒髪のアランが、お前もやらないかと誘うのを断り、ブルースは隅の冷蔵庫からビールの缶を一本取り出して、廊下の奥の自分の部屋へ戻った。ベッドにどさりと倒れ込み、ヘッドボードにもたれて冷えたビールをのどに流し込む。これもまた、居留地では味わえない贅沢だった。

彼の場合、働き口が他にないわけではない。叔父のビルはしつこく、牛なんか追いかけてないでツアー会社を手伝えと言う。実際、今となってはもう父親に対して何の感情も残っていないし、クレアやマイケルからもあれほど冷たくあしらわれて、それなのになぜ自分がここから離れずにいるのか、ブルースは何度も考えてみたことがあった。

たどりついた結論はひとつだった。

父を除くサンダーソン家の者たちは誰もが、彼を憎むことでプライドを保っている。クレアの夫婦関係が冷えきったのは彼のせい、イライザが意地の悪い女になったのも、マイケルが卑屈になったのも、何より家族がばらばらになったこと自体、もとはと言えば彼のせい。死んでしまったスマイリン・バードを憎むことができないぶん、矛先《ほこさき》はすべてブルースへと向けられた。表向き平穏な日常生活を送るうえで、彼らにとってブルースは、秤《はかり》のバランスを取るための重りのような存在だった。

どんなに不当な扱いを受けても、ブルースはクレアたちを積極的に恨む気になれなかった。彼らの気持ちが理解できるからではなく、ただ、長年の間に、彼らに対して奇妙な連帯感のようなものを覚えるようになっていたからだ。

たとえそれが憎しみであっても、一種の絆《きずな》には違いない。むしろ愛情よりはるかに強い絆かもしれない。憎まれることで逆に自分の居場所を確認するとは、もしかすると俺には被虐趣味でもあるのだろうかと、彼は内心苦笑した。

いつまでもここにいるつもりはない。いつかは、そう、いつかは出ていくつもりだが、まだ決心がつかなかった。何かを見届けなければという気がしているのに、それが何なのか、自分でもよくわからないのだった。

ふと気配を感じて、彼はベッドの下をのぞきこんだ。

いつのまにか忍びこんだパンチド・フェイスが、額にしわを寄せて上目づかいに彼を見ていた。どうもこのところ、やたらとくっつきたがって困る。これも、老いぼれたせいだろうか。ブルースは、大目に見てやることにした。

再びヘッドボードに寄りかかり、缶に口をつけようとして、彼は手を止めた。赤銅色の手首の上で、腕輪《バングル》にはめこまれたトルコ石が、命ある瞳のように彼を見ていた。「イーグル・ハート」という名前とともに祖父から与えられたこれは、男石。数日前、彼がマフユの腕にはめてやったのは女石だ。

夕方クレアたちを送って、屋敷前のロータリーに車を横づけした時、ブルースは無意識にポーチのほうへ視線をさまよわせた。「誰を捜してるのかしら?」とイライザから厭《いや》みを言われるまで、自分がそうしていることに気づきもしなかったほどだ。

ナヴァホは、何に対する欲求であれ、抑制しすぎることを善《よ》しとしない。しかしまた、強すぎる欲求も良くないこととされている。

要するにそれが、彼がカッツェを必要とした最大の理由だった。

28

リチャード・サンダーソンの手術から七日目、八月最後の水曜の朝、クレアは、格納庫の隅に立ったまま苛々《いらいら》と胃の痛みをこらえていた。彼女は待たされるのが嫌いだった。

ヘリはすでに向こうでスタンバイしている。操縦席にはブルースの黒髪も見える。手間どっているのは、要するに、一緒に病院へ行くことになっている牧童頭のせいだ。格納庫の奥の事務室で、ジャック・エヴァンスは電話にてこずっていた。隣の牧場との境界の件で、またしても揉《も》めているらしい。

クレアは腕組みをし、親指で二の腕をせわしなく叩きながら、ガラスの向こうの後ろ姿をにらんだ。エヴァンスは若い頃から白髪混じりだったが、そのかわり、五十を過ぎた今でも禿《は》げるほうは免れている。屈強な背中から発散する威圧感は、さすがに長い間リチャードの右腕を務めてきた男だけのことはあった。

彼女は腕時計を覗いた。

マイケルは、うまくやっているだろうか。

ふだんから気の強いイライザより、おとなしそうに見えるマイケルのほうがいざとなると激しい気性《きしょう》の持ち主だということを、彼女は久しぶりに思い出していた。子供の頃からそうだった。最初にケンカを仕掛けるのはイライザ。最後に勝ちをおさめるのはマイケルだ。死んだロレンスはいつでも仲裁役だった。

書き換えられた遺言状の内容をマイケルに打ち明けるにあたって、クレアは、ウォルト・マッキベン弁護士と金銭的な取り引きをしたのだと嘘をついた。マイケルはそのこと自体には眉をひそめたものの、遺言の中身を知らされると激怒した。それは、すさまじいまでの激情だった。長年の忠節を裏切られた母親のために、そして、ないがしろにされた自分たちのために彼は怒り狂い、体から青い炎が噴き出しそうな荒れ方を見せた。

それから、長い沈黙があり、やがてマイケルが重い口をひらいた。

マフユにはかわいそうだけど、もう一度親父に遺言を書き換えさせるには、方法はひとつしかないよ、母さん。

クレアは息子を止めなかった。彼がそう言いだすのを待っていたのだ。

確かにあの娘にはかわいそうだけれど、それを言うなら私のほうがもっとかわいそうではないかとクレアは思った。今なら、リチャードは病床で動けない。妙に勘の鋭いブルースも、ヘリさえ操縦させておけば確実に留守になる。誰にも邪魔されずに「事故」を起こすには、この時をおいて他にない。いざとなればウォルトがうまく立ちまわり、判事に働きかけて揉み消してくれるだろう。そのために、これまで金を撒《ま》いてきたのだ。

強くなってきた外の日ざしを横目で見ながら、クレアはぶるっと震えた。

これから起こることへの恐れからではなかった。むしろ恐ろしいのは、あきれるほど良心の痛まない自分自身だった。

29

マイケルから遠乗りに誘われた時、真冬は断ろうと思った。ここ二日ばかり風邪気味でだるかったせいもあるが、いつになく神経質そうなマイケルの様子を見るとよけいに気が進まなかった。お互い、あまりいい道連れにはなれそうにない。

だが、彼女が口をひらくより早く、マイケルは言った。

「だって、明日で帰ってしまうんだろ？　最後の思い出作りさ。この前、ブルースとは乗ったそうじゃないか」

真冬にはその言葉が、こう聞こえた。

(ブルースとなら出かけるくせに、僕の誘いは断るのかい？)

意識しすぎなのかもしれなかったが、それで結局承知してしまったのだった。

「良かった」マイケルはほっとしたように言った。「じつはもう、外に馬も連れてきてあるんだ。用意ができたら呼びに来るから、それまでここにいてくれるかい？」

「ティムも、一緒に連れてってやれないかしら」

と、彼女は言ってみた。

「あいにくだけど、鞍《くら》の前なんかに乗せたら落っことしてしまうのがおちだよ。大丈夫、ハリエットが見ててくれる。頼んでみたら二つ返事だった」

「……そう」

これからも自分がどこかへ出かけるたびに、こうしてティムを誰かに預けなくてはならないのかと思うと、彼女は気がふさいだ。大学院など中退してでも、ドングとのビジネスに専念したほうがいいのだろうか。そうすれば、仕事場にも連れて行って面倒を見てやれるかもしれない。もしそれが他のスタッフの迷惑にならなければの話だけれど。

帰りの荷物は、もうすべて用意できていた。大きいものは送ってしまえばいい。明日は朝のうちにフラッグスタッフへ飛び、リチャードに挨拶をしてからフェニックスへ向かう予定になっている。そこからニューヨークまではひとっ飛びだ。チェルシーの家に電話してみると、サンドラが出た。ティムを連れて帰ると言うと大喜びだった。

紺のポロシャツと半ズボンをティムに着せてやったところで、ちょうどハリエットが迎えに来てくれた。

「これから家畜小屋へ行ってくるんですけど、この子も連れてってやろうと思って」ハリエットは、満面を笑みに崩してティムを見おろした。「あんた、ヒヨコに餌をやってくれるかい？　それとも、また牛の乳でも搾《しぼ》らせてやろうかね」

ティムは、嬉しそうにハリエットの手にぶらさがった。「エッタは、おっぱいでる？」

ハリエットは大きな声で笑いだした。「いやだね、この子は。何を言い出すやら」

「ねえ、でる?」

「昔は出たけどね。今はもう出ないよ」

「なんで?」

「さあねえ。ミルクタンクが空になっちゃったんじゃないかい」

ティムは真冬をふり返った。「マフィは、こないの?」

「後から行くわね」

「ぜったいだよ」

「ええ」真冬は微笑んだ。「約束するわ」

30

マイケルは、ハリエットがティムを連れて出かけてしまったことを確かめると、キッチンで湯を沸かし始めた。

母親の乗ったヘリの音はまだ聞こえてこない。この屋敷の真上を通り過ぎるから、飛んで行く時にはすぐわかるはずだった。

リチャードが倒れてからというもの、クレアは献身的に尽くしていた。リチャードはまだ、胸に心電図をとるためのコードをぺたぺたと貼《は》りつけられたままだ。自分で病室の中のトイレまで歩いて行くどころか、起き上がることさえ許されておらず、看護婦をいちいち呼びつけるのを嫌がる彼のために、クレアが溲瓶《しびん》をあてがい、中身を捨ててやることもある。発作と手術の消耗に加え、病院食のせいもあって、また一まわり痩せてしまったリチャードは、クレアが何くれとなく世話をやくのを、うるさがりながらもどこか喜んでいるようにみえた。

さすがの父も弱気になっているらしい。しかし、いったいあの母親の態度の、どこまでが本心で、どこからが演技なのだろうとマイケルは思った。

ガラスのコーヒー用ポットのふたを開け、彼は紙袋からペイヨーテをひとつかみ取り出して素早く中にいれた。手がふるえ、いくつかのかけらがカウンターにこぼれたのを慌てて拾いあつめる。ひとつひとつは、茶色にひからびたボタン状のチップだ。マフユがニューヨークへ帰ってしまうまでに間に合わないのではないかとじりじりしたが、昨日になってようやく手に入った。ナヴァホの清掃係に渡したのは、口止め料込みで百ドルだった。安いものだ。

上から沸騰した湯を注ぎ、ふたをして蒸らす。チップがだんだんと水分を吸ってふくらみ、お湯に色がつき始める。ただのハーブ・ティーをいれているのだと錯覚しそうだ。

マイケル自身は実際にペイヨーテを試した経験などなかったが、この土地に暮らしていれば、効果のほどはいやでも耳に入る。ペイヨーテは、幻覚誘発アルカロイドを含むサボテンの一種だ。干したものを食べたり、お茶にして飲んだりすると、感覚は異様にとぎすまされ、不安感や恐怖感、あるいは喜びや興奮が高まり、目にしているものが本来の姿を変えてうごめきだし、虹色に輝きだし、自分と他人との区別さえつかなくなるという。あるネイティヴの宗派はいまだにそれを用いることで興奮を高め、激しい幻覚を見、神との交流を味わっている。

マイケルには、よくよくわかっていた。人一人が目の前で死ぬというのはそう簡単なことではない。疑われないためには、かえって自分の側にも、ある程度の落ち度があったほうが……そしてそれを自分から認めたほうがいい。その場合、おそらく過失致死か、ネイティヴ以外には禁じられているペイヨーテを使用したかどで咎《とが》められるだろうが、たとえその両方であっても、それほどの重罪にはならないに違いない。

彼が遠乗りに誘った時、マフユは一瞬迷ったように見えた。どうやら、完全に心を許してはいないらしい。その原因は想像がついた。彼女はどうせ、あのインディアン野郎に対するこちらの態度が気にいらないのだ。

マイケルは心の中で舌打ちをした。他人なんかに、この家の事情の何がわかるというんだ。

茶色のチップが、ゆっくりと浮かんだり沈んだりしている。彼は魅入《みい》られたようにポットを凝視していた。

この期に及んでも、まだ現実だとは思えなかった。夢でも見ているのではないだろうか。まさか自分が、こんな状況に追い込まれるとは。——人を殺す？　この僕が、人を殺す……？

マイケルは、カウンターの上でこぶしを握りしめた。

追い込まれたのではない。選んだのだ。そうせざるを得ない状況を作ったのはあの親父だが、選んだのは自分だ。

ちらりと時計を見あげる。まだ三分ほどしかたっていない。ガラスの中の液体は、だんだんと色を濃くしていく。

思い立ってから準備が整うまでの数日、特に昼の間、マイケルは何度も思い直しかけた。財産など、くれてやればいいではないか。母親にも彼ら姉弟にも、それなりのものは遺されると決まっているのに、それ以上を欲ばって人殺しまでする必要はないのではないか。

しかし、夜になるとまったく逆の考えで頭がいっぱいになるのだった。冗談ではない。肉の中でも一番いい部分を、どうして赤の他人に取り分けてやらなくてはならない？　どちらの道を選んでも後悔するに決まっている。同じ後悔するなら、これから先の長い一生を歯ぎしりし続けて暮らすのは御免だ。母親にも、そんなみじめな思いはさせたくない。心を決めてしまえ、どうせ一瞬で片がつく……。

あの美しく貞淑《ていしゅく》な母を裏切り、悲しませ、それだけでは足りずに遺言まで書き換えた父親はもちろん憎い。だが、こんな短期間にその父の心をつかんだマフユも憎い。あるいは父がそれだけ特別にラリーを愛していたということかもしれないが、それもまた腹立たしかった。

いつまでたっても父は、自分のほうを見てくれようとしない。病院のベッドの上からさえ、お前には任せておけんと言いたそうな口ぶりでよけいな指図をする。くたばり損ないのくせに、と彼は舌打ちをした。

そして、ブルース。彼こそ、この家に亀裂《きれつ》を入れた楔《くさび》そのものだ。

マイケルにとって、ブルースの存在は脅威だった。自分のスペアが、自分より父に信頼されている……そんなことは許せなかった。あの父が死んだら、その時こそは、やっに目にもの見せてくれる。

嵐《あらし》の中で風向きを知ることが難しいように、あまりにも激しい葛藤《かっとう》のせいで、彼は自分でもいったい誰を一番憎んでいるのかわからなくなっていた。もしかすると、誰よりも憎いのは——遺言の中身を自分に知らせた母親のような気もした。

「何してるの？」

いきなり後ろから声をかけられて、マイケルは飛び上がった。

イライザだった。

「変な匂いね。何、それ」

「け……今朝はずいぶん早起きなんだな」

マイケルが体で隠そうとするより早くコーヒーポットの中身に気づいたイライザは、たちまち眉をひそめた。

「ちょっと、それまさか……」

「違うよ」

「何が違うのよ、それ、ペイヨ……」

「じつはさ」マイケルはさえぎって、ぎこちなく笑ってみせた。「マフユが、内緒で試したいと言ったんだ。ニューヨークじゃ手に入りにくいからってさ」

「嘘よ、彼女そんなタイプじゃないわ」

「そんなって」

「ドラッグを試したがるようなタイプじゃないってこと」

「へえ、じゃあどういうタイプなら試したがるのさ」

「私みたいなのよ」イライザは弟をにらみつけた。「あんた、それがどういうものか知ってるの？　試してみたことないんでしょ？」

マイケルはぎょっとして姉を見つめた。「きみはあるのか？」

「大学時代にちょっとね」と彼女は言った。「悪いこと言わないから、よしなさい。慣れない人にはあんまり気持ちのいいものじゃないわ。せいぜいマリファナくらいにしときなさいよ」

マイケルは下の戸棚を開けて、ステンレスの水筒を取り出した。透明なポットから、抽出液を慎重に注ぎ入れる。

「マイケル、聞いてるの？　人の話くらいちゃんと聞きなさいってば。ねえ、マイケ」

「うるさいな！」

イライザがびくっとなった。

まずった、とマイケルは思った。姉を横目でにらみつけ、声を押し殺す。

「頼むよ、イライザ。忘れてくれ。僕だって好きでやってるんじゃない。きみは、何も知らなかったし、何も見なかった。それで全部うまくいくんだ」

イライザは彼を凝視した。

「あんた、いったい……」

31

ティムとハリエットを送りだしてしまうと、真冬は自分も着替え始めた。以前ブルースに教わったことを思い出して、ジーンズはリーヴァイスではなくラングラーを選んだ。ももの内側の縫い目の具合で、馬に乗る時はそのほうが、鞍にこすれて痛くならずにすむのだそうだ。

ブルースには、昨日もおとといも会っていない。クレアたちが見舞いから戻ってくる時にポーチに出迎えようとは思うのだが、昨日はちょうどハリエットと話している最中だったし、おとといは風邪のせいかむしょうに眠くてうたた寝をしてしまっていたのだ。昼と夜のあまりの気温差に、用心しなければと思っていたのに、やっぱりひいてしまった。

体力が落ちているのをひしひしと感じる。ここ数日の眠りは浅く、いやな夢ばかりが際限なく続き、明け方にはもう眠るのが怖くなってそのままずっと目をさましている日も多かった。

何ひとつとして上手に忘れてしまえないでいるのに、気にかかることはなお増えていく。たとえば、一週間前のあの夜のことだ。

ブルースの胸をあんなふうに押しのけてしまった後悔と恥ずかしさが、ますます真冬の気を重くさせていた。この国では親愛の情をこめて抱き合うのはごくあたりまえのことだし、子供の頃から慣れていたはずなのに、どうしてあんな過剰な反応を……まるで男と女を意識しているような反応を示してしまったのだろう。もしかすると彼はまたしても、自分の血のせいもあるのではと誤解したかもしれない。

あの翌日、イライザと真冬を病院へ送って行く時も、ブルースはほとんど態度を変えなかった。少し彼との距離が遠のいたような気もしたが、初めから近いと感じたほうが錯覚だったのかもしれないし、前夜の件をこちらから蒸し返して誤解を正すほどの勇気はなかった。

自信はないくせに、自意識だけ過剰だなんてどういうことかしらと彼女は思った。ときどき、こんな性分《しょうぶん》が本当にいやになる。

馬の背で陽に灼けすぎないように、長袖の綿のシャツに着替えた。一人ぽつんと待っているのも手持ちぶさたで、真冬は部屋を出た。ポーチをまわって玄関を入ろうとした時、キッチンから水筒を持ったマイケルが出てきて、彼女を見るとギクリと足を止めた。

「用意ができたら迎えに行くって言ったろ」

「ごめんなさい」彼の語調のきつさに、真冬は思わず謝った。「あの、どうぞゆっくりして。私、キッチンでお茶でも飲んでるから」

「お茶なら、あるよ」彼は水筒を上げてみせた。「べつに、我慢できないほどのどが渇いてるってわけじゃないんだろう?」

「ええ」

「じゃ、すぐ出かけよう。馬で遠くまで行ってからお茶にしようよ。どこか静かな場所でさ」

32

クレアは再び腕時計を覗いた。エヴァンスの電話はまだ終わらない。

ややこしい時にはややこしいことが重なるものだ。今日は十時から病院で約束があった。心臓外科長のセオドア・ストーン自ら、手術中の心臓の様子を録画したビデオや心電図などを見せながら、その後の経過を説明してくれることになっている。忙しい相手を待たせるわけにはいかないというのに……。

苛立つ彼女に恐れをなして、整備スタッフたちはそばへも寄って来ない。だだっ広い格納庫の隅に一人でほうっておかれたクレアは、よけいにいらいらした。

たっぷり十分以上も待たせた後、ジャック・エヴァンスは奥から出てくると、クレアの表情を見て人を食ったように帽子を持ち上げた。

「お待たせしてすみませんでしたね、奥様《マム》」

クレアはじろりとにらんだ。「あなたの母親《マム》はよほど気の長い人だったようね」

「そうでもありません」エヴァンスはにやりとした。「早死にしましたからね」

「………」

行きましょうかとも言わずに歩き出したクレアのすぐ後ろから、エヴァンスがつき従う。急いでいるということをスタッフの誰かが伝えたのだろう、二人が近づいていくとともにプロペラの回転速度が上がり始め、爆音は耳をふさがなければ耐えきれないほどになっていく。風が巻き、クレアはもうもうと舞い上がる砂ぼこりに目をすがめた。

彼女がヘリのステップに足をかけようとすると、横からさっとエヴァンスの手が差し出された。ちらりと彼を見やり、彼女は無表情にその手を取ってヘリに乗り込んだ。後ろに残ったほうの足を地面から浮かせたところで、エヴァンスがその手をぐっと握りしめてきた。振り払えばバランスを崩すのを見越してのことだ。

後部座席の奥に乗り込んだクレアは、後から何食わぬ顔で乗ってきたエヴァンスをにらみつけた。

この男には昔からこういうところがある。リチャードの見ていない隙を狙ってクレアに目くばせを送ったり、彼女のドレスの胸もとに長すぎるほど見入ったり。どちらも他の牧童なら絶対にしないことだった。荒くれ男どもを束ねる彼の手腕をリチャードが高く評価していたので、クレアも今まで黙って大目に見てきたのだが、どうやらそれがエヴァンスを付け上がらせてしまったようだ。しかもリチャードが倒れてからの彼は、こうして病室まで指示こそ仰ぎに行くものの、事実上自分が牧場の主導権を握っているという自負でよけいに気が大きくなっているらしい。

「あなたに言っておくわ」クレアは、冷たく言い放った。「二度とこういうことはしないで」

彼はにやにやと笑いながら黙っている。女なら、男からこんなふうにされて嫌なはずはないとでも言いたげな笑いだ。

高まるヘリの爆音の中で、クレアは静かに言った。

「いいこと、ジャック・エヴァンス。自分の立場をわきまえることね。あなたのかわりに牧童頭になりたがっている者なんか、いくらでもいるのよ」

エヴァンスの口もとから、ゆっくりと笑いが消えていった。

「わかった？」

「……イエス、マム」

クレアは窓の外に目を向けた。煮立った油のような日ざしの照り返しに、目の奥がきりきり痛む。

エヴァンスの暴慢さの半分でいいから、あのウォルト・マッキベンに備わっていたなら……と思ってみる。ヴェトナムの激戦地をくぐりぬけてきたウォルトならば、いささか冷静さに欠けるマイケルよりもずっと頼りになっただろうに。

しかし、遺言状の件を聞かされたクレアが、何とかできないのかと詰め寄った時、ウォルトはこう言ったのだった。

「残念だがクレア、それは無理だ。遺言状はすべてに優先する。この国の仕民である以上、この国の法に従うしかないんだよ」

そんなセリフが聞きたいのではなかった。その慎重さこそがウォルトをヴェトナムから生還させたのだろうが、今のクレアにとって、彼の性格は苛立たしいものでしかなかった。

ヘリの機体がゆらりと浮き上がり、スピードを上げながら前のめりに上昇を始める。地面が急速に遠ざかって行き、彼女は軽いめまいを振り払って、初めて前を向いた。

ぎくりと息をのんだ。

操縦している黒髪の男は、ブルースではなく、アランだった。

33

イライザは、ポットの中身――水を吸ってふやけたペイヨーテ――をトイレの便器に捨て、何度も水を流した。いくら流しても、まだそのへんの下水管の中に罪の塊が漂っているような気がして、タンクのつまみをひねり続けた。

弟とマフユは、たった今、二頭の馬にそれぞれ乗って出かけていった。戻ってくる時は一人と二頭だろう。

マイケルから無理やり計画を聞き出した瞬間から、イライザの震えは止まらなくなった。聞かなければよかったと、どれほど後悔したかしれない。

失敗してしまえばいいのに、と思った。確かに父の仕打ちには、怒りに目の前が黄色くなる思いだったが、知らないところですべての準備が進み、あとは実行にうつすのみと聞かされると……怖くてたまらなかった。

母や弟が、金のためだけにこんなことをしようとしているのではないことはわかる。あの二人は、プライドの高さという点で、まさに親子だ。不当な扱いが我慢ならないのだ。リチャードの身にはもう、いつ何が起こるかわからない。何か起こってからでは遅すぎる。マイケルが言うように、あとになって生涯悔やみ続けたくなければ、今こうするしかない……。イライザは必死になって自分を納得させようとした。

もしかすると、クレアが殺したいほど憎んでいるのは、本当はリチャード自身なのかもしれない。だいたい弟《マイケル》は、クレアを神聖視しすぎなのだ。何かというと母親をかばい、気づかうのは結構だが、彼が思っているほど——あるいは、思いたがっているほど——あの母は弱くない。むしろまったく逆だ。この家の誰より気性が激しく、情が強《こわ》い。

かつてのリチャードの浮気だって、母にまったく責任がないわけじゃないとイライザは思った。ここ数年の、母親とウォルトの関係に気づいているのは自分だけだと知っていたが、マイケルには言いそびれてしまった。この土壇場《どたんば》で、弟の怒りが今度はどこへ向くか想像がつかなかったからだ。

こんなことをして、本当に、ばれたりしないのだろうか。

吐き気をこらえながら、彼女はキッチンでポットを洗った。

自分が荷担していたことを、何があってもブルースにだけは知られたくなかった。頑《かたく》なで傲慢《ごうまん》で、誰にも自らを分け与えようとしなかったあの男が、どういうわけかマフユとティムにだけは心を許している。それが妬《ねた》ましく、そしてそんな自分がまた、たまらなくうとましかった。

あの日、ブルースに木彫りのカチナを見られてしまった瞬間、イライザは、ほとんど封じ込めるのに成功していたはずの感情が、ダムの水門を開けたように彼へ向かって流れ出すのに慌てた。

ずっと昔、彼が手慰みにあのカチナを作った時、意地悪く取り上げて、精霊なんか本気で信じているのかとさんざん馬鹿にしたのは彼女だった。それを今に至るまで捨てずに持っていたのも、他の男とつきあうたびに長続きしなかったのも……結局は、あの男のせいではなかったか。

ブルースが十五で牧場にやってきた頃から、イライザの目には彼しか映らなくなった。初めは憎いからだと思っていた。半分血がつながっていることを知っていたからだ。だが、どんなに彼を私生児のインディアンと蔑《さげす》んでみても、逆に、弟なのだと自分に言い聞かせてみても、無駄だった。彼の少しかすれた声が、藍色《あいいろ》の瞳が、目つきが、仕草が、その筋肉の動きが、猫科の大型獣を思わせる身のこなしが——まるで悪魔のように彼女を引きつけて離さなかった。そしてブルースはきっと、そのことに気づいている……。

体がおこりにかかったように震えるのを、イライザは懸命にこらえた。

しっかりしなくては。今からこんなふうでは、先が思いやられる。事態はもう、手の届かないところへ行ってしまった。歯車は回りだしたのだ。今さら止める手だてはない。

でも——。

精も魂も尽き果ててダイニングの椅子にくずれ落ち、彼女は茫然《ぼうぜん》と床に目を落とした。

でも、もしもこれが事故でないとばれて、私が黙っていたことまでブルースが知ってしまったら……彼は、どれほど激しく私たちを——私を——憎むだろう。

34

いささか浮世離れした祖父一流の厳格さの中で育ったブルースは、昔から、嘘というもののつけない子供だった。成長してからもそれは変わっていなかった。ただ、なかなか本当のことを言わなくなっただけだ。

そんな自分が、まさか、女の顔を見たいがために嘘をつこうとは……。

ブルースは、ピックアップを屋敷に向けて走らせながら、やれやれと苦笑いした。今日病院へ行くのがクレアとエヴァンスだけだと知った時、彼はほとんど迷うことなくアランを捜しに行き、用が出来たと言って代わりを頼んだのだった。今日を逃したら、マフユたちは帰ってしまう。

借りを作るのは気が進まなかったが、頼まれたアランのほうはあっけらかんとしたもので、よしきた、そのかわりこないだのカードの負けは無しにしろよな、と笑っていた。あまりの簡単さにブルースは拍子抜けしてしまった。なるほど嘘というのも、そう無駄にあるものではないのだなと思った。

しかし何より信じられないのは、自分が誰かに頼みごとをしたというその事実だった。仲間を頼るとか、好意に甘えるというのは、そうか、こういう感触のものなのか……。

助手席ではパンチド・フェイスが舌をだらりとたらして、せわしない息を吐いている。乗り慣れているためか、多少の揺れには動じる様子もない。

ブルースは右手を伸ばして、相棒の首のまわりをかいてやった。

十二年前、この犬だけを連れ、たったひとつの荷物をかかえて牧場へ来た日のことを思い出す。最初の三日間で彼は、パンチド・フェイス以外、まわりに頼れる味方は誰もいないのだと覚悟を決めた。全員が敵だ、と。実際、そう肚《はら》をすえたからこそ生き残ってもこられたのだ。

だが、よく考えてみれば、あの頃からの牧童はもう数えるほどしか残っていない。牧童頭のエヴァンスを入れてもせいぜい三人か四人といったところだ。

次から次へと新しい顔ぶれが加わり、入れかわりに何人もが抜けていき、サンダーソン家とブルースのつながりをまったく知らない者も増えてきた。確かめたことはないが、おそらくアランもその一人だろう。彼はスペイン人の血が四分の一入った白人で、女に甘いのが欠点だが、いいやつだった。アランに限らず、こちらさえ心をひらけばけっこう親しくつきあえそうな連中は何人かいる。今まで一度として仲間をそういう目で見たことなどなかったが。

もはや、まわりの人間に対して、何重にも自分を鎧《よろ》う必要はないのかもしれない。野生の獣のように常に緊張していなくても、もう誰も飛びかかってきたり、足をすくいにかかったりはしないのだ……。

初めてそのことに思い至ったブルースは、ふいに体が軽くなった気がした。目が覚めたらいつのまにか孵化《ふか》を終えていたような気分だった。心もとなさと背中合わせの解放感は、彼をめずらしく自分に正直にさせた。

きっかけは、彼女がくれたのだとブルースは思った。たった一人の理解者だった兄の、二度目の妻。一か月ほど前に夫を失ったばかりの日本人。

「なあ、おい」ブルースは、助手席を相手にぼそりと言った。「お前も、どうかしてると思うか？」

年老いた犬は、薄青く膜のかかった瞳を主人に向け、ハッハッと笑った。

マフユに惹かれるのが正しくないことだとは思わなかった。白人や日本人のモラルがどのようなものであれ、知ったことではない。恋愛というものの捉《とら》え方すら、彼らとナヴァホとでは異なっている。しかし、彼女に対するこの感情は、いわゆる恋愛よりむしろ、同族意識に近かった。ナヴァホの中にいても、白人の中で暮らしても、ついぞ仲間に心からの同族意識を感じたことはなかったのに、人種も違えば血もつながっていない彼女にそれを感じるというのも不思議なものだ。

リチャードが倒れた日の夜、彼がマフユを抱き寄せたのは下心あってのことではなかった。イライザの言葉に傷つけられ、疲れ果てている彼女の顔を見たとたん、考えるより先に手が伸びてしまったのだ。あの時の彼女の反応を思い出すと、ブルースは今でも落ち着かない気持ちになった。びっくりしただけだという彼女の言葉は、たぶん本心だったのだろう。それに対して、こういうことには慣れていないと言った彼の言葉もまた、嘘ではなかった。女に、いや、他の人間にこれほど強く興味を引かれたのは初めてだった。

マフユと自分はまるで、一本の木から彫り出された二つのカチナだ。姿かたちはまったく違っても、芯《しん》にあるものは共通している。

車がなだらかな坂道を上っていくにつれて、屋敷の屋根が、牧草地を背にしてせり上がって見えてきた。

マフユは家にいるだろうか。それにしても、いざ顔を見たら何と言ったものかなとブルースは思った。ティムも一緒にどこかへ連れ出して……連れ出して……。畜牛、何を話せばいいんだ。いや、そもそも何と言って誘い出せばいいのだ？　またリチャードから子守を頼まれたとでも言うか？

彼はため息をついた。一日で二度の嘘というのは、どうも荷が重い。

と、一瞬、幾重にも折りたたまれた丘の向こうに動く影をみとめて、彼はブレーキを踏んだ。

運転席の窓を下ろし、じっと遠くに目をこらす。

しばらく待っても何も見えなかった。ただ陽炎《かげろう》が揺れているだけだ。丘の向こう側に下りてしまったのか、それとも、もともと気のせいだったのだろうか。馬に乗った人影が二つ、見えたような気がしたのだが。

彼は肩をすくめ、ブレーキから足を離して、屋敷への坂を下り始めた。

35

操縦桿《かん》を握っているアランをふり向かせたクレアが、ブルースはどうしたのかと訊くと、彼は口を動かした。

「急……きた……です」

「何？　聞こえないわ！」

「急用が、できたんだ、そうです！」

と彼は声をはりあげた。

クレアは、シートの背にもたれて眉をひそめた。

いやな予感がした。いつもあの男に用事を言いつけるリチャードはいないのに、いったいどんな急用ができたというのだろう。今までに個人的な用事でブルースが仕事を休んだことなど、一度もないのだ。白人社会の基準からすればナヴァホはぐうたらで有名だが、それでいくと、ブルースの勤勉さは異常と言ってもいいほどだった。

サンダーソンの血がそうさせるのかもしれない。

クレアは奥歯をかみしめた。

今日だけはブルースに、屋敷のそばをうろうろしてもらいたくなかった。ハリエットを送り出した後、これで邪魔する者はいないと考えたマイケルが、不用意な油断をしないとも限らない。

じりじりしながら十五分を耐え、病院の屋上でヘリを降りるなりエヴァンスを先に行かせると、クレアは階段ホールの隅で家に電話をかけた。

取ったのはイライザだった。

「どうしてマイケルを止めてくれなかったのよ！」と、イライザはいきなり叫んだ。「それともあなたが焚《た》き付けたの？　信じられない、よくも自分の息子にこんな恐ろしいことをさせられるわね！」

クレアは息子の口の軽さに舌打ちをした。「とにかくマイケルを電話に出してちょうだい」

「もう出ていったわよ、マフユを連れて！」

「……ならいいわ」クレアはほっとしかけた。「そういえばイライザ、あなた今日、ブルースを見た？」

「ブルース？　だって彼はそっちにいるんじゃ……あ、待って」

「どうしたの」

「今、車が外に」

受話器の向こうで、ブラインドを上げている音がする。

クレアの動悸《どうき》が速くなった。ぶり返してきた胃の痛みをこらえながら待つ。

「彼だわ、ブルースよ」再び聞こえたイライザの声は、おろおろと震えていた。「ねえ、どういうことなの？　どうして彼がここへ来るの？　まさか彼、何か知ってるんじゃないでしょうね！」

「落ち着きなさい、イライザ」

「落ち着いてなんかいられるはずないじゃない！　どうしてくれるの、あなたたち、何てことしてくれたのよ！　ああどうしよう、どうすればいいの、私やっぱり知らないふりなんかできない、できないわよおッ！」

クレアは舌打ちをした。まずいことになってしまった。このイライザの取り乱しようでは、疑ってくれと言っているようなものだ。ブルースならきっと、何か感づく。たとえマイケルがうまくやりとげたとしても、あの男は後からイライザの態度を思い起こし、その二つを結びつけるだろう。マイケルは殺人犯になってしまう。どうすればいい。今からマイケルを止めることは可能だろうか？　ブルースが今すぐにイライザに不審を抱き、問いただしたりしたらどうなる？　ああ——最悪だ。

「いいこと、イライザ」押し殺した早口でクレアは言った。「あなたは部屋にこもってなさい。絶対に、ブルースと顔を合わせるんじゃないわよ。いいわね」

イライザが何か言いかけたのも聞かずに電話を切ると、クレアは再び屋上に駆け上がった。

「すぐ戻って」と、アランに言いつける。

「え。もうですか？」

「いいから、急いでちょうだい！」

36

馬で進んでいく道は、いつのまにか、上り坂になっていた。それほど高い岩山ではなかったが、崖《がけ》は切り立っている。

坂道をのぼるにつれて草は少なくなり、赤茶けた砂地の上にごろんとした石や岩が多くなって、そのかわり、あたりの景色はますますひらけてきた。

高台からは、牧場の敷地の形状がよくわかる。はるか彼方まで続く大地の真ん中を、ゆったりとうねりながら続いていく大きな溝は、おそらく涸《か》れ川だろう。雨が降れば川底になる真っ白な砂地には、鮮やかな緑の芽が顔を出してきらきら輝き、遠目に見るとエメラルドをばらまいたようだ。

牧場の人間はこの岩山を『リトル・シップロック』と呼んでいるのだとマイケルは言った。ナヴァホ族居留地の北東部にある『シップロック』にちなんだ名だ。小さい《リトル》と呼ぶにも岩《ロック》と呼ぶにも、あまりに大きすぎる気がするが、なるほど、姿は確かに船《シップ》に似ている。高さは十五階建てのビルほどだろうか、横はずいぶん幅広く、全体にごつごつとしていた。下から見上げても、てっぺんが甲板《かんぱん》さながらの平地になっているのがわかる。へさきにあたる部分は宙へ向かってバルコニーのようにつき出していた。

坂道自体は急ではなかったが、地面は砂岩質でもろく、時おり崖下がのぞけるような箇所もあって、真冬はどきどきしながら手綱を握りしめていた。日射病の予防にカウボーイ・ハットを借りてかぶっているのだが、日ざしの強さのわりに、緊張のせいか汗も出てこない。にじみ出すのは冷や汗ばかりだ。乗馬はまだ二度目だとマイケルは知っているはずなのに、どうしてこんなところへ連れてくるのだろう。

「ねえ、マイケル。急に馬が走り出したら、どうすればいいの?」

彼はふり向くと、不安そうな真冬の顔を見て笑った。「そりゃあ手綱を引いて止めるのが普通だけど、それができなければ、とにかくしがみついて落ちなければいいんだ。馬だってまさか、崖から身投げはしない。それより前には止まるさ。……どうしたんだい？　あんまり楽しくなさそうだね」

「そんなことないわ」

「ちょっとしたスリルだろ？」

「ええ、ほんと」

微笑んでみせながらも、真冬はひそかに、どうせ遠乗りに出かけるならブルースとのほうが良かった、と思ってしまった。それならティムも連れてきてやれたはずだし、こんな怖いところへは来ないで済んだろうし、それにブルースとだったらもっとゆったり寛《くつろ》いだ気持ちでいられただろう。もちろん、あの夜以来のわだかまりを解決できればの話だが、それにはまず彼に会って、きちんと話がしたかった。

ひと月前、車で旅していた頃には想像もしなかったことだ。マイケルより、ブルースのそばにいるほうが落ち着けるようになるなんて。

真冬は黙って、彼と馬に乗った時のあれこれを思いめぐらしていた。

三人で見上げた飛行機雲。ティムがとんでもないことを暴露してくれたお陰で、たまらなく恥ずかしかったこと。そして、初めて耳にしたブルースの笑い声……。あれからほんの十日ほどしかたっていないのに、なんだか、夢の中で起きた出来事のように遠く感じられる。

先を行くマイケルの馬の御し方は、ブルースのそれとは対照的に、馬の動きをことごとくコントロールする乗り方だった。彼の下で、馬は少し神経質になっているらしく、ひっきりなしに尾を振りまわしている。

「疲れたかい？」と、マイケルがふり返った。「でも、この眺めを見せてあげたかったんだよ」

なるほど、たしかに眺めは最高だ。地平線が弧を描いている様子まで見わたせる。馬たちの足もと、数十フィート先で地面はふっつり途切れていた。

先に馬を下りたマイケルは、真冬が下りるのを手伝った。ブルースの時と同じように後ろから腕をまわして支えられても、気持ちはまったく揺れなかった。

「のどが渇いたろ」

「ええ、とても」

「暑かったものな」

マイケルは自分の馬の鞍から水筒を二つはずし、片方を差し出した。

「ありがとう」外ぶたに中の液体を注いで、真冬は、ふと匂いをかいだ。「なあに、これ。ハーブ・ティーか何か？」

「ああ、インディアン・ティーさ」マイケルは自分のほうの水筒に口をつけて飲んだ。「初めてかい？　飲み慣れるまでは苦みが気になるかもしれないけど、体にいいんだよ」

真冬は一口飲んだ。「ふうん……不思議な味ね」

「僕がいれたんだけど、気にいらなかったかな」マイケルは、とてもすまなそうな顔をした。

「ごめんよ。これしか持ってきてないんだ」

「ううん、大丈夫」

わざわざマイケル自ら用意してくれたなら、飲まなければ申し訳ない。真冬はにっこりして、もう一口飲んだ。「日本のお茶なんて、もっと苦いのよ」

37

ブルースは玄関の石段を駆けおり、ピックアップのドアをもぎ取るように開けて飛び乗った。エンジンのかかる音を聞いて、近くの茂みをうろついていたパンチド・フェイスが間一髪、荷台に飛び上がる。ピックアップが引っこ抜けるように飛び出すとパンチはごろごろ転がり、荷台のふちにキャウンとぶつかった。

十分足らず前に玄関を入っていった時、ブルースには階段の上でドアが閉まるのが見えた。イライザの部屋だった。

屋敷の中はシンとしていた。

リヴィングの前を通り過ぎ、ダイニングをのぞいてみたが誰もいない。マフユとティムは西棟の寝室にいるのか、それとも出かけてしまったのだろうか？　きびすを返そうとした時だ。ふと彼はふり返り、鼻をうごめかせた。

奥のキッチンへ入っていくにつれて、匂いは強くなった。電熱コンロの上には鍋《なべ》も何も置かれていない。だがこれは、何かを煮た残り香だ。この匂い……たしか以前、嗅《か》いだ覚えがある。

後頭部で警鐘が鳴り響き始めた。

彼はコンロの上を指で撫で、洗って伏せられている食器を手にとって確かめ、戸棚やカウンターの上を注意深くチェックしていった。その間も、記憶の中にある匂いを次々に引っぱりだしては、今嗅いでいる匂いと照合し続けた。

ようやく思い出したのは、カウンターのスパイス棚の陰に落ちていたそれをつまみあげた時だった。ほんの小さなかけらだが、間違いなかった。薄く切って干したペイヨーテ。ボタンと呼ばれるチップだ。ブルースはかつて一度だけ、儀式のためにそれを服用したことがあった。しかし、こんなものがなぜここにあるのだろう？

後ろから狩り立てられるような不安感の中で、ブルースはひからびたサボテンのかけらを凝視した。

ペイヨーテ。

アル中のナヴァホとマイケル。

マフユを引きとめたクレア。――「あなたには関係ないことよ」

突然、点と点とが結びついた。彼はチップを握りしめたまま階段を駆け上がり、イライザの部屋のドアのノブをまわした。鍵《かぎ》がかかっている。

「開けろ、イライザ！」

返事がない。

彼は一歩下がり、ノブのすぐ横をブーツの底で蹴り飛ばした。何度も、何度も蹴った。最後は体当たりして中に転がり込んだ。

窓際で縮こまっているイライザの蒼白《そうはく》な顔を見たとたん、彼の疑惑は確信に変わった。

「マフユは？　マイケルはどこへ行った！」

イライザの顔がみるみる歪《ゆが》み、ひいっと叫んで泣き出した。「ブ……ブルース、お願い、早く行って助けて！　……私たちを、助けて！」


アクセルを底につくまで踏み込んだブルースの、くいしばった歯の間から、唸《うな》り声がもれる。マイケルたちはリトル・シップロックへ向かったはずだとイライザは言った。とするとやはり、さっきの陽炎の向こうの人影は見間違いではなかったのだ。

あれを追いかけていれば……いや、せめてもう三十分早く屋敷に向かっていれば、と彼は歯ぎしりした。厩舎《きゅうしゃ》まで引き返して馬に乗り換えているひまはなかった。車ではあの岩山の途中までしか登れない。残りは足で駆け上がるしかない。

ちらりとバックミラーに目を走らせる。パンチド・フェイスは腹ばいになり、必死の形相で荷台にへばりついている。

(落ちるなよ)

彼がハンドルを大きく切ると、ピックアップはバウンドしながら道をはずれ、最短距離で牧草地を突っ切り始めた。

38

「もう飲まないのかい?」

「ええ、もう充分」岩に腰をおろした真冬は、水筒をマイケルに返した。「あんまり飲むと汗ばっかり出ちゃって」

「しっかり飲んどかないと、脱水症状を起こすよ。この暑さだもの。もう一杯だけ飲んでおきなよ」マイケルは有無を言わさずティーを注ぎ、真冬に差し出した。「土地の人間の言うことは聞いておくもんだ」

「もう、心配性なんだから」

真冬は苦笑して、ひと口ずつ、ゆっくりとそれを飲みほした。

しばらくするとマイケルは落ち着かなげに立ち上がり、杜松《ねず》の低木につないだ馬の鞍に水筒を戻した。

「来てごらんよ、マフィ。向こうは絶景だよ。鳥になった気分が味わえる」

さっさと先にたって、崖のほうへ歩き出す。

「鳥になった気分なら、グランドキャニオンでもうさんざん味わったわ」

マイケルには聞こえていないようだ。

真冬は、ため息をついて立ち上がった。かすかにめまいと吐き気がした。きっと、暑さのせいだ。ティムはちゃんと、帽子をかぶせてもらっているかしら。

無造作に崖っぷちでしゃがんでいるマイケルのそばへ、そろりそろりと寄って行った真冬は、彼より数フィート後ろの岩に腰をおろした。そのあたりはちょうど、下から見上げた時つき出して見えたへさきの部分だった。

「キングコングのてのひらに乗るのって、こんな感じかしらね」

「もっとこっちへおいでよ」

「私はここでいいわ。あなたがそこに座ってるのを見てるだけで、お尻がむずむずするくらいだもの」

マイケルは再び立ち上がって真冬の隣へ来た。「けっこう怖がりなんだな」

からかうような口調の中に、どこか張りつめた響きがあった。

案外、彼もほんとうは怖いのかもしれない、と真冬は思った。女の前だからって、虚勢を張っているのかしら。

　吐き気は続いているにもかかわらず、何となく気持ちが浮きたってきて、真冬はやがて、くすくす笑いだした。

「どうしたんだい？」

「私……へんね。なんだか、楽しくって」

「やっと笑ってくれたね。ずっと沈んでるから心配したよ」

　二人とも、黙って空と地平線を眺めていた。ときどき、マイケルがちらちらとさぐるような視線を送ってくるのに気づいて、真冬は首をかしげた。

「なあに？」

「いや、別に」

　マイケルは慌てて目をそらせた。

　彼の髪にあたる日ざしがあまりにまぶしくて、真冬は目がくらみそうだった。そんなに鮮やかなブロンドだったはずはないのに、まるで純金のように光り輝いて見える。

「ねえ、マフィ」と、彼がささやいた。「今、誰か会いたい人っている？」

「会いたい人……？」

　真冬は一生懸命に考えようとした。どうしたのだろう。意識を集中していないと、自分が今、何について考えているのかさえ、すぐわからなくなってしまう。

「いちばん会いたいのは……」

真冬は、あやういところで言葉を呑んだ。私ったら、いま何を言おうとしたのだろう。こともあろうにマイケルに向かって。

「会いたいのは……そうね。ラリーだわね、やっぱり」

「そうか」と、マイケルは言った。「良かった」

ラリーに会いたいのも、決して嘘ではなかった。会いたい気持ちは、これまでいちばん強いほどだった。せつなくてたまらない。感情のコントロールがうまくできないことを知って、彼女はうろたえた。

マイケルが何か話している。その声が、耳を通してではなく、脳に直接聞こえてくる。吐き気はいくらかおさまってきたが、かわりに頭が痛くなってきた。本当に、いったいどうしたというのだろう。空が……空が、ピンク色に見えるなんて。

まばたきをすると、まぶたの裏で鮮やかな色がぐるぐる渦を巻いていた。聴いたこともない音楽が耳もとで鳴り響き、その音があまりに大きくて何も考えられなかった。目の前を金色の光が飛びまわり、それを押しのけるように赤や青の模様がふくらんだり縮んだりする。美しいアメーバのようだ。どうしようもなく不安をかきたてられ、彼女は助けを求めようと隣のマイケルを見た。

マイケルの顔があるはずの場所で、白いアメーバがきらきら輝きながら膨張していた。

「マイケル……？」

「ん？」

「あなた……顔をどうしたの？」

「大丈夫だよ、何も心配はいらない」

ダイジョウブダヨナニモシンパイハイラナイ……。

声は聞こえるのに、意味がよくわからない。自分の心臓の鼓動が雷のように聞こえる。それに合わせて頭ががんがんする。ああ、私、心臓が頭に行ってしまったんだわ。それじゃ、脳はどこへ移動したのだろう？　真冬は一生懸命に考えた。あ、そうか、マイケルが持ってくれるんだっけ。さっき、私のぶんまで鞍にしばりつけていたもの……。

オボエテルカイ……。

彼が何か言っている。

オボエテルカイ、グランドキャニオンデミタ、オオキナワシヲ。

わし？　……ああ、鷲。もちろん、覚えている。谷底へ向かって急降下していった。

キミハイマ、アノワシナンダ……ソラヲトベルンダヨ……。

そらを？　わたしが？

極彩色の光は、いまや頭の中の万華鏡からあふれて外へ流れ出しそうだった。まわりの岩が、いつのまにか生き物のように起き上がってもぞもぞとうごめいている。真冬の体に這《は》いのぼって乗り越えていくものまである。

何かをしろと言われているような気もしたが、命令されている不快感はなかった。真冬は、にっこり微笑んだ。なんだかとても楽しい。こんな楽しい気分は味わったこともない。

彼女はもう手足がいらないように思って、岩の上に置き去りにした。体が軽くなり、ぐんぐん浮かび上がり、眼下にはこの世のすべてが見てとれる。ちっとも怖くない。そうだ、私は鷲なのだ。とうとう、翼を解き放つことができたのだ。

聞こえてくる声が自分の心の声と入り混じり、溶け合って聞こえ始めた。そのとおりにすれば間違いないんだわ、きっと。

アトモウスコシダヨ……モウスコシデトベル……。

もうとんでるのに。だってほラ、ジメンガアンナニトオイ。

ソノママトンデゴラン……ホラ、オモイキッテトンデゴランヨ。

ダカラ、トンデルッテバ。

もっと強くはばたくために、真冬は、体を前のめりに傾けようとした。

そのとき、爆発するような大きな物音がして、荒々しい叫び声が聞こえた。音がことごとく増幅され、鼓膜が破れそうだ。首をめぐらせてふり返りかけた真冬の右の翼がぐいとつかまれ、後ろへ引き戻された。彼女は必死になって残ったほうの翼をばたつかせ、体に巻きついた太い鎖のようなものをふりはらおうと暴れた。

誰かがものすごい大声でどなっている。呼んでいるのだ。……ダレヲ？　ダレガ？

巻きついた鎖が彼女を空から引きずり降ろそうとしていた。必死にもがく。鎖はびくともしない。ついに翼の自由を両方とも奪われ、彼女の意識は、まっさかさまに落下し始めた。あまりの恐怖に泣き叫びながら抗《あらが》い、もがき、絶望し……。

やがて、地面に叩きつけられる寸前に、闇が落ちかかってきた。

39

後ろから羽交《はが》い締《じ》めにしたブルースの腕の中でマフユが気を失ってしまうと、その体はとたんに重くなった。

崖っぷちから安全な岩陰に引っぱり込もうとするより早く、彼に殴られて倒れていたマイケルが起き上がり、反撃に転じた。わめきながら、ものすごい勢いで突進してくる。横腹に頭突きを食らわされ、ブルースは息の塊を吐いてふっとんだ。マフユの体が、どさりと崖っぷちへ投げ出される。ブルースは体を二つに折って咳《せ》きこんだ。続いてあごに衝撃がきた。さらにくり出されてきた拳《こぶし》を横へ避け、勢い余ったマイケルの首の後ろにひじを叩きつける。崩れ落ちかけたところに蹴りを入れると、マイケルはごろごろ転がって逃れた。

よろめきながら起き上がり、距離を取ってブルースをにらみすえる。

つながれている馬たちが、不穏な気配を嗅ぎ取っていななくのが聞こえた。

「なんでここに、お前が……！」

「もうやめろ、マイケル」途中から駆け上がってきたブルースの息は、激しく乱れていた。

「もう終わったんだ。あきらめろ」

「そうはいくか、畜生、どうしてここがわかったんだ？　くそ、イライザか？　そうなんだな？」

「頭を冷やせマイケル、今なら引き返せる。お前はまだ、たいした罪は犯していない」

「うるさい！」

「これ以上どうするつもりだ。え？　俺まで殺すつもりか？　二人も殺して疑われずにすむ方法が、本当にあるとでも思ってるのか？」

マイケルは答えず、うなり声をあげてかかってきた。思ったより敏捷《びんしょう》だ。細身だが立端《たっぱ》もあるし、リーチはブルースより長い。

ブルースは一発目を腕ではじいてよけ、二発目もよけようとしたが、それはフェイントだった。マイケルの膝があばらに食い込み、息が止まった。くずおれそうになるのをこらえて相手の腰に抱きつき、そのまま全力で締めあげる。マイケルが悪態をつく。相手の脚に脚をからませ、折り重なって後ろへ倒す。下敷きになった拳が岩との間でつぶされたが、それでも腕はゆるめなかった。

マイケルはうなり、腕を振りほどこうとした。自由になる片手でブルースののどを鷲づかみにし、下からぐいぐい絞めながら爪を突き立ててくる。頸動脈《けいどうみゃく》をかき切られるのを恐れて腕をふりほどき、離れぎわに殴りつける。かすっただけだ。相手が起き上がろうとするところへもう一発くり出す。マイケルの鼻がいやな音をたててつぶれ、彼は昏倒《こんとう》して地面を転がりまわった。

ブルースはあごを引いて拳を構え、いつでも応戦できる態勢でマイケルを見おろした。

「もう一度言うぞ。終わったんだ、マイケル。悪あがきはやめろ」

「くそ……くそ……！」マイケルは折れた鼻をおさえ、七転八倒《しちてんばっとう》しながら、くぐもった声でわめきたてた。「ちきしょう、お前が、俺たち家族をばらばらにしたんだ！　お前さえいなければ、こんなことにはならなかったんだ！」

「違うな。初めから、俺一人程度でばらばらになるような家族だっただけのことさ」

その時、視界の隅に動くものが映った。ブルースははっと目を走らせ、マフユが意識を取り戻して起き上がりかけているのを見た。

「馬鹿、動くんじゃない！　じっとしてろ！」

ペイヨーテによる幻覚症状は、少なくとも十二時間以上たたなければ完全に消えない。

「マフユ！　そこでじっとしてるんだ！」

駆け寄ってくるブルースに焦点の定まらない目をあてた彼女は、金切り声をあげた。気を失う直前の恐怖が続いていて、彼だとわかっていないのだ。叫びながらよろよろと這って、崖の先へ逃げようとする。

「だめだ、そっちじゃない！」

ブルースはかろうじて追いついて彼女の足首をつかみ、引きずり戻して抱え起こし、思いきって下腹に拳を埋めた。

崩れ落ちる彼女を抱きとめ、そこへ横たえた、とたんに、後頭部を石で殴られた。激烈な痛みが脳天から足の先へ抜ける。くずおれたところで頭の横を蹴られた。倒れ込んで転がった瞬間、どのあたりが崖っぷちだったかわからなくなった。不用意によければ落ちる。

彼は、次の蹴りを全身で待った。

蹴りが来た。腹だ。うめきながら、とっさに相手の足を抱え込む。マイケルが逃れようとする方向へ自分もついていく。相手が片足とびになるのを引きずり倒し、上にのしかかる。

取っ組み合いになった。下になったマイケルが右の拳で横腹を殴りつけてくる。ブルースはあごを殴り上げ、反対の頬にも食らわせた、と、突然苦悶《くもん》の声をあげて目を押さえた。マイケルが砂をつかんで投げつけたのだ。目が開けられない。涙があふれ出す。押さえている手の上から頬を殴られた。あごにもう一発。今度はマイケルが上になった。首を絞められる。

「殺してやる！」かすれ声で、マイケルは叫んだ。「ざまあみやがれ！　殺してやる」

「俺……まで殺して……」マイケルの指を引きはがそうと爪を立てながら、ブルースは声をふりしぼった。「……ど……ら言い訳……するつもりだ……！」

鼻がつきそうなほど近くに、憎悪にひきつるマイケルの顔がある。涙でかすむその顔が、にやりといびつにゆがむ。

「言い訳は、しないさ」

ブルースは、戦慄《せんりつ》した。

こいつは本当にやる気だ。事故に見せかけるつもりすらない。逆上しきったこいつの頭にあるのはもはや、俺を殺したい、ずっと憎み続けてきた俺を殺したい、ただそれだけなのだ。

目の中の砂はほとんど流れ出したが、視界はかすむばかりだ。脳に送られるべき血がせき止められ、頭が倍にふくれあがったような気がしてきた。ブルースは足をふんばり、上へずり上がって逃れようとした。

すぐに、失敗だったことがわかった。ブルースは、傷ついた後頭部に、地面がそこで終わっているのを感じた。崖っぷちだ。急速に意識が遠くなっていく。キィーン……と耳鳴りがして、目の前が白くなった。

（おしまいか……）

と、いきなり体の上からマイケルの重みがかき消えた。ブルースは動けなかった。蹴り落とされるのを覚悟した。

――――。何も起こらない。マイケルは何をしているのだ？

脳をどっと血が満たすと同時に、初めに聴力が、続いて視力が徐々に戻ってくる。ざく・ざく・ざく……と血管を流れる血の音に混じって、マイケルのわめき声と、獣の声が入り乱れて聞こえてきた。

まだかすんでいる目をこらして、ブルースはようやくその光景を見てとった。

マイケルの左腕に食らいついているのは、ピックアップの荷台で目をまわしていたはずのパンチドド・フェイスだった。牙《きば》をたてたまま、猛烈な唸り声をあげている。

マイケルはありったけの悪態をつきながら腕を振りまわした。

　しかし、犬は予想外に重かった。逆に遠心力に引っぱられてよろめき、マイケルはその拍子に砂岩の上で片足をずるりと滑らせた。

　ブルースがあっと思った時には、マイケルは腰で崖の縁をこするように落ちていこうとしていた。とっさにブルースの手が伸び、滑っていく体のどこかをつかもうとして腕がからみ、ひじとひじを組む形になり、マイケルの脇腹が崖の縁にこすられ、勢いでブルースまで引きずられていく。

　だめだ、落ちる！

　目をつぶり、思わず腕をふりほどきかけた瞬間、自由な左手と右足のブーツの先が岩のくぼみに引っかかった。ブルースは歯をくいしばった。

　滑るのが、止まった。

　彼は、腹ばいのまま目を開けた。マイケルの顔が目の前にあった。組んだひじごと、崖っぷちのとっかかりにしがみついている。あごをふちに引っかけ、つぶれた鼻から血を流している。

「落ちる……落ちるッ！　助けてくれッ！」

「落ち着け！」と、ブルースは怒鳴った。「落ちたいのか」

　マイケルはもがくのをやめた。どうやら彼も、片足だけが岩にかかっているらしい。せわしない浅い息に混じって、むずかる子供のような泣き声がもれていた。

「そっちの手を貸せ」とブルース。

「無理だ……畜生、お前の犬が！」

ブルースはぎりぎりまで体を伸ばし、頭を傾けて崖下をのぞいた。

パンチド・フェイスは、まだマイケルの左腕に食らいついたまま、白眼をむいて足で空を搔《か》いていた。

「パンチ！」

主人の顔がのぞいたのを認めるなり、足の動きが止まった。犬は、上あごと下あご以外のすべての力を抜いて、ダラリとぶらさがった。尾が一度だけ左右に動いた。

血が、マイケルの腕を伝わって指先から滴り、はるか下へと落ちていく。彼は痛いとも言わない。恐怖のせいで痛みを感じるどころではないのだ。

風が吹き上げてきて、ブルースの顔をなぶる。腹ばいで地面にあごをつけていると、砂ぼこりが口と鼻に入った。

「そいつごと……」ブルースは呻《うめ》いた。「そいつごと腕を持ち上げられないのか」

マイケルは試みようとしたが、左腕を上げようとしたとたんに重心が崩れ、足が岩からはずれて、つかまっているひじがズルッと滑った。

「だめだ落ちるッ」女のような声でマイケルは叫んだ。

「暴れるな！」

「離すなよ、ブルース！」マイケルはすすり泣きだした。「死にたくない。まだ死にたくない」

「調子がよすぎるぜ」

「頼む、離さないでくれブルース、お願いだ!」

「うるさい、しっかりつかまってろ」

 その時になって初めて、ブルースはヘリの音に気づいた。もうかなり近い。首だけをねじって空を探すと、彼方の台地を飛び越すようにして牧場の赤いヘリが近づいてくるのが見えた。

 アランが戻ってきたのか? もう?

 ヘリは格納庫のほうへは行かず、まっすぐに彼らに向かってきた。操縦しているアランの姿が見える。気づいてくれたようだ。ありがたい!

 ブルースは横目で、向こうの岩陰に倒れているマフユを見やった。もう大丈夫だ。アランがすぐに来てくれる。ヘリを旋回させ、中腹の平地に降ろすことができれば、あと三分とはかからないはずだ。

 ズルッとマイケルがまた滑り、悲鳴をあげた。

「もう少しだ、もちこたえろ!」ブルースは叫んだ。

 マイケル以上に、パンチド・フェイスにもちこたえてもらいたかった。すぐそこにいるのに、手を差し出してやれない。かろうじて地面をつかんでいる左手を離すわけにはいかず、右手をふりほどけばマイケルもろとも犬まで落ちる。

 ふいに、

「ああ、だめだ……」目に絶望を浮かべて、マイケルが言った。「力が、もう」

しがみついているひじがぶるぶると震え、その角度がゆっくりと広がっていく。

「馬鹿、あきらめるな！」

マイケルのひじが開ききれば、汗だくの腕をつかむことなど不可能だ。少しでもその時を遅らせようと、ブルースはマイケルのひじを自分のひじで締めあげた。

汗が潤滑油となって、ゆっくりと、腕がすべり抜けていく。

歯をぎりぎりくいしばったまま、ほんの数フィート下にいる、しかし今はあまりにも遠いパンチド・フェイスの目をのぞきこむ。四本の足は苦しげに空を掻き、黒い鼻づらの先からもれる息は荒く、白眼は血走って飛び出している。

「パンチ」

ブルースは呻いた。ヘリの爆音の中でも主人の声を聞きつけて、パンチド・フェイスは、かすかにピス……と鼻を鳴らした。足がまたしても虚《むな》しく宙を掻きむしる。

「パンチ」ブルースは、ようやくその言葉を押し出した。「……放せ」

数秒の空白があった。マイケルの腕が、悲鳴とともにますます力なく開いていく。

ブルースはくり返した。「パンチ、放すんだ」

犬はまばたきをして、ブルースを見つめた。上目づかいのせいで、いつものように額に情けないしわが寄る。主人の目を見つめたまま、パンチド・フェイスはやがて、あきらめたようにゆっくりとあごの力をゆるめた。

マイケルが呻き声をもらし、自由になった左手を上げて岩の取っかかりを闇雲《やみくも》にまさぐる間、ブルースは落ちていく犬を見ていられなかった。ヘリのおかげで、生きているパンチド・フェイスがたてる最後の物音だけは聞かずにすんだ。

血だらけのマイケルの左手をつかむ。マイケルが両手で岩に爪を立てて、這い上がろうともがく。ブルースは体を起こし、彼のベルトをつかんで、一気にぐいっと引っぱり上げた。

どちらも、力を使い果たしていた。

つっぷしてすすり泣くマイケルの向こうで、マフユは倒れたまま身じろぎもしない。ブルースは気力をふりしぼって立ち上がり、三十フィートほどをよろめきながら近づいた。右腕の痺《しび》れと、爪のはがれた左手の痛みをこらえながら、彼女をそっと抱き起こす。彼女の体は水の詰まった革袋のように、ぐにゃぐにゃとつかまえどころがなかった。

「マフユ」

おそらくまだ極彩色の悪夢の中にいるのだろう、彼女は苦しげな声をもらして、子供のようにいやいやをした。意識はなくとも、聴覚はふだんの数倍とぎ澄まされているはずだ。

「大丈夫だ」ブルースは耳もとで低くつぶやいて安心させてやった。「ゆっくり眠っていていい」

馬たちのいななきに、彼はふり返った。

息づかいも荒く、アランが坂を駆け上がってきた。マイケルの無事を確かめ、ブルースのそばへ来る。

「けがは？」

「ああ。まあ、何とかな」

「彼女はいったい、どうしたんだ？」

それには答えず、ブルースは逆に訊き返した。「どうしてこんなに早く？」

「ミセス・サンダーソンが血相変えて戻れってせかすからさ。そうしたらこれだろ。彼女、予知能力でもあるのかな」

ブルースは苦笑した。「長生きするよ、お前は」

「しかし、どういうことなんだよ、これは」

「アラン」ブルースは仲間の顔を見つめた。「それ以上、詮索《せんさく》するな。このことは忘れろ」

「無理だぜ、そりゃ」

「なら、せめて他言はするな」少しためらって、彼はつけ加えた。「頼む」

再びいななきが聞こえた。

ブルースは目を上げた。

馬たちの向こうに、たった一日にして老けこんでしまったクレアの、青ざめた顔があった。

40

九月第一週の水曜日、ペイヨーテの事件からちょうど一週間目の朝早く、真冬はティムの手を引いてリチャードの病室を出た。別れの挨拶をしてきたところだった。

彼女自身、起きられるようになったのは一昨日からだ。もともと風邪気味だったところへ、ショックや疲労が積み重なったせいで熱を出し、数日寝込んでしまったのだった。ラリーの事件のあった頃に比べると体重は五キロ以上減り、足もとはおぼつかず、病院のリノリウムの廊下を歩いていてもまるで分厚いスポンジを踏んで歩いているような感じがした。

病院の玄関前に、ブルースがピックアップを停めて待っていた。

「少し急がないと、飛行機に遅れるぞ」

「ええ」

ティムを助手席に押し上げ、真冬は後から乗り込んだ。昼になればまた暑くなるにきまっているのだが、午前八時を過ぎたばかりの今、空気は冷たく澄みきってミントのような香りがしていた。

「リチャードはどんな具合だ？」

「元気そうよ。顔色もずいぶん良くなってたわ。あなたも一度くらい会いに行ってあげればいいのに」

「俺はいい。顔を見ると、あれこれよけいなことを言っちまいそうだ」

リチャードの食事は、ほぼ通常のものに戻されていて、あと四、五日もすれば退院の許可がおりそうだという。

彼の様子を見るかぎり、クレアたちは今回の件について何も話していないようだった。リチャードは、あの日クレアがエヴァンスを置いてヘリで戻ったことにいくらか不審をいだいたようだが、クレアはうまく言い逃れたらしい。イライザがそうブルースに話し、彼からそれを聞かされた時、真冬はほっとした。そして、あまりの自分のお人好《ひとよ》しさ加減に、自分であきれてしまった。

あれから、彼らとは会っていない。

こちらからは何ひとつ事を構える意思のない旨《むね》を、真冬はブルースを通じてクレアたちに伝えてもらってあった。妻と息子が人殺しを企《くわだ》てたうえ、遺言状の内容を妻に知らせたのが信頼していた従弟《いとこ》だなどと知ったなら、リチャードの心臓は今度こそ止まってしまいかねない。

しかし、何より真冬は、自分の口から出る言葉で罪人を作りたくなかったのだった。黙っているのが正しいことかどうかはわからない。罪を犯した者は罰を受けるべきだと言われればそうなのかもしれないし、彼らをまったく恨んでいないと言えば嘘になる。クレアやマイケルに、罪の意識が生涯まとわりつくと考えること自体、お人好しに過ぎるのかもしれなかった。だが、それでもいいと思った。今はただもう、そっとしておいてほしいだけだった。遺言状の詳しい内容を聞きたいか、とブルースから言われた時、彼女は首を横に振った。クレアとマイケルをそこまで駆り立てたからには、自分に遺されるのはよほどの額なのだろう。が、正直言って、それを喜べるような気分ではさらさらなかった。今回のクレアの献身的な看病に、リチャードがまた遺言を書き換える気になってくれればいいのにと本気で思った。それより何より、義父に長生きしてもらいたかった。

窓の外を流れていく景色を、ティムは、真冬の膝にのって眺めていた。いつもと違う空気に気づいているのか、めずらしくおとなしい。後部座席へは行きたがらなかった。彼は、パンチド・フェイスがもういないことを知っていた。犬を埋める穴は、彼とブルースとで掘ったのだ。

真冬はその話を、ブルースから聞いた。パンチド・フェイスが落ちていた場所に作った墓の上に、ブルースはひょろりとしたコットンウッドの若木を植えた。これからは、この土がパンチの毛布なんだ。この木はパンチの生命を吸い上げてでかくなる。――そう彼が言うと、ティムは、ダディもこうして眠っているのかと訊いたそうだ。ダディのお墓の上には木を植えなかったよ、と。ブルースは、答えた。かわりにお前がでかくなるんだ。

「ニューヨークは雨だそうだぜ」

真冬は我に返った。「え、何？」

「向こうは雨だそうだ」

「ラジオで?」

「ああ」

「午後には上がるんじゃないかしら」

「そう言ってたよ」

真冬はぽつりと言った。「あの日も、そうだったの」

「あの日?」

「ラリーのプロポーズに、私がイエスって答えた日。なんだか、ずっと昔の、別の誰かの記憶みたいな気がするけど、たった三か月前のことなのよね」

「こんな場所にいるから、よけいに遠く感じるんじゃないか?」

「そうかもしれないわね。戻ったら、また違うのかも」

夜にはチェルシーの家に帰りつき、懐かしい友人たちと再会できるというのに、真冬の気持ちは思ったほど晴れなかった。

フラッグスタッフからフェニックスまで、数時間かかる道のりを、セスナやヘリではなく車で送っていってほしいと頼んだのは彼女のほうだ。ブルースとティムと、三人で過ごせる最後の貴重な時間を、轟音《ごうおん》に隔てられて終わりたくなかった。

ブルースは左へウィンカーを出し、そのままゆるやかに車線を変更しながら前を行く古いトラックを追い抜いた。ハイウェイへと向かう道はすいていた。

「これなら余裕で間に合いそうだ」

「そう。よかった」

　ブルースはちらりと真冬を見たが、何も言わなかった。


　崖の上で気を失ってから十時間ぶりに意識を取り戻した時、真冬は、フラッグスタッフのホテルの一室に寝かされていた。隣のベッドに、ブルースと、彼が連れてきたティムが腰をおろして覗きこんでいた。

「夢を見てたの」まだぼんやりしていて、そこが知らない部屋であることにさえ気づかずに、真冬はうわごとのようにつぶやいた。「すごくへんな夢。私は大きな鳥で、ピンクの空を飛んでいたら、ずっとずっと下のほうであなたが誰かと取っ組み合って、私の脳味噌を取りっこしてるのよ」

　それは夢ではなく、幻覚の中で見た現実なのだとブルースが話して聞かせたのは、その日の夜更け、彼女が再び目を覚まして、ペイヨーテの効果が完全に切れていることがはっきり確かめられた後だった。

　最初のうち、真冬は信じようとしなかった。自分が飲んだのはペイヨーテではなくインディアン・ティーのはずだと言い、クレアやマイケルにそんなひどいことができるはずがないし、いつのまにか意識を失っていたのだってきっと体調が悪かったせいに違いないと言い張った。

だが、彼女の心の奥深い部分は、ブルースの言葉が嘘などではないと知っていた。彼の傷だらけの顔や手が、何より多くを物語っていた。

ようやくその事実を受け入れた時、彼女を襲ったのは、怒りよりもはるかに強く鋭い、獰《どう》猛《もう》なまでの悲しみだった。太くとがった銛《もり》のようなもので、心臓といい胃といい、めった刺しにされている気がした。

あのオクラホマシティの夜以来、彼女は一か月ぶりに涙を流した。こらえきれるような痛みではなかった。悲しみそのものより、それがもたらしたほとんど肉体的な痛みのために彼女は泣いた。

隣のベッドでぐっすり眠っているティムを起こすまいとして、胎児のように体を丸め、拳に歯をたてて泣き声をこらえていると、ふいにベッドの背中の側がゆっくりと沈んだ。いつの間にそばに来たのか、ブルースはそんな時も足音をたてなかった。

真冬の手首をつかんで拳を噛むのをやめさせ、彼は、静かな強引さで自分のほうに向かせて抱きかかえた。涙は真冬の思うようにならなかった。一度おさまりそうに見えても、すぐにまた前以上の激しさでぶり返した。まるで、苦痛の源を産み落とす陣痛のように。

やがてブルースは毛布の上に体を横たえ、真冬に腕枕をしてやり、もう一方の腕で彼女の体を毛布ごとしっかり抱き寄せると、耳もとで優しくナヴァホの言葉をつぶやいた。

そうして突然、真冬は思い出したのだった。これが初めてではなかった。ラリーの死んだあの夜、部屋に連れて帰ってくれたのは確かにマイケルだったが、夜中に目覚めてしがみついた彼女をあやしてくれたのは、間違いなくこの腕と、この言葉だった。家族のもとへ戻ったマイケルの代わりについていてくれたのは、彼だったのだ。

　意味の聞き取れないナヴァホの言葉は、こわばっていた真冬の心を解きほぐし、体の芯から安らがせた。どんな慰めを言われてもこんな時には苦痛でしかないことを、彼は知っているのだろう。自分とブルースは、おそらく悲しみのかたちや質が似ているのだと真冬は思った。彼もやはり、信じていた人間から、いや、人生そのものから裏切られる痛みを味わい続けてきたに違いなかった。

　後になって考えてみても、そのあと彼との間に起こったことに選択の余地があったとは思えない。

　気がつくと、二人は抱き合っていた。欲望からではなかった。ぎりぎりの必要性からだった。そうすることでしか癒せないものがある。そのとき彼らがきつく抱きしめていたのは、傷つき疲れ果てた互いの体であると同時に、生きたいという欲求、生きなければという悲壮な決意のようなものだった。

　ブルースのやり方は、手順も方法も、ラリーのそれとはずいぶん違っていた。体つきも、手ざわりも、耳に聞こえる息づかいも、似ているものなど何ひとつなかった。にもかかわらず、彼の腕でへし折れるほど腰を抱きしめられながら、真冬は懐かしさにも似た安心と充足が体のすみずみにまで満ちていくのを感じていた。目を開けて俺を見てくれとブルースは言い、彼女はそうした。目を開けても、罪悪感は襲ってこなかった。ラリーの面影を彼の顔に重ねることもなかった。この宇宙に自分と彼しか存在しないように思え、彼を失えばたった一人になってしまうように思え、その孤独を何とか今だけでも埋めようとして、真冬は自分の上にのしかかる熱くて確かな重みにしがみついていた。

引きずりこまれるように眠り、明け方目覚めて、どちらからともなくもう一度愛し合った。途中、ティムが寝ぼけて起き上がり、彼らのベッドに這い上がってきた。凍りついている二人にはおかまいなしに、ティムはブルースの背中によじ登りながらぶつぶつ言った。

「ぼくも、おうまさんするの」

そのまま、背中の上で寝入ってしまった。

ふだんは忘れているけれど、誰もが皆、一度はこんな時代を通り過ぎてきたのだ。せつない思いで、真冬ははるかな昔を思い出した。父と母がいて、二人ともまだ優しくて、ただそれだけで満足だった日々……。あの頃は、世界は自分の敵にもまわり得るということなど想像もしていなかった。

ティムが首にかけているトルコ石のチョーカーを、真冬は苦しくないように直してやった。真冬の手首にも、あのバングルがはまっている。もうはずさないでおこうと彼女は思った。冬の石が、少しは私たちを守ってくれるかもしれない。

真冬とブルースは、真ん中にティムをはさみ、互いの体に腕を巻きつけ合って眠った。ベッドは少し狭かったが、それは、どこまでもおだやかな眠りだった。

横に走る。

いつか見たような黒い雨のカーテンが、空から台地まで斜めにたなびいていた。稲妻が縦

「違うさ」彼は笑った。「見ろよ、あのメサの上」

「ニューヨークの匂いまでかぎ取れるの？　すごい鼻ね」

と、ブルースが車の窓を下ろして言った。

「雨の匂いがする」

「あれはこっちまで来るな」

彼がそう予言してから五分とたたないうちに、ピックアップは豪雨の中にいた。雨のほうから近づいてきたばかりではなく、道路が雨のほうへと曲がっていったのだ。フロントガラスに穴があきそうなほどの、もの凄《すご》いどしゃ降りだった。渇いた大地ののどが、ごくごくと水を飲みほす様が目に見えるようだ。ひからびて這いつくばっていた草木は潤され、窓を閉めていても湿った豊潤な匂いが車の中にたちこめた。

「この匂いだ」ブルースは感に堪《た》えないといった口調で言った。「雨の降り始めの砂漠の匂い。伸びていく草木の匂い、恵みと命の匂いだ」

彼にとっては、これが最高の香水らしい。

「アリゾナへ来て、初めての雨だわ」

「父なる空が、あんたとの別れを惜しんでるんだ、きっと」

真冬は驚いてブルースを見た。「めずらしいわね。あなたがそんな……」

「インディアンみたいなことを言うのは、か？」

ブルースは、からかうように眉を上げた。

「そうだな。子供の頃は、長老たちから聞かされることすべてを鵜呑《うの》みにしていた。もう少しデカくなってからは、あれこれ疑うようになった。学校を出る頃には反発さえ感じてた。でも、いつからか、自然に受け入れられるようになったんだ。どんなに抗《あらが》おうと否定しようと、俺の背骨《バックボーン》には爺さんたちの教えがしっかり叩き込まれちまってる。背骨を抜き取るわけにはいかないだろ。立ってさえいられなくなる」

雨は、降り出した時と同じく突然やんだ。とたんに静かになった。雨雲の真下を通り過ぎたのだ。アスファルトは嘘のように乾いていて、ブルースはワイパーを止めた。太陽と反対側の空いっぱいに、巨大な虹が三重にかかっている。

「もちろん、白人《ベラガナ》の世界は気にいってるさ」と、彼は続けた。「うまい食事、仕事の後の冷たいビール、ドラム缶の鉄臭い味のしない水、清潔で柔らかいベッド……。だが、ニューヨークへ行ってみて思ったよ。あそこにひと月もいれば、俺はきっと息もできなくなる」

車は丘を越え、長い下り坂にさしかかろうとしていた。雨のおかげでぴかぴかに磨かれたフロントガラス越しに、眼下にひろがる大地を指し示して、ブルースは言った。

「俺は、この土地でなければ暮らせない。あんた、覚えているかな。爺さんのホーガンのそばに、コットンウッドの木があったろう？　あの木の根もとに、おふくろは昔、俺のへその緒を埋めた。その時から俺は、大地に結びつけられてしまったんだ。四つの聖なる山に囲まれたこの土地にな」

「ブルース……」真冬は言った。「ううん、こういう時はイーグル・ハートって呼ぶべきかしら。あなた、充分ナヴァホだわ。どちらにも属せないなんて言ってたけど、そんなの嘘。あなたはとっくに、ナヴァホであることを選んでるじゃないの」

「俺が選んだというだけじゃ意味はないさ」

「いいえ、あるわ。人は自分で選べるのよ。誰にだってなれるんだわ」

真冬はティムを抱き直した。

「私ね。日本人であることをやめたつもりでいたけど、そうじゃなかった。私はただ、日本人と暮らすことをやめただけだったの。やっとわかってきた。別の自分になりたいと思ったら、それだけじゃだめだったのよ。捨てたつもりのものとちゃんと折り合いをつけない限り、いつまでも追いかけてくる。どこで暮らしたって、気持ちが休まることはないんだわ」

「それで？」と、彼は言った。「どうするつもりなんだ？」

言葉にするにも勇気がいったが、真冬は思いきって口に出した。

「折りをみて、一度日本に帰ってみるつもり。逃げるみたいにして出てきたままなんだもの。それで……できたら……母にも会おうと思うの」

「会ってどうする」

「わからない。理解し合いたいなんていうのじゃないのよ。できるとも思わないし。ただね、私、物ごころついて以来まだ一度も、母の目を正面から見つめられたためしがないの。怖くてできなかったのよ。でも、もしかしたら、もう平気かもしれない。それだけでも試してみたいの。つまらないこだわりに聞こえるかもしれないけど、そうでもしないと、私、一生あの人から自由になれない気がする」

「思うんだが」と、ブルースは言った。「あんたの母親が宗教にのめりこんだのも、ある意味じゃ自分の中のバランスを取り戻す、彼女なりのぎりぎりの選択だったんじゃないかな。許してやれとは言わないが、何とか、わかろうとぐらいはしてやれよ」

「その二つって、私には同じもののように聞こえるわ」

ブルースは、ハンドルを握ってしばらく前を見つめていた。やがて言った。「日本へ帰ったとしても、ニューヨークへはまた戻ってくるんだろ?」

「あそこが私の居場所だもの」真冬は微笑し、ちょっと考えて言った。「そうね、さっき言ったこと、ひとつ訂正させて」

「何を?」

「さっき私、人は誰にだってなれるって言ったけど、そうじゃないわね、やっぱり。どんなにあがいたって、自分以外のものにはなれないもの。あなたがナヴァホであるように、私は、どうしてもここで長くは暮らせない。……とても残念なことだけど」

「ああ」彼は言った。「わかってるさ」

紺碧《こんぺき》の空と赤茶けた大地の中心を、白い道がまっすぐに貫いて続いていく。横風が吹くと、アスファルトの上を横切る赤い砂の帯が、渚《なぎさ》にうち寄せる波頭のように崩れながら舞う。

「なんだかつまらないわね、こんなの」と、真冬は無理に笑った。「どうして、ひとつを選ぶと、ほかのをあきらめなきゃならないのかしら」

「しかたないさ。ひとつの穴から二本の木は育たない」

「それも、あなたの背骨《バックボーン》が言わせる言葉?」

「いや。単なる経験則だ」

そう言って、ブルースは、くっくっと笑いだした。「どうも、おかしいな」

「え?」

「こんな話をしているわりに、あんたとは、別れようとしてるって実感がまるでわかない」

真冬はブルースを見やり、彼の藍色の瞳に出合って目を伏せた。膝の上のティムの頭をそっと撫でながら、彼女は言った。

「すぐにまた、この子に会いにくるわ」

ブルースはその答えで満足したようだった。

ティムを残していく決心を、真冬がリチャードに打ち明けたのは昨日だった。義父は長く黙っていたが、反対はしなかった。やがて彼は、よく考えた末の結論なんだろうね、と言い、真冬は答えた。ラリーの遺してくれたものに頼らなくても、自分の力で暮らせるようになったら迎えに来るつもりです、と。それより後のことは、その時のティムの様子を見てから決めるしかない。彼が自分で選ぶかもしれない。

デリラ・シルヴァー・ウィードの夫婦が、ティムを預かりたいと言いだしたのがさっかけだった。彼らの家は牧場の中にあるから、毎日でもブルースと会える。ティムはそれを聞いてようやく、真冬と別れて暮らすことを承知した。ひとつを選べばもうひとつはあきらめなければならないということを、彼は彼なりに理解したのだ。

だが、真冬はそう決めてからもしばらくは、まだ迷っていた。本当にあきらめがついたのは、ティムがこう言うのを聞いた時だった。「マフィもいっしょに、こっちにいようよ」。彼は、ブルースもあっちにおいでよ、とは言わなかった。それはつまり、ニューヨークにいるより、ここで走りまわっているほうが幸せだと言ったも同じことだった。

昼前にフェニックスの空港に着いた。

真冬は、ドアを開けて降りようとするブルースをおしとどめた。

「送らないで。荷物もないし」

大きな荷物は先に郵送してしまった。真冬はバッグひとつしか持っていなかった。

ティムを助手席に残して、彼女はすべり降りた。彼が手をはさまないように気をつけながらドアを閉めてやり、窓から乗り出した頬にキスをする。

「いい子に、ね」

「……ん」ティムはこっくりうなずいた。「マフィ、いつくる?」

「すぐよ。ティムがいい子にしてたら、すぐ」

ティムの腕が、真冬の首にまわされた。こみあげてくるものをこらえて抱きしめてやりながら、彼の肩越しに、真冬はブルースを見つめた。――彼とは、抱擁もキスもなかった。

ティムの腕を優しくほどき、

「それじゃ」

と、真冬は言った。

「ああ。元気で」

「ばいばい」と、ティム。

もう一度キスをし、真冬は背を向けて、空港の建物の中へ入っていった。

角を曲がる時、一度だけふり返った。ティムがまだ見送っていて、小さい手を振っていた。

身を乗り出して、一生懸命に何か叫んでいる。

駆け戻りたかった。

必死の努力で手を上げ、振り返した。

奥の運転席は、暗くて見えなかった。


搭乗手続きをすませてから、真冬は受話器を取った。

「やだ、どうしてたのよ！」

叫んだのはルーシィだった。

懐かしさに、真冬は胸が詰まってしまった。

「んもう、帰ってくるって言っちゃ延び延びになるしさ。先週なんか知らない男が電話してきて、あんたはまだ帰れないとか言ってくるんだもん。すっごくいい声の男だったけど、わけを訊いても言わないし、やたら無愛想だしさあ、ひょっとして誘拐でもされたかと思ってけっこう本気で心配しちゃったよ、あはははは。ねえ、ほんとはどうしてたの？」

「熱出して、ちょっと寝込んでたの」と、真冬は言った。「もう大丈夫よ」

「今、どこ？」

「フェニックス。これから飛行機に乗るところ」

「わあ、ほんと。時差って二時間だっけ？　ええっと、じゃ七時ごろには着くね。空港まで車で迎えに行ったげる」

「あなた、運転できるようになったの？」

「まさか。ドングに行かせんのよ。あたしも乗ってっちゃうけど」

相変わらずのルーシィの声を聞いているうちに、ティムとブルースの前で崩れるまいと張りつめていた緊張がゆるんできた。涙声を気づかれないように、真冬は明るく訊いた。

「そっちは何か、変わったことあった？」

「うーん、あったとも言えるし、なかったとも言えるわね。ミセス・ローゼンシュタインはまだ生きてるよ。あんたの代わりに毎朝ちゃんとチェックしてるから大丈夫。あと、スノーブーツも元気。ずっとあんたのベッドで寝てたわ。餌あげてんのはあたしなのにさ、あの恩知らず。サンドラはね、どうやら恋人ができたらしいよ。こないだ一緒にいるの見かけたけど、すっごい美人だった。それとね……えーと……」

「なあに？」

「あのさ、ドングってさ、思ったより勇気あるヤツだったみたい」

「ドングが？　何をしたの？」

「……あたしとくっついた」

「嘘でしょ!?」

「マフィ、あんたそれ失礼だよ」

真冬はそれからしばらく、ルーシィのおしゃべりに耳を傾けた。こうして電話を通して聞いて、初めて気がついた。彼女の声のトーンは、会っている時の感じに似合わず、とても穏やかで心地よかった。

気がつくと、電話の向こうでルーシィがおろおろしていた。

「どうしたの？　ねえマフィ、どうしたのよ」

「ご……ごめんね」

真冬は、こらえることを放棄した。涙が床にぼたぼた落ちた。隣で電話をしている男がそれに気づいて、びっくりしたように彼女を見た。

「言ってごらんよ、何かあったの？　そっちで家の人にいじめられたとか？」

「ううん、そんなんじゃないの」

それは嘘だったが、そのために泣いているのではなかった。

「じゃあ、どうしたのよ！」

「あのね」真冬は洟《はな》をすすった。「……たった今、大切なひとたちと別れたの。それだけ」

真冬が泣くのを、ルーシィはしばらく黙って、ただ聞いてくれていた。

そして、やがて言った。

「気をつけて、早く戻っておいでよ、マフィ。みんな待ってるから」


ブルースは空港から少し離れた空き地に車を停め、ティムを抱き降ろして荷台の上に乗せてやった。ティムが、マフユの乗る飛行機が飛んでいくのを見ていたいと言ったのだ。

「ここでみてれば、マフィがのってるの、みえる?」

「さあ、どうかな。見えるといいがな」

ブルースは荷台によりかかった。手をかざして、まぶしく澄んだ空を見上げる。

雲はいくつか浮かんでいたが、胸が痛くなるほどいい天気だった。一羽の鷲が高みを舞っているのに気づいた時、軽い既視感を覚えてめまいがした。

ティムのほうは少しでも空に近づこうと、ブルースの肩に手を置いて荷台のへりに乗った。

「おい、落ちるぞ」

「だって、マフィにみえないと、やだもん」

「見えるさ」ブルースは言った。「きっと見てる」

エコノミークラス以外の席に座ったのは、生まれて初めてだった。

チケットはブルースが取ってくれたのだが、彼はそれを真冬に渡す時ニヤリと笑い、あんたや俺が払うわけじゃないから安心しろと言った。

機内はすいていて、隣の席には誰もいない。泣き疲れた体に、ゆったりとしたシートがありがたかった。

滑走路へ向かってゆるゆるとすべるように移動していく飛行機の窓から、真冬は、陽炎《かげろう》のたちのぼる空港を眺めた。各国の飛行機がずらりと並び、整備スタッフたちが忙しく立ち働く。窓の外の四角い風景がぴたりと動かなくなり、機長のアナウンスが入り、つんざくようなエンジン音が高まっていく。

やがて、強烈なGがかかり始めた。機体がふっと浮き上がって、なおもぐんぐん上昇し、ようやく水平に戻るまでの間ずっと、彼女は窓にしがみつくようにして下界を見おろしていた。

「お飲み物はいかがなさいます？」

ふり返って腫《は》れぼったい目を上げると、スチュワーデスがにっこり笑いかけていた。

「よろしければ、カクテルなどもございますが」

強い味のするものは飲みたくなかった。

「冷たいお水を頂けますか」

と、真冬は言った。

空から見下ろす街は、まるで蜃気楼《しんきろう》のように頼りなく見えた。

市街地の外側には荒野がひろがっていた。すっかり目になじんだ荒々しい風景の真上を、機体は翼を傾け、大きく、ゆっくりと旋回しつつあった。

あの二人は今、どのへんを走っているのだろう。

真冬は、道路に連なる蟻《あり》のような車の一つ一つに目をこらした。

帰りもまた、彼らは雨の下を通り過ぎ、そしてあの芳《かんば》しい匂いをかぐのだろうか。

スチュワーデスが、氷の入った上等なグラスと、ボトル入りのミネラルウォーターを運んできてくれた。冷房はよく効いていたが、目の前のテーブルに置かれたグラスは、見るまに細かい水滴におおわれた。

旋回を終えた機体が再び水平に戻った。窓から、まばゆい太陽の光がまともにさしこんでくる。前や後ろの席の乗客が、次々にブラインドを下げる。

真冬は、もう少し外を眺めていたかった。

視界の半分に赤茶けた大地を映したまま、氷の上からとくとくと水を注ぐ。グラスに口をつけようとして、ふと手を止めた。

朝一番ではないけれど、かまわないと思った。

美しく澄みきった一杯の水を、彼女は、金色の光の束のなかにそっと置いてみた。

定刻に飛び立ったとすれば、たぶん今のがそうだろうとブルースは教えてやった。しかし、ティム自身がマフュは本当に行ってしまったのだと納得するまでには、それからさらに幾つかの飛行機を見送らなければならなかった。

その数が八つを数えた時、ブルースは言った。

「そろそろ行くか」

ティムは、まだ心を残していたものの、

「……うん」

しぶしぶ、首をうなずかせた。

荷台から降ろしてやろうと、ブルースが手をのばした時だった。ティムが、「あ」と言った。

「どうした」

荷台と運転席を隔てる窓のところへ行き、ティムは、補強の鉄枠に引っかかっていたものを取って戻ってきた。

「これ、なんのはね？」

いつからそこにあったのだろう。長い道のりを走ってきた間も、ずっと引っかかったままだったのだろうか。

ブルースは彼を抱き降ろしてやり、

「大事にしないとな」くしゃっと頭をなでた。「それは、お前の羽根だ」

「ぼくの？」

「そうさ。お前に見つけられるのを、ずっと待ってたんだ」

まだら模様の鷲の羽根を、ティムは、表にしたり裏返したりして不思議そうに眺めている。

「来いよ」ブルースは、ひょいと首を傾けて言った。「帰るぞ、相棒」

ティムがきょとんと目を上げた。

「どうやら俺にも、お前に教えてやれることがありそうだ」

ティムを助手席に乗せてドアを閉める寸前に、ブルースはつい、いつもの癖で呼びそうになった。

そら、パンチ。乗らなきゃ置いてくぞ。

鼻の奥が、つんと痺《しび》れた。熱い息を口から吐き出してその衝動をやり過ごし、彼は、体を折って運転席に押しこんだ。

ずんぐりとした銀色の機体が、陽光をはじいて東へ遠ざかる。

そのきらめきが空の彼方に吸い込まれてしまうまで見届けると、鷲は、尾羽をわずかに傾けて舵《かじ》をとり、吹きつける風の助けを借りてすばやく向きを変えた。

琥珀《こはく》の双眸《そうぼう》が油断なく動き、彼の王国を見下ろす。

白く光る街並み。青く澄んだ水の流れ。

ごつごつした岩山と、緑の斑点《はんてん》の散らばる荒野。

——それらの名を彼は知らないが、同時に、よく知っている。

はるかな下界、大地を貫いてまっすぐに道が延び、一台の車が西の地平へと走っていく。

後ろには砂煙。

見下ろしながら飛び過ぎる鷲の翼が太陽を横切り、一瞬の影が、輝くボンネットを撫でる……。

解説

池上冬樹

いきなりで恐縮だが、昨年の暮れに出た村山由佳の『すべての雲は銀の…』（講談社）について書かれた書評を引用したい。「本の雑誌」の名物コーナー「新刊めったくたガイド」で、北上次郎氏が、物語の最後で描かれる〝濡れ場〟を賞賛し、登場する人物たちの肖像と語りの巧《うま》さにふれながら、次のように書いている――。

……ようするに、奥行きのある物語なのである。人物造形が絶妙なのである。だから、よくある話と言ってしまえばそれまでのドラマであるのに、一つづつが胸にしみていく。

正直に書くと私は、村山由佳という作家のいい読者ではない。一九九三年に「天使の卵」で小説すばる新人賞を受賞した作家だから、もう作家活動は八年にもなるのに、今さらその真価に気がつくのは遅すぎるけれど、これほど素晴らしい小説を書く作家の作品を読んでこなかったことを深く反省する。それとも、どこかで変わったのか。全作品を読んでこないと、そういうこともわからない。これからは全作品を読もう。こういう「普通の」小説がいま少ないだけに、それもすごく嬉しい。（「本の雑誌」二〇〇二年一月号）

まず、〝こういう「普通の」小説〟という部分を説明するなら、『すべての雲は銀の…』は、恋人を兄にとられてしまった大学三年の祐介が、失恋した痛手を癒すべく友人の誘いにのって信州の宿でアルバイト生活を送るうちに、さまざまな人と出会い、友情をはぐくみ、あらたな恋愛の対象を見いだす物語だからである。ここにはエンターテインメントの主流を占めるミステリ色も、また近年大きなムーヴメントになっているSFやファンタジー色もない。まったく「普通の」小説である。波瀾万丈《はらんばんじょう》の話ではなく、誰もが経験する普通の出来事を題材にしている。にもかかわらず十二分に面白く、読者の心を確実に摑《つか》む。なかでも印象的なのは、北上氏も推賞している終盤の〝濡れ場〟だろう。ここは本当にいい。楽しく格闘するかのように相手の軀《からだ》に挑みつつ、まさぐりあい、優しくいたわりながら、それぞれ生と性の悦びをわかちあう。これほど明るく、そのくせ微妙に煽情《せんじょう》的で、なおかつ清潔で爽やかでもあるという〝濡れ場〟は極めて珍しいだろう。

というと誤解を招きかねないが、決して性愛小説ではない。最近の恋愛小説では性愛部分の比重が大きいけれど、村山由佳の筆致は極めて抑制的で、セックスの場面など終盤に少しある程度である。村山由佳はそんな興味で読者を摑まない。北上氏が的確に魅力を語っているように、絶妙の人物造形と〝奥行きのある物語〟で摑む。その内包するドラマの〝一つづつが胸にしみ〟るように出来ているからである。

そこで思い出されるのが、村山由佳が、予備校生と女性精神科医の激しい愛を描いた『天使の卵（エンジェルス・エッグ）』（一九九三年）で第六回小説すばる新人賞を受賞したときの言葉だ。すなわち、〝格調高い〈文学〉でなくていい。全ての人を感動させられなくてもいい。ただ、読んでくれた人のうち、ほんの何人かでいいから心から共感してくれるような、無茶苦茶せつない小説を書きたい〟と述べたのだが、それは村山文学の基本だろう。『天使《エンジェルス》の卵《エッグ》』以後も、十代の愛と性を鮮烈に綴《つづ》った『BAD KIDS』（九四年）、続篇の『海を抱く BAD KIDS2』（九九年）、アフリカの大自然のなかで繰り広げられる写真家と染織家の愛『野生の風』（九五年）、失語症にかかった女性チェリストの再生物語『青のフェルマータ』（九五年）、駆け出しの音声マンの揺れ動く青春を描く『きみのためにできること』（九六年）、アリゾナの大地で日本人女性が新たな人生を見いだす『翼 cry for the moon』（九七年）、そして大学生がロック・バンドと愛に打ち込む『夜明けまで1マイル somebody loves you』（九八年）でもそうである。

　特に『天使の卵《エンジェルス・エッグ》』や『BAD KIDS』を読んだときの昂奮《こうふん》はいまだに覚えている。サイド・ストーリーを生むほど物語は厚くないけれど、そのメイン・ストーリーの力強さは半端ではない。余計なものを削ぎおとして、人物のエモーションを熱く脈打たせている。人を愛する一途な行為、といっても決して衝動的なものではなく、しかと自分の内面を見つめ、相手のことを思いやりながら〝正しく〟愛していく強さ、逞《たくま》しさ、まぶしさをまざまざと見せつけてくれた。愛することの切なさ、その苦しい胸の裡《うち》が、叩《たた》きつけられるような文章で提示されて、行動や台詞《せりふ》のひとつひとつが主人公の哀しい感情をあらわし、読む者の胸を震わせたのだ。熱い熱い小説で圧倒されたのである。

ただ、『すべての雲は銀の…』では、その熱さや激しさは初期ほど強くはない。目頭が熱くなる切なさよりも、むしろ読者に深い幸福感を与える静かな小説といったらいいのか、ひりひりとした傷や絶望や不安といったものを強調することよりも、祐介と同じくらいに問題を抱える周囲の人物たち（夫が行方不明の若妻と息子、登校拒否の娘と母親ほか）を温かく描出し、それぞれの幸福のありかを見いだす方向に向かっている。物語が進展し、登場人物が増えるにつれ、小さなサイド・ストーリーが生まれ、それがメイン・ストーリーを裏側から支えるようになっているのだ。無駄なものを削いで鮮烈なエモーションを屹立《きつりつ》させていく初期作品もいいけれど、この本筋と脇筋が微妙に絡んでいく物語もいい。

では、この奥行きのある物語はいつごろ生まれたのか？　北上氏が言うように〝どこかで変わったのか〟？

そう変わったのである。本書『翼』から変わったと言っていい。これは村山文学のひとつの頂点といっていい秀作である。

篠崎真冬はニューヨーク大学の大学院で経営学を学ぶ学生で、大学教授の恋人ラリーもいて、幸せな日々を送っているかに見えたが、実際はそうではなかった。なぜなら彼女の心には消せないトラウマがあり、それが二人の間のわだかまりを作っていたからだ。そこで恋人のラリーは学生時代からの友人である精神科医を紹介し、真冬の少女時代の抑圧された記憶を探っていく。

そうして見えてきたのが、真冬が八歳のときに体験した父親の自殺の場面だった。大手医療機器メーカーのボストン支社長として順調に仕事をこなしていた父だったが、裏ではギャンブルにいれあげて金を使い込み、それが会社に発覚して自殺をしたのだった。その現場を目撃したのが真冬であり、ショックで通報が遅れたのが、あとあとまで母親の叱責《しっせき》のもととなった。

父親の死後、真冬と母は日本に帰ったが、真冬の周辺では不幸な事件があいつぎ、母親は〝お前に近づく者は、みな不幸になる〟と責め続けた。その言葉が呪縛《じゅばく》となった。

やがて母親は酒と宗教に頼るようになり、そんな母親の元から逃げ出すようにして、真冬は高校を卒業してふたたびアメリカに渡ってきたのだが、しかし心は決して晴れなかった。恋人が出来ても彼女は真から心を開いてはいなかった。

だがやがて彼女の人生を変える大きな事件がおきて、彼女はラリーの幼い息子ティムとともにアリゾナの砂漠へと向かう。そこにはナヴァホ族の居留地とラリーの一族の家があった。そこで彼女はさまざまな体験を経て、自分の真の姿を発見することになる……。

いい小説だ。今回約五年ぶりに再読したけれど、前回以上に細部が生々しく感じられ、節々で心を揺さぶられた。五年前はまだ日本人には深刻に捉《とら》えられなかったトラウマや幼児虐待などのテーマも、いま読むとより身近で痛切な問題として迫ってくる。

本書は、ひとりの日本女性がアメリカでいくつもの障害を乗り越えて成長していく姿を描いた作品である。それまでは村山作品の中心となっていたものは「恋愛」だったが、ここでは恋愛だけでなく家族愛、友情、憎悪、精神的外傷、さらには現在のアメリカが抱える諸問題、すなわち人種問題から幼児虐待なども視野にいれて、まさに奥行きのある物語を作りだしている。特にアイデンティティーの喪失と獲得の問題を、異文化（おもにネイティブ・アメリカンの文化）や異国人との交流や対立を通して描ききり、より懐の深い複雑な人生ドラマを生み出している。それまでの村山作品ではメイン・ストーリーを力強く押し進めていたが、ここでは海外作品のように、メイン・ストーリーのみならず、いくつものサイド・ストーリーを織り込んで興趣を高めている。それまでのシンプルで力強い恋愛小説／青春小説の書き手から、堅牢《けんろう》なプロットと厚みのある物語性で読ませる「小説家」に脱皮した作品といえるのである。

もちろん「小説家」に脱皮しても、『翼』には、村山作品の特徴ともいうべき、熱いエモーションがあふれている。だが、注意すべきは、このエモーションが鮮烈で、人物たちの思いが切実に響くのは、単に〈恋〉という感情が満たされ、または満たされないからではない。あるいは理不尽な状況や不幸に遭遇したからでもない。そんな喜びや悲しみや苦しみからではない。とかく恋愛を描いた青春小説／恋愛小説は、恋愛の成就や別れといった結果に目が向きがちだが、そして作者自身、いままでそれを実にエモーショナルに描いてきているけれど、実際にはそれだけに止まらないのである。あるエッセイで、〝目に見えることだけがすべてではない〟と語り、本書でも〝本物の答えは、いつも自分の中にある。目に見えないもの、手でさわれないもの、耳には聞こえないものの中にこそ、真実が隠されている〟と登場人物に語らせているように、村山文学が追求しているものはピュアな生のあり方であり、自分のなかの〝真実〟なのである。

「いいかね。どこで、誰の子として生まれたかなんてのは、たいした問題じゃない。どうでもいいこった。それより大事なのはな、その人間が、どこで生きていくことを選び、何者になろうとしているかなんじゃ。わかるか？」（一八一頁）

「すべては、あんたの選択次第なのだよ。……人を愛せる人間になるか。憎しみに支配された人間になるか。幸福になるための努力をするか。不幸への坂を滑り落ちるにまかせるか。育った環境も、置かれている境遇も関係ない。あんたが、自分で、選ぶことだ」（四四九頁）

と、ナヴァホ族の古老が語っているように（それにしても彼の言葉はみな箴言《しんげん》そのものではないか。すべて引用したいくらいだ）、大切なのは〝どこで生きていくことを選び、何者になろうとしているか〟なのである。本書のあとに書かれた『夜明けまで1マイル』のなかで主人公が、自分を省みずにいると、〝自分に居留守を使ってどうする気だ〟と批判される場面があるけれど、これも同じことだろう。つまり最も必要なのは内面の凝視なのである。作者が重要視しているのは、恋愛の進展や結果ではなく、いかに自分自身を認識するのかという点にある。小説では主人公が、事件や恋する相手との関係を通して自分が何者であり、何者になろうとしているのかを発見するのが主眼なのである。そしてそのときの発見こそが、読む者の心を震わせるのだ。内面の凝視の促しと新たな生の発見。そこに感動があり、読む者の人生を温かく鼓舞してくれるのである。

村山由佳は、日本のエンターテインメント界のなかで最も力強い青春小説と恋愛小説を書いている作家だろう。彼女の小説は、原色のまさるタブロー（油絵）さながらに、躍動感のある流線、鮮やかな染色、匂いたつ色と香りにみちみちている。といっても決して単純な配色ではなく、コントラストが際立ち、深い陰影があり、こまやかなトーンが生々しく息づいている。

そんな彼女の文学がより深化をましたのが、本書『翼』なのである。作品に塗りこむのは〈恋〉の感情だけでなく、人物たちに過酷な試練を課す〈現代〉そのもの。あらゆるものが盛り込まれ、豊かな世界を形作っている。

おそらく『すべての雲は銀の…』を読んだ者が他の村山作品を読みたくなるように（いや実際に初期の『天使の卵《エンジェルス・エッグ》』や『BAD　KIDS』に感動した多くの読者たちが村山ファンになり、ずっと新作を追い続けているように）、本書を読めば、未読の村山作品に手がのびるだろう。ファンならもう一度感動を新たにし、ますます本書が好きになるのではないか。少なくとも僕はそうだった。本書で僕らは主人公とともにいくつもの別れを体験するけれど、読後に押し寄せるのは不思議と静かな幸福感である。それはどんなに苦しくても辛くても、人生は生きるに値し、悲しみ以上に喜びが多いことを力強く教えてくれるからだろう。いい小説だ。とてもとてもいい小説だ。

この作品は一九九七年九月、集英社より刊行されました。

集英社文庫

翼《つばさ》 cry for the moon

2002年6月25日 第1刷
2007年3月25日 第13刷

定価はカバーに表示してあります。

著　者　村《むら》山《やま》由《ゆ》佳《か》

発行者　加藤　潤

発行所　株式会社　集英社
東京都千代田区一ツ橋2—5—10
〒101-8050
電話　03（3230）6095（編集）
　　　03（3230）6393（販売）
　　　03（3230）6080（読者係）

印　刷　中央精版印刷株式会社　株式会社美松堂

製　本　中央精版印刷株式会社

Printed in Japan

ISBN4-08-747453-4 C0193